CRÉEZ DES PAGES WEB POUR LES NULS

2e ÉDITION

Bud Smith, Arthur Bebak

Créez des pages Web pour les Nuls (2ᵉ édition)

Publié par
Wiley Publishing, Inc.
909 Third Avenue
New York, NY 10022

Copyright © 2001 par Wiley Publishing, Inc.

Pour les Nuls est une marque déposée de Wiley Publishing, Inc.
For Dummies est une marque déposée de Wiley Publishing, Inc.
Collection dirigée par Jean-Pierre Cano
Edition : Pierre Chauvot
Maquette et mise en page : Edouard Chauvot
Traduction : Michel Dreyfus

Edition française publiée en accord avec Wiley Publishing, Inc.
© 2002 par Éditions First Interactive
33, avenue de la République
75011 Paris - France
Tél. 01 40 21 46 46
Fax 01 40 21 46 20
E-mail : firstinfo@efirst.com
Web : www.efirst.com
ISBN : 2-84427-377-7
Dépôt légal : 4ᵉᵐᵉ trimestre 2002

Imprimé en France

Sommaire

* *

Introduction

* *

*L*a partie la plus visible de l'Internet c'est le World Wide Web : la toile d'araignée mondiale dans laquelle ce sont des *pages* qui véhiculent les informations. Vous voudriez bien être de ceux qui publient sur le Web. Mais un doute vous retient : "Est-ce que ça n'est pas trop difficile, trop cher, trop compliqué ?". Pas vraiment. Plus le Web prend de l'extension et plus il devient facile d'y être présent. Et nous allons voir dans ce livre quels sont les meilleurs moyens qui existent pour y parvenir.

Quelques hypothèses de départ

Nous avons supposé que vous aviez déjà utilisé le Web et que vous vouliez créer une page Web. Pour profiter des informations que vous allez trouver ici, vous devez posséder un ordinateur personnel tournant de préférence sous Windows (éventuellement sous MacOs ou Linux). Vous devez aussi avoir accès au Web, directement ou par l'intermédiaire d'un *FAI* (fournisseur d'accès à l'Internet). Vous devez avoir installé un navigateur (*browser*, en anglais) tel que Netscape Navigator ou Internet Explorer.

Si vous n'avez pas encore accès au Web depuis votre ordinateur personnel, vous trouverez à l'Annexe B une liste très partielle de quelques-uns des nombreux fournisseurs d'accès en France auxquels vous pourrez vous adresser pour combler cette lacune. Une expérience préalable de l'usage du Web est nécessaire : c'est ce qu'on appelle couramment *surfer*.

Parcourez ce livre et allez droit à l'information dont vous avez besoin. Vous pourrez toujours revenir en arrière plus tard et approfondir des notions qui ne vous avaient pas semblé importantes de prime abord. Si vous voulez voir ce qu'a réalisé l'un des auteurs de ce livre, pointez votre navigateur sur sa page d'accueil à l'URL `http://www.netsurf.com/cwpfd`.

Quelques conventions

Pour faciliter la lecture de ce livre, nous avons établi quelques conventions simples :

- ✔ Ce que vous, lecteur, devez taper, est imprimé **en gras**.

- ✔ Les nouveaux termes sont imprimés *en italique*.

- ✔ Nous allons rencontrer de nombreuses *balises* (des commandes de mise en forme, si vous préférez) qui seront imprimées avec une `police de caractères à pas fixe`.

- ✔ Les URL (*Uniform Resource Locator* ou adresses de ressources unifiées) seront imprimées comme ci-dessous. Par exemple, l'URL de First Interactive, l'éditeur français de ce livre, est `http://www.efirst.com`.

- ✔ Le Web est changeant. Certaines des URL listées dans ce livre peuvent avoir changé, disparu ou être devenues inaccessibles.

- ✔ Les sélections de rubriques de menus sur lesquelles vous devrez cliquer seront représentées ainsi : Fichier/Ouvrir. Ce qui signifie : cliquez sur le menu Fichier puis, dans la liste des rubriques qui se déroule, sur l'entrée Fichier.

- ✔ Certaines informations d'ensemble concernant un sujet particulier sont affichées dans des listes à puces comme celle que vous lisez actuellement.

- ✔ Pour les instructions que vous devez suivre scrupuleusement dans l'ordre indiqué, nous avons utilisé des listes numérotées. Ces instructions seront, autant que faire se peut, valables sur les PC et sur les Mac.

Demandez le programme

Voici, en gros, ce que vous allez trouver.

Première partie : Initiation à la publication Web

Vous y découvrirez quels sont les idées et les mots clés d'usage courant sur le Web, comment planifier un site Web et ce qu'est HTML, le langage utilisé dans chaque page Web.

Deuxième partie : Une page d'accueil en une journée

En quelques heures, vous allez créer votre page sur le Web. En général, on prépare sa page tranquillement en dehors de toute connexion, et on ne se raccorde à l'Internet qu'au tout dernier moment, pour transférer les fichiers qu'on vient de créer sur le site du prestataire de diffusion qu'on a choisi. Celui-ci sera le plus souvent le fournisseur d'accès auprès duquel vous avez souscrit un abonnement, mais vous pouvez aussi choisir l'un des *hébergeurs de pages* qui vous offrent gratuitement de la place sur leurs disques durs comme GeoCities, MultiMania, Chez, Free...

Troisième partie : Des sites meilleurs, plus rapides et plus forts

Comment créer un site qui soit à la fois attractif et riche d'informations sans y consacrer trop de temps et d'argent, rapidement et sans douleur. Comment y ajouter ensuite des images et du multimédia.

Quatrième partie : Des sites qui font chaud au cœur

On commence par une simple page et on se retrouve bientôt devant un véritable site Web. Comment faire pour que votre site soit attractif et riche d'informations. Vous allez découvrir combien il est facile de réaliser et de publier votre *site Web* vite et bien.

Cinquième partie : Les outils de publication sur le Web

Si vous avez l'intention de créer un site Web de plusieurs pages et que vous voulez bénéficier des possibilités les plus créatives du Web sans avoir trop à vous frotter à HTML, vous serez content d'apprendre qu'il existe des outils logiciels pour cela. Cette partie vous présente la crème de notre récolte des meilleurs outils pour l'édition Web.

Sixième partie : Les dix commandements

Ici, vous allez trouver tout et son contraire : à la fois ce qu'il faut faire et ce qu'il *ne faut pas* faire.

Septième partie : Les annexes

Outre un glossaire qui vous permettra de découvrir le véritable sens de mots ou d'expressions à l'aspect rébarbatif, vous trouverez une liste de quelques-uns des fournisseurs d'accès à l'Internet en France et une vue d'ensemble des balises HTML. Une liste d'adresses et de logiciels utiles pour l'auteur Web terminera le livre.

Pictogrammes utilisés dans ce livre

Vous invite à mémoriser une information qui vous sera particulière-ment utile pour votre page Web.

Sert à marquer des informations qui ne rentrent pas exactement dans une description ou une suite d'étapes, mais qui vous aideront à construire de bonnes pages Web.

Vous signale que telle ou telle action peut demander un certain temps pour se réaliser.

Attention, danger ! Si vous n'y prenez garde, vous risquez de rencon-trer des problèmes.

Première partie

Initiation
à la publication
sur le Web

Dans cette partie...

*V*ous allez découvrir les principes généraux du Web et de la publication sur le Web. Cette partie vous aidera aussi à établir le plan de votre première page Web afin qu'elle soit une réussite.

Chapitre 1

Les bases
de la publication
sur le Web

Dans ce chapitre :

▶ Qu'est-ce que l'Internet ?

▶ Qu'est-ce que le World Wide Web ?

▶ Comment fonctionne le Web ?

▶ A quoi sert HTML ?

▶ Comment devenir un auteur Web ?

*P*our devenir un auteur Web, vous devez en savoir davantage qu'un simple utilisateur et comprendre les idées et les faits qu'il y a derrière les mots Web et Internet. Dans ce chapitre, nous allons vous faire découvrir ces nouveaux territoires dans lesquels vous souhaitez pénétrer.

Si vous bouillez d'impatience, allez tout de suite à la section "Sept étapes vers la gloire", vers la fin de ce chapitre.

Et l'Internet créa le Web...

Beaucoup de gens pensent que le Web a détrôné son créateur, l'Internet, et l'a relégué dans l'ombre. Mais, quoi que vous en pensiez, l'Internet est toujours là, bel et bien vivant. Et pour comprendre le Web, vous devez posséder quelques connaissances de base sur l'Internet.

Que diable est-ce donc que l'Internet ?

L'Internet est un gigantesque réseau d'ordinateurs qui interconnecte d'autres réseaux d'ordinateurs comme le ferait une pieuvre géante possédant des millions de tentacules. Chaque tentacule est agrippé à une autre pieuvre, plus petite : les autres réseaux. Et ces petites pieuvres sont, à leur tour, agrippées à d'autres pieuvres plus petites : d'autres réseaux encore. Car chaque université, chaque entreprise possède elle-même plusieurs niveaux d'interconnexions locales.

Les réseaux hébergent différentes sortes de services, le plus populaire d'entre eux étant sans doute le *courrier électronique* (*e-mail*). Grâce à l'Internet, vous pouvez envoyer un message à n'importe qui, quel que soit le réseau auquel il est raccordé, pourvu que ce réseau soit lui-même raccordé à l'Internet.

Pour accéder aux différentes ressources proposées par différents types de services, on doit utiliser une forme particulière d'adressage appelée *URL* (*Uniform Resource Locator* ou adresse de ressource unifiée). C'est ce type d'adresse que vous tapez lorsque vous voulez accéder à une page Web. Par exemple, `http://www.netsurf.com/` est l'URL du site Web Netsurfer Communication d'Arthur. Une URL se compose des trois parties illustrées par la Figure 1.1 :

- ✔ *Nom du protocole* de communication utilisé : http (*HyperText Transfer Protocol*, pour le Web), ftp, news, etc.
- ✔ *Nom de domaine*, c'est le nom du serveur sur lequel se trouve le fichier auquel on souhaite accéder.
- ✔ *Chemin d'accès*, c'est le nom du fichier qui vous intéresse.

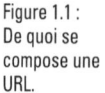
Figure 1.1 : De quoi se compose une URL.

◄— Protocole —► http://   ◄— Nom de domaine —► www.server.fr   ◄— Chemin d'accès —► toto/monfichier.html

Que diable est-ce donc que le Web ?

Le World Wide Web (couramment appelé *Web*) est le plus récent des services offerts par l'Internet. Il associe texte, images et multimédia et crée des liens entre les fichiers pour organiser une gigantesque toile d'araignée d'informations.

Le Web a plusieurs aspects uniques qui lui confèrent sa popularité. Chaque document du Web — chaque *page Web* — est construit à partir d'un fichier texte comme l'est un message électronique. Mais le Web est plus souple, car vous pouvez y ajouter des images ou des fichiers multimédias en créant des liens vers ces fichiers à partir de la page Web constituée de texte. Vous pouvez aussi établir des liens entre plusieurs pages Web.

Le Web est le service le plus populaire de l'Internet et celui qui prend de plus en plus d'importance car c'est un système construit sur l'image, facile à utiliser, et qu'on y trouve à peu près tout ce qu'on peut souhaiter.

Comment aller sur le Web ?

La façon la plus rapide et la plus efficace de se connecter à l'Internet, c'est de recourir à l'un des *fournisseurs d'accès* dont vous trouverez une liste (très) abrégée à l'Annexe B. Citons par ordre alphabétique et sans souci d'exhaustivité : AOL, Club-Internet, Compuserve, Easynet, Free, Infonie, Wanadoo, World On Line, etc. Tous proposent une assistance client en ligne sur la qualité de laquelle l'unanimité est loin de se faire. Vous devrez, en outre, utiliser un logiciel particulier, largement et gratuitement distribué, appelé *navigateur*.

Je relie, donc je suis

Ce qu'il y a de plus merveilleux sur le Web, ce sont les *liens* : vous cliquez sur un point particulier d'une page Web et vous voyez apparaî-tre une image, vous entendez une musique, vous voyez s'afficher une autre page. Par exemple, à partir d'une page parlant des Nations unies, vous pourriez contempler des images de chacun des drapeaux des nations membres, entendre leurs représentants vous dire "hello" dans leur propre langue, ou aller chercher d'autres informations sur des sujets voisins comme d'autres organisations internationales ou des nouvelles du monde entier.

Une page Web est conservée sur un ordinateur particulier appelé *serveur Web*, connecté à l'Internet et capable de répondre aux requê-tes qui lui sont adressées à l'aide d'un langage spécialisé : un *protocole*. Ici, c'est HTTP.

Lorsque vous utilisez le Web, votre machine se comporte comme un *client Web*, et télécharge des informations à partir d'un serveur Web.

Lorsque vous accédez à une page Web, votre machine envoie une requête sur l'Internet à destination d'un fichier Web spécifié par une URL. Pour cela, elle se connecte à la machine qui renferme ce fichier (c'est pourquoi, chaque fois que vous demandez un autre fichier sur le Web, même la plus petite image, il est nécessaire d'établir une *connexion particulière*). Le fichier trouvé est envoyé sur l'Internet vers votre machine. Votre navigateur Web affiche alors son contenu. Ce cycle de requêtes et de réceptions, illustré par la Figure 1.2, se répète chaque fois que vous surfez sur le Web.

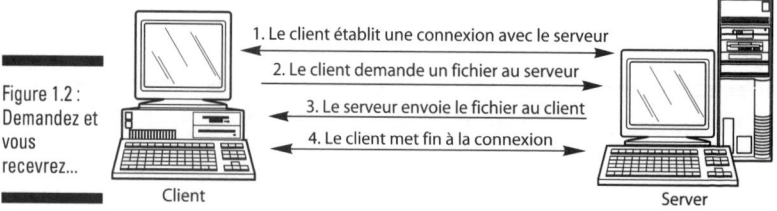

Figure 1.2 : Demandez et vous recevrez...

1. Le client établit une connexion avec le serveur
2. Le client demande un fichier au serveur
3. Le serveur envoie le fichier au client
4. Le client met fin à la connexion

Client   Server

Devenez un des acteurs du Web

En tant qu'utilisateur du Web, vous faites partie des spectateurs d'une pièce constamment changeante. Lorsque vous aurez publié votre première page Web, vous deviendrez un des acteurs. Pour bien jouer votre rôle, vous devez faire connaissance avec les autres acteurs de la pièce.

Apprenez à connaître les rôles de chacun

Dans la liste ci-dessous, nous allons tenter de clarifier le sens d'un certain nombre de termes que vous devez connaître pour publier sur le Web :

- **Page Web.** Document constitué par du texte contenant des pointeurs vers des fichiers d'images, des fichiers multimédias et d'autres pages Web. Certains de ces fichiers sont affichés immédiatement ; d'autres le seront lorsque le visiteur cliquera à cet effet sur un lien.

- **Page d'accueil.** C'est une page Web particulière qui est la première sur laquelle arrivent les visiteurs. C'est le point d'entrée dans le *site Web*.

✔ **Site Web.** Page d'accueil suivie éventuellement d'autres pages auxquelles on peut accéder à partir de la page d'accueil. On dit aussi *présentation Web*.

✔ **Navigateur.** C'est un programme comme Netscape Navigator ou Internet Explorer de Microsoft, qui sert à afficher les documents du Web.

✔ **Moteur de recherche.** Ce sont des services particuliers du Web qui vous aident à trouver ce que vous recherchez. Ceux que préfèrent les auteurs sont Yahoo!, qui est organisé comme une arborescence de sites Web, et AltaVista qui propose des facilités de recherche allant des plus simples aux plus élaborées pour le texte comme pour l'image. Leurs adresses respectives sont :

```
http://www.yahoo.com
http://www.altavista.com
```

Tous deux ont une antenne française qui est :

```
http://www.yahoo.fr
http://www.altavista.fr
```

✔ **Image en ligne.** C'est une image qui fait partie d'une page Web (les Anglo-Saxons aiment bien l'expression *image online*, mais en France on dit plus couramment *image* tout court).

✔ **Image téléchargeable.** C'est une image qui s'affiche lorsque l'utilisateur clique sur un lien (nous y reviendrons dans la section suivante). La Figure 1.3 montre l'image affichée par la page d'accueil du site Web du *Journal du Net*. Vous pourrez noter que texte et image y voisinent.

✔ **GIF et JPEG.** Il s'agit là des deux formats d'images les plus répandus sur le Web. Les fichiers GIF (certains prononcent "jif" – comme *gifle* – ; d'autres, "guif" – comme *guignol* –) sont les plus courants et les plus faciles à créer. Les fichiers JPEG présentent un taux de compression plus important, c'est-à-dire qu'ils peuvent proposer une image de même taille mais sous un encombrement plus réduit sur disque. Tous les navigateurs qui supportent les images reconnaissent ces deux formats.

Qu'y a-t-il dans un document HTML ?

Les indications de formatage sont placées dans des *balises* dont le format et la signification sont déterminés par une spécification

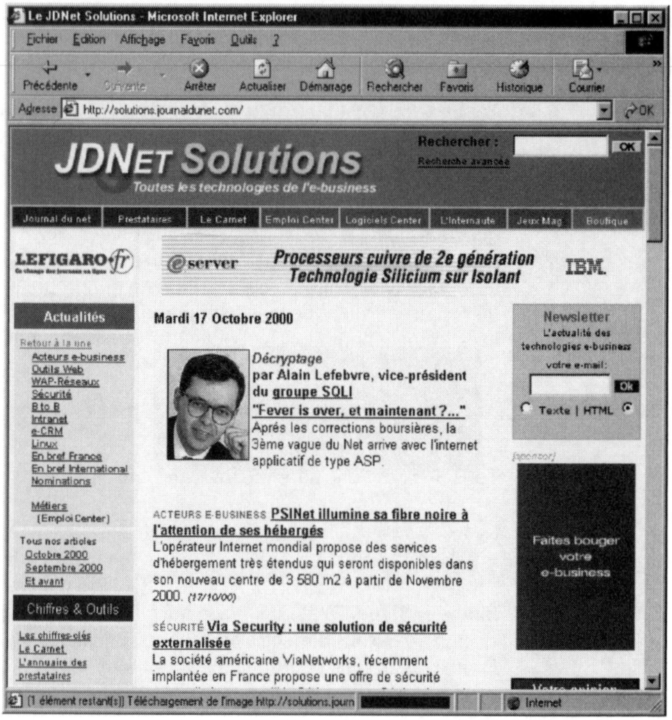

Figure 1.3 :
Une page
d'accueil où
voisinent
texte et
image.

appelée HTML (*HyperText Markup Language*, ou "langage de marquage hypertexte").

Si vous voulez voir un exemple du code HTML d'une page Web dans laquelle se trouvent des images et des liens, allez un peu plus loin dans ce chapitre, à la section "Qu'y a-t-il dans un document HTML ?".

L'hypertexte est constitué de texte qui contient des liens. Un *lien* n'est autre qu'un appel de connexion à un autre document. Un *langage de marquage*, c'est une façon de placer des informations particulières dans un document, des liens par exemple, de façon qu'elles ne risquent pas de se mélanger aux informations environnantes. Les langages de marquage utilisent la plupart du temps des *balises*. Ainsi HTML est-il une façon particulière d'utiliser des balises pour insérer des informations de formatage dans un document.

Beaucoup de ces balises se présentent par paire : la première définit le début d'une modification et l'autre sa fin. Dans la phrase exemple ci-dessous, la première balise, <B>, signifie qu'il faut afficher ce qui suit en **gras**. La seconde balise, </B>, indique qu'il faut revenir à l'affichage normal. Une balise est constituée par des caractères enfermés dans une paire de *chevrons* ("<" et ">"). Voici comment se présente une phrase "marquée" par un couple de balises HTML :

```
C'est une <B>mauvaise</B> idée.
```

Cette phrase s'affichera ainsi sur l'écran de votre navigateur :

```
C'est une mauvaise idée.
```

Les marqueurs <B> et </B> sont des balises de mise en forme qui décrivent la façon dont le texte qu'elles encadrent doit être présenté. Il existe d'autres sortes de balises HTML, parmi lesquelles l'une des plus importantes est la *balise de lien* qui spécifie où trouver les informations qui doivent maintenant être affichées. En voici un exemple :

```
Pour en savoir davantage sur les <I>Pokémons</I>, ces
"monstres de poche" si populaires aujourd'hui parmi les
enfants des écoles, visitez le site Web officiel des
<A HREF="http://www.pokemon.com>Pokémons</A>.
```

Les balises <I> et </I> indiquent que le mot *Pokémons* qu'elles encadrent doit être affiché en italique. Les balises <A> et </A> indiquent que Pokémons est un appel de lien et doit être affiché comme tel. Avec la plupart des navigateurs, ce texte sera affiché en bleu (ce que vous ne pouvez pas voir ici puisque le livre n'est pas imprimé en couleurs) et, de plus, souligné. Quant au texte qui reste (HREF="http://www.pokemon.com") à l'intérieur de ces balises, il spécifie l'URL de la page qui sera chargée si le visiteur clique sur l'appel de lien.

Le décor : images réactives et formulaires

Deux des éléments les plus importants qui affectent la façon dont vous percevez le Web sont les *images réactives* et les *formulaires*.

Une *image réactive* est une image renfermant des *zones sensibles*, c'est-à-dire des zones particulières agissant comme des appels de liens vers une autre URL, de la même façon que le texte affiché en bleu et souligné que nous venons de voir. Elles peuvent donc constituer des outils de navigation souvent plus explicites qu'un simple texte. La page d'accueil de la SEITA que l'on voit sur la Figure 1.4 est un exemple de cette forme d'image réactive.

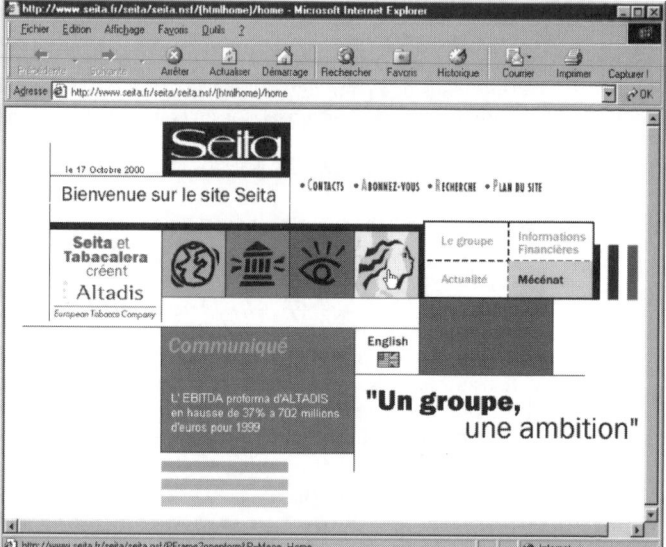

Figure 1.4 : La page d'accueil de la SEITA arbore des images réactives.

Si vous désactivez l'affichage des images par votre navigateur, vous ne pourrez plus voir les images réactives, donc les utiliser. Mais elles constituent un outil de navigation très attractif. Nous n'en parlerons pas davantage dans ce livre puisque sa vocation est de rester simple.

Quant aux *formulaires*, c'est une façon, pour le visiteur, d'envoyer certaines informations, comme son nom, son adresse, son numéro de téléphone, à la demande de la page affichée. Le dépouillement des informations ainsi recueillies n'est pas automatique. Vous devez écrire un programme spécial (en C ou en Perl, généralement) ou utiliser un outil logiciel particulier pour recevoir les informations et les traiter. En raison de la complexité que cela entraîne, nous ignorerons la plupart du temps les formulaires dans ce livre. Mais il ne faut pas oublier que c'est un élément important pour certains sites Web. La Figure 1.5 vous présente un exemple de formulaire dans lequel vous êtes invité à donner un certain nombre d'informations personnelles pour vous abonner au fournisseur d'accès Mageos.

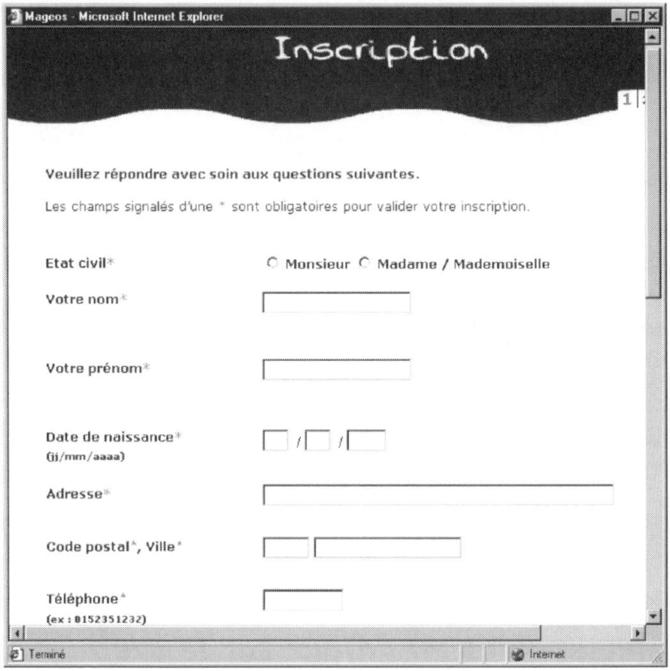

Figure 1.5 :
Exemple
simple de
formulaire.

Qu'y a-t-il, en réalité, dans une page Web ?

Pour voir ce que contient une page Web, avec Internet Explorer, cliquez sur Affichage/Source. Vous allez voir quelque chose qui ressemble à ce qui est reproduit sur la Figure 1.6. Une fois ce fichier ouvert, vous pouvez l'éditer, le sauvegarder et l'ouvrir de nouveau dans votre navigateur en spécifiant l'adresse où vous venez de le placer sur votre disque dur. Vous pourrez ainsi voir l'effet des modifications que vous venez d'effectuer. Bien entendu, cela ne modifiera pas le fichier qui se trouve sur le serveur Web : seule la copie locale sera modifiée.

Un formulaire contient des éléments vous permettant d'y saisir des informations ou de choisir parmi une liste de propositions. La création d'un formulaire dans une page Web est assez facile mais ce n'est pas

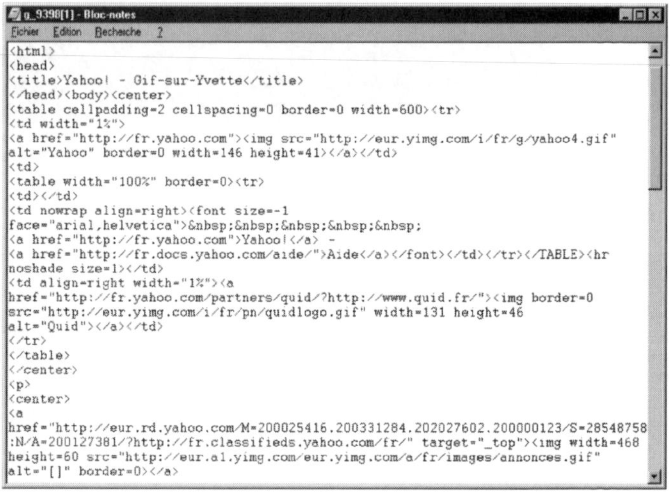


```
<html>
<head>
<title>Yahoo! - Gif-sur-Yvette</title>
</head><body><center>
<table cellpadding=2 cellspacing=0 border=0 width=600><tr>
<td width="1%">
<a href="http://fr.yahoo.com"><img src="http://eur.yimg.com/i/fr/g/yahoo4.gif"
alt="Yahoo" border=0 width=146 height=41></a></td>
<td>
<table width="100%" border=0><tr>
<td></td>
<td nowrap align=right><font size=-1
face="arial,helvetica">     
<a href="http://fr.yahoo.com">Yahoo!</a> -
<a href="http://fr.docs.yahoo.com/aide/">Aide</a></font></td></tr></TABLE><hr
noshade size=1></td>
<td align=right width="1%"><a
href="http://fr.yahoo.com/partners/quid/?http://www.quid.fr/"><img border=0
src="http://eur.yimg.com/i/fr/pn/quidlogo.gif" width=131 height=46
alt="Quid"></a></td>
</tr>
</table>
</center>
<p>
<center>
<a
href="http://eur.rd.yahoo.com/M=200025416.200331284.202027602.200000123/S=28548758
:N/A=200127381/?http://fr.classifieds.yahoo.com/fr/" target="_top"><img width=468
height=60 src="http://eur.a1.yimg.com/eur.yimg.com/a/fr/images/annonces.gif"
alt="[]" border=0></a>
```

Figure 1.6 : Source d'un document HTML.

suffisant car il faut, en outre, écrire le programme de traitement qui utilisera ces informations.

Mettez-vous en valeur sur le Web

Il y a quelques chausse-trappes sur la route qui vous conduira vers la gloire et la fortune (?)...

Les pièges du Web

Si passionnant que soit le Web, il n'en recèle pas moins quelques pièges et difficultés que ne doit pas ignorer celui qui veut y publier :

- **Différences entre navigateurs.** Différents navigateurs affichent la même page de différentes façons. Certains reconnaissent de nouvelles balises et certaines balises non standards que d'autres ignorent. Il en résulte des affichages différents et parfois d'importantes lacunes.

- **Rapidité des connexions.** Certains utilisateurs privilégiés disposent de réseaux rapides directement connectés au Web, alors que le commun des mortels n'a à sa disposition qu'une ligne téléphonique ne lui permettant guère de dépasser un débit d'environ 40 à 50 Kbps, ce qui est 10 à 20 fois moins rapide. Ainsi, une page riche de superbes images pourra-t-elle sembler surgir presque instantanément sur l'écran des uns alors qu'elle s'affichera *len-te-ment* sur l'écran des autres.

✔ **Sacrés utilisateurs !** Les utilisateurs n'ont pas tous le même type d'écran et peuvent même reconfigurer leur navigateur pour utiliser des polices de caractères différentes, afficher des tailles de fenêtres différentes et ainsi de suite.

Tout cela provient d'un manque de coordination des acteurs du Web et vous n'y pouvez rien. La seule réponse que puisse trouver l'auteur Web débutant que vous êtes est de rester simple et de fuir toute complication inutile. Dans ce livre, nous utiliserons des mises en page simples ne mettant en œuvre, presque toujours, que les balises HTML les plus universellement reconnues.

Kirk et Spock : deux attitudes différentes

Deux approches sont possibles pour devenir un acteur du Web : l'approche spontanée qu'aurait adoptée le capitaine Kirk – le commandant risque-tout du vaisseau *Enterprise* –, ou l'approche méticuleuse que le plus avisé lieutenant Spock aurait préférée. La première peut se résumer dans le slogan popularisé par Nike : "Allez-y !" En quelques heures de travail, vous pouvez avoir une page Web présente sur l'Internet sans que ça vous coûte grand chose.

Par opposition à cette approche tout en force, la méthode bien plus logique de Spock vous commanderait de procéder ainsi :

✔ Définissez les buts que vous voulez atteindre avec votre site Web.

✔ Planifiez le contenu du site pour atteindre ces buts.

✔ Faites un découpage précis en spécifiant ce qui se trouvera sur chaque page et comment les pages seront organisées les unes par rapport aux autres.

✔ Comparez votre plan à celui de sites similaires ou avec lesquels vous risquez d'entrer en compétition et révisez-le en conséquence.

✔ Créez votre site sur votre propre machine d'abord et testez-le rigoureusement.

✔ Choisissez soigneusement le service d'hébergement qui vous paraîtra offrir les meilleures prestations.

> ✔ Publiez votre site et entrez dans le cycle sans fin des tests et des révisions.

Adopter l'une ou l'autre approche est une chose, mais encore faut-il que votre attitude corresponde aux buts que vous poursuivez. Nous vous recommandons d'adopter initialement l'approche en force. N'y déployez pas un trop grand effort, mais ne comptez pas démarrer ainsi un vaste empire sur le Web. Contentez-vous de créer une page personnelle racontant quelque chose d'intéressant au sujet de votre personne.

Si cette première page est la seule que vous publierez jamais sur le Web, c'est bien. Il est assez intéressant de visiter les pages créées par des individus dont le seul but est de s'amuser ou qui partagent une passion commune. Cette première page va enrichir votre expérience et vous inciter à aller plus loin.

Sept étapes vers la gloire

Maintenant que vous avez compris ce qu'est le Web et comment il est constitué, vous voici prêt à vous lancer dans la carrière d'éditeur de pages Web. Voyons quelles sont à peu près les étapes à franchir :

1. **Créez vos fichiers HTML.**

2. **Créez ou procurez-vous des fichiers d'images.**

3. **Placez des liens vers les fichiers d'images et vers d'autres pages Web dans vos fichiers HTML.**

4. **Testez votre futur site Web sur votre propre machine.**

5. **Trouvez de la place sur un serveur Web.**

6. **Transférez vos fichiers sur le serveur Web pour y créer votre site Web.**

7. **Vérifiez que tout se passe comme vous l'espériez.**

Certains ont du mal à maîtriser parfaitement chacune de ces tâches. Rien que la première étape vous demande de décider à quoi va ressembler votre page, d'apprendre HTML, de choisir et de savoir utiliser le type d'éditeur avec lequel vous allez la créer, etc. Chacune de ces étapes fera l'objet d'un ou de plusieurs chapitres de ce livre.

Faites simplement les choses simples

Si tout ce que vous voulez c'est publier sur le Web une page disant "J'existe !", il est bien inutile de passer par toutes les étapes que nous venons d'énumérer. Vous trouverez dans la deuxième partie quelques-uns des moyens faciles qui existent de publier sur le Web.

Comment rendre possible les choses difficiles

Les services du type "votre page en une heure" vous en donnent pour votre argent : vous serez limité en place et votre page risque de ne pas briller par son originalité. Si vous voulez que votre page ait une URL personnalisée, c'est possible, mais il faut payer pour cela – et, en France, plus qu'aux Etats-Unis. De plus, l'organisme français qui gère les URL, l'AFNIC, a mis en place une procédure compliquée, formaliste et tatillonne, bien représentative d'une administration que le monde entier ne nous envie pas. Mais rien ne vous empêche, même en France, de vous adresser à l'organisme américain, le NIC.

Dans le reste de cette première partie, nous décrirons la stratégie de base, que vous pouvez suivre pour établir votre site sur le Web, et nous verrons juste ce qu'il faut de HTML pour vous y aider. Dans la deuxième partie, nous passerons en revue quelques-unes des façons de créer gratuitement votre site initial.

Chapitre 2

Votre stratégie de publication sur le Web

. . . .

Dans ce chapitre :

▶ Les grandes lignes de la conception d'une page Web.

▶ Les quatre types de sites Web : personnel, dédié, commercial et de divertissement.

▶ Définition de votre stratégie de publication.

. . . .

*L*a création d'une page Web initiale est quelque chose de facile, surtout si vous utilisez l'un des services de création de pages que nous verrons dans la deuxième partie. Mais créer une bonne page ou un site Web de plusieurs pages est une autre affaire. Et c'est précisément ce travail supplémentaire qui fera de vous un véritable auteur Web.

Si vous êtes de ceux qui fourbissent toutes leurs armes avant de commencer quoi que ce soit ou bien si vous avez l'intention de créer un site Web de qualité, lisez entièrement ce chapitre avant de vous lancer. Mais si vous êtes plus spontané, nous vous suggérons d'aller directement aux Chapitres 3 et 4 et, grâce aux instructions que vous y trouverez, de commencer à créer votre page. Plus tard, vous reviendrez à ce chapitre et, la prochaine fois que vous créerez une page, elle sera sûrement meilleure.

Les grandes lignes de la conception d'une page Web

Une page Web ou un site Web est avant tout une publication, même si son caractère interactif est bien plus marqué que s'il s'agissait d'une publication sur papier.

Demandez-vous "Pourquoi est-ce que je fais ça ?"

Pourquoi voulez-vous créer ce site là et pas un autre ? La réponse pourra vous aider à faire les choix les plus importants concernant la structure de ce site. Voici quelques-unes des raisons les plus fréquentes qui peuvent justifier la création d'un site Web :

- **Raisons professionnelles.** De plus en plus de gens se voient sollicités pour créer un site Web dans le cadre de leur profession, que ce soit pour communiquer en interne ou vers l'extérieur. Mais, à moins que vous n'ayez l'intention de devenir webmaster à plein temps, vous devrez trouver un équilibre entre le temps que vous allez passer à développer votre site et celui que vous devez consacrer à votre travail habituel.

- **Pour vous distraire.** C'est ce type de sites qui rend le Web si passionnant. Ne soyez pas trop ambitieux dans vos objectifs initiaux si vous voulez que votre site soit achevé dans un temps raisonnable.

- **Pour vous lancer dans une nouvelle carrière.** Si vous voulez devenir un véritable professionnel de l'édition Web ou de l'Internet, pourquoi pas ? La mise en œuvre des techniques simples que nous allons décrire dans ce livre vous mettra le pied à l'étrier, mais vous devrez ensuite compléter vos connaissances par d'autres ouvrages ou suivre des enseignements spécialisés.

- **Sans trop savoir pourquoi.** Peut-être n'avez-vous pas de motivation bien définie et voulez-vous simplement essayer "pour voir" ? Peut-être cela révélera-t-il à vos yeux des talents personnels que vous ignoriez. Commencez avec simplicité afin de ne pas vous trouver rebuté au départ par trop de difficultés.

Ne passez pas trop de temps à la conception

La conception d'une présentation Web diffère de celle d'une publication traditionnelle, parce que vous n'avez aucun contrôle sur le *look and feel* qu'elle aura pour chaque visiteur. La vitesse des modems et le débit du réseau ainsi que le choix de la configuration de leur navigateur en sont les causes principales.

HTML est souvent utilisé comme système de mise en page, mais en réalité son but se limite à *marquer* certains éléments de la page. Vous n'avez pas un contrôle absolu sur la façon dont elle sera affichée. C'est là une des faiblesses de HTML. Son rôle est d'indiquer la fonctionnalité de chacun des éléments de la page alors que vous, vous allez l'utiliser pour déterminer la façon dont votre document doit être affiché.

Tout ceci nous amène à une conclusion : concevez quelque chose de simple et n'y passez pas trop de temps au départ. Continuez la construction au fur et à mesure que se développent vos connaissances à la fois de la publication sur le Web et aussi de la façon dont les gens se servent de votre page.

Pensez "affiche" et non "page"

A la différence d'une page imprimée, les navigateurs disposent de barres de défilement et de commandes d'ajustement de leur fenêtre qui permettent au visiteur de jouer comme il l'entend sur les dimensions de la page affichée. Plus vous en mettrez dans une page et moins les gens s'y attarderont.

Au lieu de vous représenter votre page Web comme une page indéfiniment extensible, dites-vous plutôt que c'est une succession d'affiches, de cadres, d'images fixes, un peu à la façon des bandes dessinées. Faites en sorte que chacune de ces "affiches" tienne à peu près dans un écran de dimension standard. Lorsqu'il arrive sur votre page d'accueil, le visiteur doit voir ce qu'elle contient d'un seul coup d'œil. Ce qu'il va faire ensuite (dérouler la page, cliquer sur un lien ou sur le bouton Page précédente) dépend entièrement de sa première réaction devant cette page d'accueil. Pour lui, chacun des liens que vous lui proposez doit mener à une autre "affiche" se suffisant à elle-même, afin qu'il n'ait pas à hésiter quant au choix qu'il doit faire.

Les visiteurs voient toujours la partie supérieure d'une page comme une sorte de menu. Si vous proposez des liens vers l'intérieur d'une page (et non vers sa partie supérieure), ils verront cette partie de la page comme un nouveau menu.

Inspirez-vous des sites de certaines grosses entreprises que vous avez pu voir. La plupart commencent par une image qui remplit presque la totalité de la partie supérieure de leur page d'accueil. Pourquoi ? Pour faire tout de suite une bonne impression. Les pages mal conçues tendent à être bourrées de texte dès le début et continuent de la même façon. C'est perdre de vue un fait important : le visiteur qui a tant de texte sous les yeux risque fort d'être tenté d'aller ailleurs.

Au fur et à mesure de la conception et du test de votre site Web, pensez à ce découpage instinctif que fera votre visiteur et à la décision de poursuivre ou d'arrêter qu'il pourra prendre. Demandez ensuite à quelques-uns de vos amis de tester votre présentation. Quel chemin vont-ils choisir et pourquoi ? Si vous découvrez les réponses à ces questions avant d'avoir publié votre site et que vous modifiez sa conception en conséquence, vous serez dans le peloton de tête des auteurs Web.

Commencez par le meilleur

Représentez-vous le Web comme un immense étalage d'une maison de la presse, et celui qui y surfe comme le chaland qui passe en jetant un coup d'œil négligent sur les couvertures de tous ces magazines qui s'offrent à son regard. Ceux qui verront votre site décideront de s'y attarder ou d'aller ailleurs d'après la première impression qu'ils en auront.

Si vous cherchez à fournir des informations ou à proposer des liens, c'est cela qu'il faut placer en tête ou, tout au moins, à portée de clic. Pour un site personnel, si vous cherchez à intéresser d'éventuels employeurs, indiquez clairement dans quelle branche s'exerce votre activité et facilitez l'accès à votre CV.

Si vous cherchez à attirer des gens pour les distraire, les éduquer ou leur présenter des messages publicitaires – toutes éventualités non mutuellement exclusives –, la première partie de votre page devra leur faire une forte impression et les inciter à aller plus avant. La Figure 2.1 présente la page d'accueil de Kaua'i Exotix, certainement l'une de celles qui sont le mieux à même de retenir votre attention, se trouve à l'URL :

```
http://www.besttropicals.com/
```

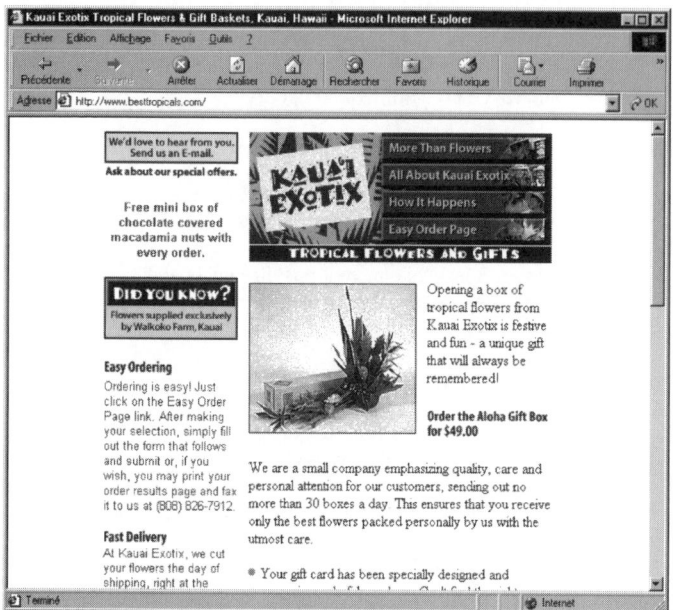

Figure 2.1 :
Dites-le avec
des fleurs !

Ne perdez pas de vue le temps de chargement

Mettre beaucoup d'images dans vos pages va vous demander beaucoup de temps pour trouver celles qui conviennent le mieux et les
placer au meilleur endroit. Et vos visiteurs devront, eux aussi, passer
beaucoup de temps à attendre que votre page se charge. Aussi, songez
à utiliser de préférence des *vignettes* (petites images se chargeant
rapidement), et regardez-y à deux fois avant d'installer de grandes
images tape-à-l'œil.

Identifiez votre audience

La majorité des présentations, les outils de création du Web et les
navigateurs sont presque tous d'origine américaine et l'Amérique du
Nord reste le centre de gravité de l'accès au Web. Pourquoi ces
surfeurs se connectent-ils ? Des études montrent que les raisons
dominantes sont la recherche d'informations, le divertissement,

l'instruction, le travail, un moyen de passer son temps et le télé-achat.
Quels surfeurs cherchez-vous à intéresser ? De quelle façon comptez-vous les attirer ? Trouver la bonne réponse à ces questions vous
aidera à bien définir vos objectifs.

Environ 80 % des surfeurs utilisent Internet Explorer et presque tout le
reste préfère Netscape Navigator. En Europe, Opera, un navigateur
d'origine norvégienne, tente une timide percée. Les versions récentes
de ces navigateurs sont à peu près au même niveau technique. Il est
très rare que les visiteurs des sites Web désactivent le chargement des
images, mais cela ne veut pas dire qu'ils aiment bien patienter le
temps que de grandes images apparaissent.

Fractionnez votre texte

"Un court croquis vaut un long discours". Placer un long texte dans
une page Web diminue vos chances que celle-ci soit entièrement
regardée. Quelques paragraphes courts, bien écrits, sans verbiage
inutile, informatifs, retiendront mieux l'attention du visiteur.

Mais, là non plus, il ne faut pas aller trop loin. Il ne suffit pas de
découper simplement un trop long paragraphe en un certain nombre
de plus petits. Encore faut-il que ceux-ci soient réellement intéressants
et apportent d'utiles informations. Ce fractionnement vous aidera à
illustrer votre page avec des images bien en situation.

Si vous voulez vraiment placer de longs textes, vous devrez non
seulement les morceler mais aussi les repenser pour ne pas lasser les
visiteurs. Placez en tête un résumé présentant, en une dizaine de
lignes au plus, tout ce que vous allez développer ensuite. Et puis,
aérez votre texte par des intertitres judicieusement choisis, comme le
font les journaux et les revues imprimés.

Publier aussi en anglais ?

Une grande partie de ce qu'on trouve sur le Web est écrit en anglais. On ne peut
donc pas ignorer totalement cette langue. Si vous voulez que vos pages aient la plus
large audience, songez à les écrire en deux versions : la première en français et
l'autre en anglais, et offrez le choix de la langue à vos visiteurs sur votre page
d'accueil. Cette pratique est courante, et pas seulement dans les milieux scienti-
fiques comme en témoigne la Figure 2.2 reproduisant la page d'accueil du site de
Jean-Luc Fradet consacré aux vieux phonographes et aux anciens récepteurs de
radio.

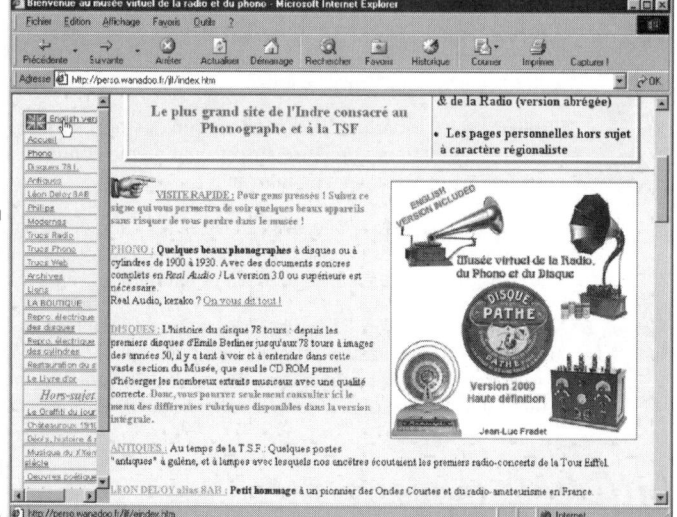

Figure 2.2 : La page d'accueil du site de Jean-Luc Fradet propose une version anglaise (là où se trouve le pointeur de la souris).

Inspirez-vous des sites que vous préférez

Ayant bien compris les principes que nous venons d'exposer, passez en revue les sites dont le thème se rapproche du vôtre. Qu'y trouvez-vous de bien ? Qu'est-ce qui vous y déplaît ? Inspirez-vous des premières réponses et évitez les écueils signalés par les autres. Toutefois, votre imitation ne doit être ni un esclavage ni une copie servile, pour ne pas risquer de vous rendre coupable de violation de copyright.

Il y a finalement peu d'idées originales sur le Web, et votre site n'en contiendra au mieux qu'une ou deux. Le reste reproduira plus ou moins fidèlement ce que les visiteurs auront déjà vu ailleurs. Alors mieux vaut que ce soit ce qu'il y a de meilleur.

Pensez à améliorer constamment votre site

Au cours du développement de votre site, vous allez vous trouver devant une liste de tâches à accomplir ou de détails intéressants qui ne rentrent pas exactement dans votre plan initial mais qui vous semblent valables pour des améliorations ultérieures. Une telle liste vous évitera d'entreprendre dès le départ la réalisation d'un gigantesque fourre-tout que vous auriez du mal à terminer. Ce sera le point de départ de vos améliorations. En outre, certaines rubriques demandent à être régulièrement mises à jour.

Publier des informations périmées est l'un des plus sûrs moyens d'écarter les visiteurs de votre site et peut même conduire à donner de vous une mauvaise image de marque.

Outre cette mise à jour nécessaire, évitez les bannières "En cours de réalisation" et autres excuses qui ne trompent généralement personne. Tout ce qui est publié sur le Web est constamment "en construction".

D'un autre côté, offrez à vos visiteurs un moyen d'aller directement aux nouveautés. Certains sites ont une page "Quoi de neuf ?" (*What's new ?*) réservée à cet aspect des choses et dans laquelle sont succinctement décrites les plus récentes nouveautés de la présentation.

Différents types de sites Web

Les ressources mises à la disposition de l'auteur Web peuvent varier dans de grandes proportions. En outre, il existe une grande variété de sites Web auxquels toutes les règles connues ne s'appliquent pas indistinctement.

Les principaux types de sites Web sont : les sites personnels, ceux qui sont dédiés à un sujet spécifique, les sites d'entreprise et ceux qui n'ont pour but que le divertissement. Dans les sections qui vont suivre, nous allons passer en revue quelques-unes des considérations qui s'appliquent spécifiquement à chacune de ces catégories. C'est à vous de décider dans laquelle se place votre site, de façon à ne prendre en compte que des situations analogues à la vôtre lorsque vous cherchez de l'inspiration. Le mélange des genres ne vous conduira pas nécessairement à l'échec, mais évitez, là encore, tout excès et continuez à vous focaliser sur le but à atteindre. Toutefois, une petite teinture d'un autre genre peut, si elle est choisie avec discernement, donner un surcroît d'intérêt à vos pages.

Sites personnels

Les sites personnels peuvent avoir des objectifs multiples. Souvent, ce qu'on cherche, c'est à partager de l'expérience avec des gens passionnés par le même sujet, à communiquer avec la famille ou avec les amis. C'est un excellent moyen d'établir des contacts et de découvrir des sujets dont on ignorait tout. La Figure 2.3 montre la page d'accueil

d'un site personnel à son début (http://luckylechien
.multimania.com). On pardonnera à Lucky-le-Chien sa méconnais-
sance de l'orthographe, et on constatera que cette page a déjà été vue
145 fois. C'est du moins ce qu'indique le compteur à droite du portrait
de l'auteur.

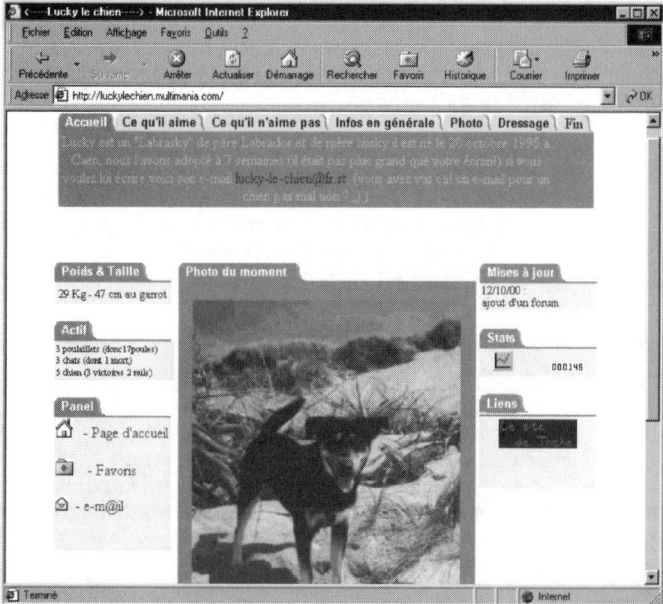

Figure 2.3 : La
page
personnelle
de Lucky-le-
Chien.

La création d'un site personnel est une grande source d'amusement et
un moyen sûr d'acquérir de l'expérience. Mais, trop souvent, ces
pages, une fois terminées, sont un peu laissées à l'abandon et n'évoluent plus. Evitez cet écueil. A partir d'un centre d'intérêt, en y
ajoutant de plus en plus de détails intéressants, une page personnelle
peut évoluer vers le statut d'une page dédiée.

Voici quelques règles dont l'observation vous aidera à donner de
l'intérêt à votre site personnel sans vous demander trop de travail :

✔ **Par quoi commencer ?** Comme nous l'avons vu, votre premier
écran doit annoncer clairement la couleur et conduire à d'autres
rubriques par des liens appropriés. Si le sujet de votre page,
c'est "Moi, ma vie, mon œuvre", on devra trouver sur la page
d'accueil des liens vers chacune de ces rubriques.

✔ **Restez simple.** Au départ, fixez-vous des buts limités de façon à aboutir rapidement à quelque chose de concret. Créez ensuite une liste de tâches à accomplir pour les extensions futures. Isolez bien les divers centres d'intérêt avec un point d'accès différent pour chacun d'eux.

✔ **Abondance de liens ne nuit pas.** Un des meilleurs moyens de faire partager vos goûts est de référencer d'autres sites ayant le même objectif. Veillez à ce que vos liens soient actualisés afin que votre site puisse être considéré comme une référence sur un sujet précis.

✔ **Préservez votre intimité.** Une page Web, c'est un tableau d'affichage mais un tableau d'affichage pouvant être vu par beaucoup de gens. Alors, ne mettez pas n'importe quoi sur votre page. Réfléchissez-y à deux fois avant d'y placer des informations sur votre famille et, en particulier, des photos. Il y a de drôles d'oiseaux sur le Web aussi !

Est-il encore pertinent d'avoir sa page personnelle ?

Un intérêt de plus en plus grand se manifeste pour les sites Web à tendance commerciale. Les sites personnels sont un peu perdus devant cette profusion de sites. Cela ne doit pas vous décourager, car cette catégorie a toujours une clientèle et, de toute façon, leur conception et leur réalisation sont quelque chose de passionnant – d'amusant, même.

GeoCities a été le pionnier de l'hébergement gratuit des sites personnels et se place toujours dans les dix premiers sites les plus visités, ce qui est une position enviable. En France, nous avons MultiMania (http://www.multimania.com), Chez (http://www.libertysurf.fr), Free (http://www.free.fr) et bien d'autres.

Une importante justification de cet attrait persistant est le nombre croissant de gens qui ont une connexion à l'Internet et, donc, un accès au Web. Vous avez ainsi de plus en plus de chances qu'un de vos parents, une de vos relations ou un de vos collègues vienne visiter et apprécier votre réalisation.

Sites dédiés

Un site dédié est un site consacré à un sujet particulier. Par exemple, une association sans but lucratif ou un club dont l'auteur est membre.

C'est là une tâche digne d'intérêt, mais attention aux mises à jour continuelles qui vous attendent. Vous pouvez aussi militer pour une bonne cause ou parler de ce qui vous tient le plus à cœur. En ce sens, une page Web est un peu comme une édition à compte d'auteur : n'importe qui peut dire n'importe quoi sur n'importe quel sujet. Parfois, ça peut tourner à la réussite ; trop souvent, ça n'aura aucun intérêt.

Assurer la maintenance et la mise à jour d'un site Web dédié est chose facile, mais en général ça ne paie pas. Si vous créez un site Web pour une association sans but lucratif, elle sera très contente d'être présente sur le Web mais ses responsables n'auront généralement pas la moindre idée de ce que vous pourriez y ajouter pour en renforcer l'intérêt. Voici quelques points à prendre en considération lorsque vous créez un site dédié :

- ✔ **Par quoi commencer ?** Comme pour les pages personnelles, le titre de ce type de présentation et son premier écran doivent indiquer sans équivoque de quoi il va s'agir et, autant que faire se peut, énumérer les ressources que va offrir la page Web.

- ✔ **Restez centré sur votre objectif.** Un site dédié qui s'égare en dehors de son sujet perd beaucoup de sa valeur. Si vous avez plusieurs violons d'Ingres, consacrez-leur autant de pages.

- ✔ **Prévoyez son expansion.** Si votre site croît démesurément et que vous sentez qu'il vous échappe, vous devrez demander à quelqu'un d'autre de vous aider. Adressez-vous à celui qui vous aura fait remarquer qu'il était dommage que votre site ne traite pas tel ou tel point. Si votre site est consacré à une association, ce sont aux membres de cette association de vous donner un coup de main. Choisissez alors le rôle que vous entendez continuer à jouer et demandez à vos "assistants" de s'occuper du reste.

Sites d'entreprise

Ce type de sites recouvre une grande variété de styles parce que leurs objectifs et l'expérience nécessaire pour les traiter varient considérablement. Mais même cette espèce de site n'a pas une structure figée, et il faut vous assurer qu'elle correspond bien à l'activité de votre entreprise. La Figure 2.4 montre la page d'accueil de Netsurfer créée par Arthur pour son entreprise et dont l'URL est `http://www.netsurf.com/nsd`. Vous verrez à quoi ressemble un site d'entreprise réalisé par un professionnel.

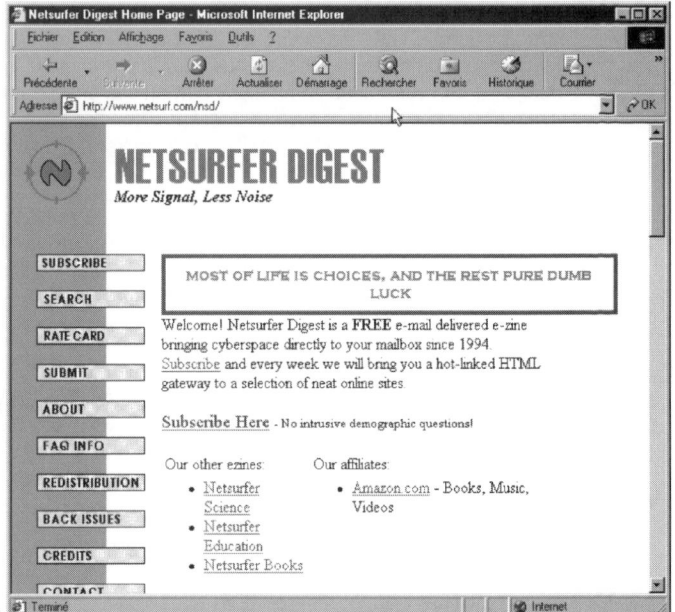

Figure 2.4 : La page d'accueil de Netsurfer. Excellent rapport signal/bruit.

Certains sites ratissent large : les consulte qui veut. L'accès à d'autres est protégé par un mot de passe ou toute autre forme de barrage. D'autres encore sont sur des réseaux internes ou privés inaccessibles de l'extérieur. Toute page, à laquelle on ne peut pas accéder de l'extérieur, est considérée comme une page privée, même si la liste de ceux qui ont le droit d'y accéder comprend un millier de noms.

En dépit de la variété de styles des pages d'entreprise, on peut leur appliquer les règles suivantes :

- **Par quoi commencer ?** Une page d'entreprise doit montrer de façon évidente la raison sociale de l'entreprise et son logo, et préciser clairement son type d'activité ainsi que les informations nécessaires pour prendre contact avec les responsables de ses divers départements et services.

- **Demandez les autorisations indispensables.** Il est évident que vous ne pouvez rien publier sans avoir obtenu l'autorisation des responsables.

- **La protection du site.** Certaines informations qui augmenteraient l'intérêt du site peuvent être considérées comme confidentielles. Le problème de la protection par mot de passe est à

régler avec l'administrateur du système informatique. Un des
critères d'accès peut être constitué par le type ou la localisation
du réseau sur lequel est situé le demandeur.

✓ **Trouvez des experts.** Il est vraisemblable que ceux qui travaillent dans le même secteur d'activité que vous, que ce soit à
l'intérieur ou à l'extérieur de votre entreprise, ont rencontré les
mêmes problèmes. Vous avez donc tout intérêt à voir comment
ils s'en sont tirés.

✓ **Surveillez son utilisation.** Investir du temps, de l'argent et de
l'énergie dans un site d'entreprise demande d'établir un juste
équilibre entre ce qui concerne le site et le reste de votre travail
habituel. Pour justifier l'utilisation de ces ressources, vous
devez pouvoir prouver que le site est réellement consulté et
avec quelle fréquence il l'est. Il existe beaucoup de moyens pour
obtenir ce type de renseignements. L'un des plus simples
consiste en la mise en place d'un compteur d'accès.

✓ **Recherchez d'autres ressources.** Ce livre est principalement
consacré à ce qu'il faut savoir pour créer un site Web personnel.
Pour un site d'entreprise, vous aurez besoin d'accéder à d'autres
ressources concernant la planification, l'hébergement et la
maintenance du site. Un premier pas serait de vous procurer
HTML 4 pour les Nuls d'Ed Tittel, Natanya Pitts et Chelsea
Valentine, publié chez le même éditeur.

Sites de divertissement

Se distraire est l'une des trois motivations les plus importantes qui
poussent les gens à surfer sur le Web, ce qui explique le nombre
grandissant de ce type de sites. Les jeux de rôle et les jeux en réseau
constituent l'un des attraits commerciaux les plus importants de
certains prestataires de services en ligne. Souvent, ces jeux ne sont
accessibles qu'aux seuls abonnés à ces fournisseurs d'accès. Mais il
n'y a pas qu'eux à proposer des sites de divertissement.

La plupart des sites de divertissement en profitent pour faire de la
pub. Ces jeux peuvent aussi être inclus dans des environnements
d'enseignement, ouvertement ou non. Ces facteurs ainsi que le haut
niveau d'exigence formulé par leurs visiteurs font de ces sites les plus
difficiles à créer et à gérer. Voici quelques suggestions qui devraient
vous aider :

✓ **Ne commencez pas par ça.** Essayez d'abord un autre type de
site.

> ✔ **Renouvelez-le souvent.** Une plaisanterie est beaucoup moins drôle la deuxième fois qu'on l'entend. Aussi devrez-vous mettre fréquemment à jour le contenu de votre site ou amener les participants à le renouveler par des suggestions constructives.

> ✔ **Utilisez des technologies avancées.** Le degré d'interactivité constitue aussi un des principaux attraits de ces sites. Vous devez apprendre quelques-unes des technologies de pointe du Web si vous voulez rester en tête du peloton.

> ✔ **Laissez-vous porter par la technologie.** Essayez par exemple d'utiliser Java pour réaliser des images animées ou créez un environnement ActiveX avec des miroirs déformants.

Votre page Web est-elle politiquement correcte ?

L'utilisation gratuite de la violence ou du sexe (ou des deux à la fois) dans vos pages aura pour principal résultat d'en dégoûter beaucoup de gens et de présenter le Web lui-même comme un véhicule de propos malsains et immoraux. Certains hébergeurs peuvent estimer que votre présentation constitue une offense aux bonnes mœurs et décider d'eux-mêmes de vous censurer. La plupart d'entre eux le prévoient explicitement dans les conditions de mise à votre disposition d'espace disque sur leur machine pour un site Web. Sans préjuger des poursuites judiciaires, de plus en plus fréquentes, auxquelles vous pourriez vous exposer dans certains cas.

Publier sur le Web à la façon des Nuls

Il est facile de réaliser une première page sur le Web, mais si vous voulez qu'elle soit bonne, voire utile, c'est une autre affaire. Voici quelques conseils utiles :

> ✔ Définissez les objectifs de votre site.

> ✔ Choisissez sa structure.

> ✔ Esquissez sa mise en page.

> ✔ Définissez les liens à créer entre les différentes pages.

> ✔ Définissez les liens à créer vers des pages extérieures.

> ✔ Créez le texte des pages.

✔ Convertissez-le en HTML.

✔ Créez ou choisissez les éléments graphiques.

✔ Testez votre site.

✔ Transférez vos fichiers sur un serveur Web.

✔ Faites connaître votre site.

✔ Ronronnez du plaisir d'être devenu un auteur Web. (Et puis recommencez à la première étape.)

Ces étapes se répartissent en trois catégories : planifier, créer du contenu et le faire connaître. Bien que la plupart des informations concernant la publication sur le Web mettent l'accent sur le contenu (la partie créative proprement dite), en général, et sur HTML, en particulier, nous croyons que chaque partie a la même importance.

Planification

Les seuls outils dont vous avez besoin pour cette partie du processus sont l'accès au Web pour y faire des recherches et, au choix, un traitement de texte et un logiciel de dessin, ou du papier et un crayon. Quelques heures d'un tel travail peuvent vous épargner beaucoup de temps plus tard et vous aider à produire une plus belle page. Voici comment vous allez procéder :

1. **Définissez les objectifs de votre site.**

   Choisissez le type de site que vous voulez créer : personnel, dédié, d'entreprise ou de divertissement.

   Recherchez des sites équivalents et poursuivez vos recherches dans d'autres médias (revues, livres et même télévision). Ensuite, mettez par écrit quelques objectifs pour le site initial et ses développements ultérieurs.

2. **Esquissez votre mise en page.**

   Une mise en page soignée contribue pour beaucoup à l'attrait d'un site. Voici quelques règles générales :

   • Définissez le nombre de pages de votre site et la façon dont elles communiqueront entre elles.

   • Précisez l'objectif de votre site en haut de sa page d'accueil.

   • Indiquez en tête des autres pages l'objet de chacune d'elles.

- N'ayez pas peur d'utiliser largement des boules, des petites icônes et toutes sortes de graphismes pour mettre en valeur les points clés.

- Réfléchissez aux images que vous allez insérer. Recherchez-les ou dessinez-les.

- Pensez à insérer une FAQ (*Frequently Asked Questions* : foire aux questions).

- Disposez des éléments de navigation dans les deux sens aux bons endroits : vers la page d'accueil ou vers d'autres pages. Adoptez pour ces liens une disposition constante : soit en haut, soit en bas des pages.

3. Choisissez les liens à inclure.

Une page Web dépourvue de liens est ennuyeuse. Vous avez déjà choisi à l'étape 2 quels seront les liens à inclure entre les pages de votre site. Pensez maintenant aux liens partant de vos pages vers d'autres sites, externes, cette fois. Lesquels seraient bien en situation ? Lesquels amèneraient un peu de détente ? Aidez-vous de moteurs de recherche comme AltaVista! (`http://www.altavista.com` pour le site américain et `http://fr.altavista.com` pour son antenne française) et des autres sites qui sont listés sur sa page d'accueil pour fouiller le Web à la découverte de liens intéressants (voir la Figure 2.5). Vérifiez ensuite soigneusement tous ces liens et ne retenez que ceux qui vous semblent significatifs en écartant impitoyablement tous ceux qui sont à côté du sujet. Sauvegardez ces liens à un endroit où vous saurez les retrouver (pourquoi pas les *bookmarks* – signets – de votre navigateur ?).

Essayez maintenant d'organiser les liens que vous avez retenus. Devez-vous les regrouper ? Certains d'entre eux sont-ils répétitifs ou superflus ? Quoi que vous puissiez en penser, de bons liens n'empêcheront pas vos visiteurs de revenir sur votre site. Au contraire.

Créez le contenu

C'est au moment de la création du contenu que vont intervenir les outils logiciels (éditeur de texte et logiciel de dessin) vous permettant de créer le mélange nécessaire de texte, d'images et de balises qui va constituer le document HTML. Seules les images de type GIF, JPEG et PNG sont reconnues par tous les navigateurs. Si les images dont vous disposez sont d'un autre type, convertissez-les auparavant dans un de

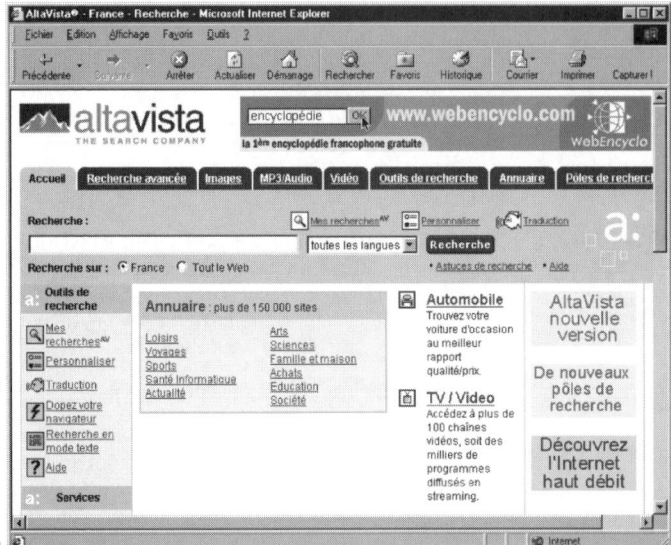

Figure 2.5 : La page d'accueil du site français d'AltaVista.

ces deux types avec un des nombreux logiciels qui existent dans ce but (LView Pro, par exemple).

1. **Créez le texte du contenu.**

   Si vous êtes nouveau dans l'art de publier sur le Web, le mieux que vous ayez à faire est peut-être d'utiliser un traitement de texte en ignorant complètement toutes les balises HTML, tout au moins au début. De cette façon, vous pourrez utiliser un outil familier pour mettre votre texte au point et profiter d'un vérificateur d'orthographe. Souvenez-vous, toutefois, que vous ne pourrez pas faire une mise en page aussi précise avec HTML qu'avec un traitement de texte moderne.

   Vous pouvez même aller jusqu'à réaliser un site Web factice (une maquette), avec votre traitement de texte avant de vous lancer dans HTML. C'est une bonne façon de planifier le contenu de chaque page. Vous pourrez insérer des images et simuler des liens avec de la couleur et du texte souligné. Comparez le résultat avec les sites Web que vous admirez et vous vous rendrez compte des changements qui seraient souhaitables.

2. **Convertissez votre texte en HTML.**

Vous devez ensuite convertir votre texte formaté en document HTML. Vous pouvez ajouter les balises à la main (voir le Chapitre 7) ou utiliser les facilités de conversion HTML de votre traitement de texte s'il en a. Il existe aussi des convertisseurs spécialisés (voir le Chapitre 12). A moins que vous ne préfériez vous servir d'un éditeur HTML tel que ceux que nous décrirons dans la deuxième partie du livre. Vous pouvez aussi associer ces trois méthodes.

Lisez le Chapitre 7 pour apprendre ce qu'est HTML et comment il fonctionne. Même si vous n'insérez pas les balises vous-même, à la main, il est bon de savoir ce qui est faisable et ce qui ne l'est pas, car cela vous fera économiser beaucoup de temps par la suite.

3. **Créez les éléments graphiques de votre page.**

   Photos et images générées par ordinateur, en-têtes, barres de séparation et autres icônes diverses. Ajoutez-y les éléments multimédias comme les sons ou les clips vidéo (les animations) si vous voulez vraiment aller jusqu'au bout. Nous parlerons de tout cela aux Chapitres 8 et 9.

Publiez votre site Web

Pour cette partie du processus, vous n'avez besoin que d'un programme dit "client FTP" (*File Transfer Protocol*) qui vous servira à transporter vos fichiers depuis votre machine jusque sur le serveur Web qui va héberger votre présentation.

Commencez par rassembler les éléments de votre site et testez l'ensemble en local sur votre machine avant de passer en grandeur réelle sur le Web. Peut-être vous apercevrez-vous, en vous connectant vous-même sur votre site, que tout ne se présente pas exactement comme vous l'aviez espéré. Quoi qu'il en soit, voici la marche à suivre :

1. **Rassemblez tous les éléments et testez-les.**

   Vérifiez que tout est bien en place, y compris les liens. Testez l'ensemble, page par page, lien par lien (pas les liens externes, évidemment, pour l'instant). Utilisez pour cela votre navigateur habituel. Tout se passe de la même façon que si vous étiez réellement sur l'Internet, à ceci près que vous êtes le seul à ce moment à pouvoir voir votre présentation. Nous reparlerons de tout cela en détail au Chapitre 11.

2. **Transférez l'ensemble sur le serveur Web qui vous héberge.**

C'est à ce point que nous allons (que *vous* allez !) passer en grandeur réelle. Une fois vos pages transférées sur le serveur, faites à nouveau un test complet. Sur les liens, en particulier, sans oublier, cette fois, les liens externes. Souvenez-vous que rien n'est plus agaçant pour un visiteur que de cliquer sur un lien brisé.

3. Faites connaître votre site.

Amenez quelques-uns de vos amis sur votre site. Utilisez le bouche à oreille, mais surtout servez-vous des ressources du Web et, par exemple, invitez d'autres sites traitant de sujets voisins du vôtre à vous référencer. Tous ces détails seront également repris au Chapitre 11.

Après ce moment d'allégresse, il va être temps de jeter un regard critique sur votre site, de le comparer à d'autres et de commencer à l'améliorer.

Avec HTML ou sans ?

Certains services d'hébergement spécialisés comme GeoCities (dont nous parlerons au Chapitre 3) ou MultiMania (que nous décrirons au Chapitre 6) ou certains fournisseurs d'accès comme Club-Internet (que nous retrouverons au Chapitre 5), vous offrent des modèles, des outils graphiques et de l'espace disque, le tout sans bourse délier. Avec tout cela, point n'est besoin de connaître HTML. Ces outils vous permettront également de transférer vos fichiers sur le serveur. Adieu, donc, FTP ! Vous aurez ainsi rapidement une page Web en état de marche sans aucune difficulté.

Ceci fait, rien ne vous empêchera d'aborder HTML pour peaufiner votre site en profitant de ce que vous aurez appris au Chapitre 7.

Deuxième partie
Une page Web
en un jour

"Est-ce que mon site Web doit refléter
l'organisation de mon bureau ?"

Dans cette partie...

Nous allons voir comment vous pouvez créer votre première page Web en une heure ou deux grâce à des services gratuits ou à des outils de publication proposés par certains services d'hébergement ou *fournisseurs d'accès.*

Chapitre 3

Publiez
votre page d'accueil
sur le Web

- -

Dans ce chapitre :

▷ Votre page Web avec Geocities.

▷ Commencez par vous enregistrer.

▷ Créez votre page personnelle avec l'Assistant.

- -

*O*utre les fournisseurs d'accès, prestataires de service grâce
auxquels vous pouvez accéder à l'Internet, il existe des
"hébergeurs" de pages Web qui se contentent de vous proposer de
l'espace sur leurs disques pour loger votre présentation Web. Dans le
présent chapitre, nous allons vous présenter GeoCities, récemment
racheté par Yahoo!, le moteur de recherche bien connu. C'est – du
moins aux Etats-Unis – le service d'hébergement le plus populaire.

Se connecter à un serveur Web extérieur pour éditer sa page Web
n'est pas la formule la plus économique. En règle générale, mieux vaut
composer ses pages Web sans être connecté puis se connecter juste le
temps nécessaire pour les transférer chez son hébergeur. Mais ce n'est
pas toujours possible lorsque – comme nous allons le faire dans ce
chapitre – on utilise un assistant de création en ligne.

Une page personnelle sur le Web

En tant que nouvel utilisateur de GeoCities, vous allez recevoir une
adresse Web construite d'après le nom d'utilisateur (*user ID*) qui vous

sera attribué lors de votre inscription initiale. L'adresse de votre page sera de la forme :

```
http://www.geocities.com/votre nom_d_utilisateur
```

La Figure 3.1 vous montre comment se présente la page d'accueil de GeoCities à l'URL :

```
http://geocities.yahoo.com/home/
```

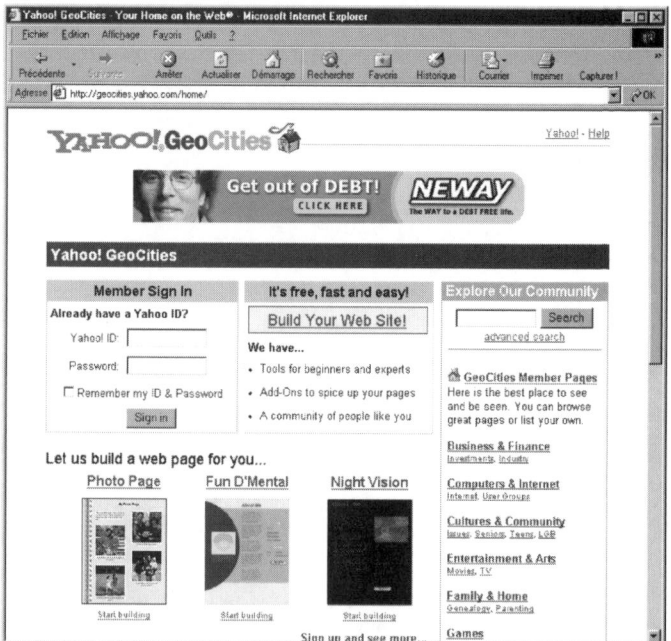

Figure 3.1 : La page d'accueil de GeoCities.

La première fois que vous visiterez GeoCities, faites donc un tour des pages hébergées en exploitant pour cela le lien proposé dans la colonne de droite de ce que vous pouvez voir sur la Figure 3.1 sous le nom *GeoCities member pages*.

Coup d'œil sur GeoCities

Vous pouvez utiliser l'outil d'édition proposé par GeoCities pour créer
vite et bien une simple page d'accueil. Cependant, un certain nombre
de précautions et de restrictions existent dont vous devrez tenir
compte. Vous pouvez prendre connaissance des conditions applicables en France à l'URL :

```
http://fr.docs.yahoo.com/info/utos.html
```

Voilà quels en sont les points principaux :

- ✔ **Pas de contenu illégal.** Vous vous interdisez de consulter,
  afficher, télécharger, transmettre tout contenu qui serait
  contraire aux lois en vigueur chez nous : pédophilie, ventes
  d'organes, commerce de substances illicites ou de tout autre
  objet et tout ce qui fait l'apologie du terrorisme, des crimes de
  guerre et du nazisme.

- ✔ **Pas plus de 15 Mo.** L'ensemble de vos fichiers Web ne doit pas
  dépasser 15 Mo, ce qui représente environ quinze mille pages de
  texte ou une centaine d'images d'une surface voisine d'un quart
  d'écran.

- ✔ **Aucune garantie.** GeoCities ne vous garantit pas la continuité
  du service. En fait, c'est une protection de pure forme, car tout
  semble indiquer une intention bien affirmée de continuer à
  fournir ce type de service dans l'avenir.

Commencez par établir un plan

Créer sa page personnelle sur GeoCities ne demande qu'une heure ou
deux. Le jeu en vaut bien la chandelle. Mais même ainsi, il vous faut un
minimum de préparation afin que cette première expérience soit
fructueuse.

- ✔ **Visitez les pages hébergées par GeoCities.** Au fil de vos
  découvertes, notez les idées qui vous viennent.

- ✔ **Faites un plan de la structure de votre site.** Pour cela, utilisez
  de préférence papier et crayon ou, à la rigueur, votre traitement
  de texte habituel. Ne laissez pas s'envoler les idées qui vous
  passent par la tête.

- ✔ **Préparez quelques images pour illustrer votre page.** Ces
  images devront évidemment être dans un format reconnu par

HTML : GIF, JPEG ou PNG (voir le Chapitre 8). Si vous n'en avez pas encore mais que vous disposez d'un scanner et de quelques photos, vous pouvez utiliser cet appareil pour en préparer. Vous pouvez aussi faire numériser vos images (qui seront alors placées sur un CD-ROM) par un service de développement de photos en couleurs tel que ceux qu'on trouve dans la plupart des centres commerciaux.

Enregistrez-vous

Même si c'est gratuit, avant d'être autorisé à créer une page personnelle, vous devez vous enregistrer auprès de GeoCities et remplir un questionnaire d'identité dans lequel vous indiquerez, entre autres, votre adresse e-mail actuelle. Deux messages de confirmation vous seront adressés : l'un en français, émanant de geo-register@yahoo -inc.com ; l'autre en anglais, envoyé par civics@geocities.com. **Vous ne devez pas y répondre ou en accuser réception.** Sans attendre de les avoir reçus, vous pourrez commencer à créer votre première page. Voici un extrait du texte du premier message :

```
Subject: Registration Confirmation - Yahoo! GeoCities

Infos compte
------------

Ne répondez pas à ce message. Si vous n'avez pas sollicité la
création de ce compte, supprimez-le ici.

Enregistrement confirmé - Bienvenue sur Yahoo!
Ce message confirme l'ouverture de votre nouveau compte sur Yahoo!

Votre compte : mdreyfus2000
Votre adresse e-mail : michel.dreyfus@xxxx.fr
```

La connaissance même rudimentaire de la langue anglaise est ici indispensable, car toutes les explications qui vous seront données en ligne le seront dans cette langue.

Voici la longue suite des étapes que vous allez devoir parcourir pour publier votre première page personnelle après vous être connecté à l'Internet :

1. **Lancez votre navigateur.**

2. **Pointez-le sur l'URL** http://geocities.yahoo.com/home. La page d'accueil de GeoCities s'affiche telle que nous vous l'avons présentée plus haut, sur la Figure 3.1.

3. **Cliquez sur le bouton Sign in.** Dans la page qui s'affiche (voir la Figure 3.2), cliquez sur le lien Sign me up! (là où vous voyez la petite main sur la figure).

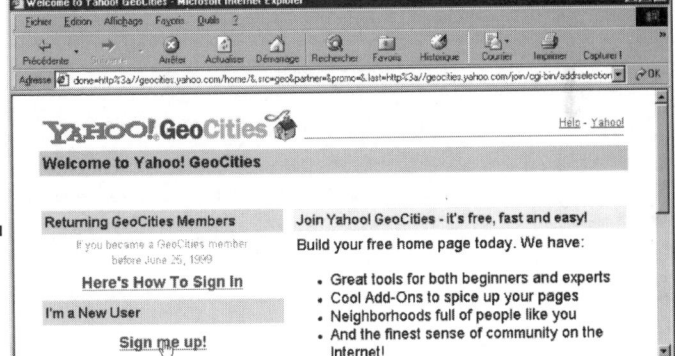

Figure 3.2 : Demandez à vous enregistrer.

4. **Une page de questionnaire s'affiche.** Dans la première rubrique (voir la Figure 3.3), choisissez "French - France". De cette façon, quelques rares écrans seront affichés dans notre langue.

5. **Saisissez ensuite votre identité d'utilisateur GeoCities.** Plus exactement, celle que vous souhaitez adopter, car si elle est déjà attribuée, vous devrez en choisir une autre. Choisissez ensuite un mot de passe d'au moins six caractères que vous taperez deux fois de suite. Il s'affichera sous forme d'astérisques.

6. **Saisissez maintenant une information vous permettant de retrouver votre mot de passe en cas d'oubli.** En cliquant sur la petite flèche à droite de la boîte de saisie Security question, vous trouverez un choix de questions comme votre date de naissance ou le nom de votre animal de compagnie. C'est cette dernière que nous avons choisie (*What is your pet's name ?*).

Dans la case qui suit, saisissez la réponse (dans notre cas, c'est "Fredo"). N'inventez rien. En particulier, si vous avez choisi votre date de naissance comme question clé, ne vous rajeunissez pas : il est plus difficile de se souvenir d'un mensonge que de la vérité.

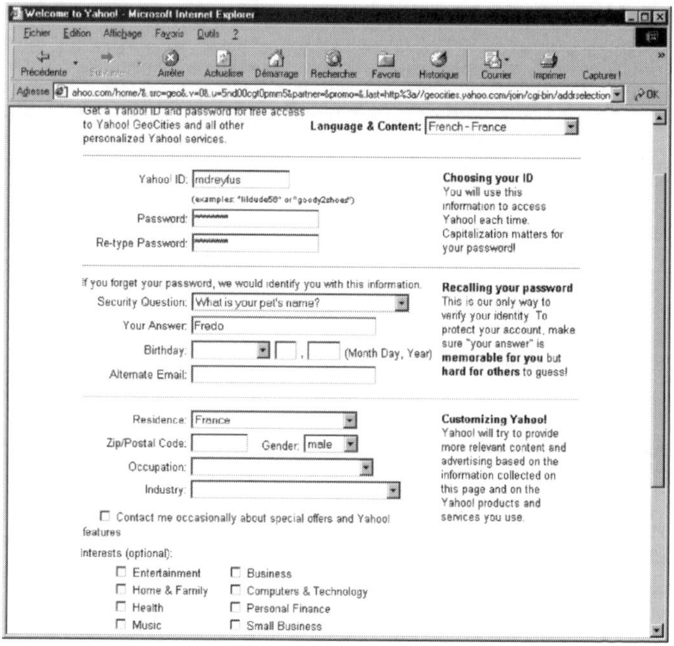

Figure 3.3 :
Question-
naire
d'inscription
auprès de
GeoCities.

Dans la case placée à la suite d'Alternate e-mail, indiquez votre
adresse e-mail, ce qui vous permettra de recevoir les messages
de confirmation dont nous vous avons parlé plus haut.

7. **Saisissez maintenant quelques renseignements sur votre
identité.** Dans l'ordre : le pays où vous résidez, votre code
postal, votre sexe, votre activité professionnelle et le domaine
dans lequel vous l'exercez.

Supprimez la coche placée devant *Contact me occasionaly about
special offers and Yahoo! features* qui n'offre que fort peu
d'intérêt pour un Français.

8. **Vous pouvez, pour terminer, cocher une ou plusieurs cases
dans la liste des centres d'intérêt qui vous sont proposés.**

9. **Cliquez sur le bouton Valider.** Une nouvelle page s'affiche. Si le
nom d'utilisateur que vous aviez choisi est déjà attribué, vous
verrez s'afficher une page du modèle de celle qui est reproduite
sur la Figure 3.4. Plutôt que d'imaginer un nouveau nom complet
(qui risquerait, lui aussi, d'être déjà attribué), choisissez de

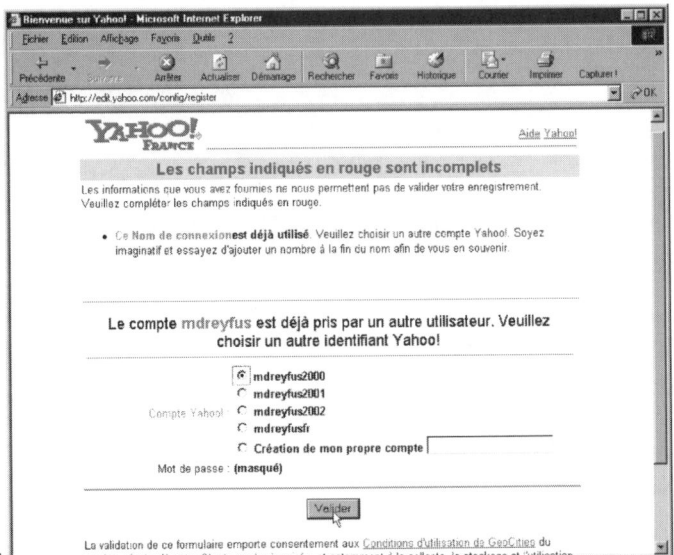

Figure 3.4 :
Ce que vous
verrez si le
nom que
vous avez
choisi est
déjà attribué.

préférence un des noms de remplacement qui vous sont proposés.

10. **Lorsque tout est correct, un écran apparaît, vous détaillant les conditions d'utilisation du service offert par Yahoo!**. Vous êtes censé le lire du haut en bas puis cliquer sur le bouton J'accepte. Si vous cliquiez sur le bouton Je refuse, les choses en resteraient là et vous ne pourriez pas utiliser les services de GeoCities/ Yahoo!.

Quelques renseignements sur votre page Web

Une fois que vous avez accepté les conditions imposées, un nouvel écran s'affiche, reproduit sur la Figure 3.5, qui vous demande d'indiquer dans quel domaine peut se situer votre page Web. Voici quelques indications sur la façon de renseigner ce formulaire :

1. **Choisissez le sujet général correspondant à la page que vous allez créer.** Ce choix conditionnera le type de bannières publicitaires qui viendront "agrémenter" l'affichage de votre page.

Figure 3.5 :
Choisissez le
sujet général
de votre
page.

2. **Cliquez sur le bouton Submit.** Un écran récapitulatif, du modèle de ce que vous pouvez voir sur la Figure 3.6, s'affiche alors.

   Le texte précédant le tableau récapitulatif indique que vous allez recevoir un message de confirmation à l'adresse e-mail que vous avez indiquée (en fait, vous en recevrez deux, comme nous l'avons dit plus haut). La dernière ligne indique quelle sera l'URL de la page Web que vous allez créer.

3. **Cliquez sur le lien Build your page now (commencez à écrire votre page maintenant).** Une nouvelle page s'affiche, reproduite sur la Figure 3.7, qui vous invite à vous mettre réellement au travail.

Main dans la main avec l'Assistant

GeoCities a récemment présenté un nouvel outil de création de pages simples appelé Yahoo! Wizards (*Assistants Yahoo!*). C'est un bon

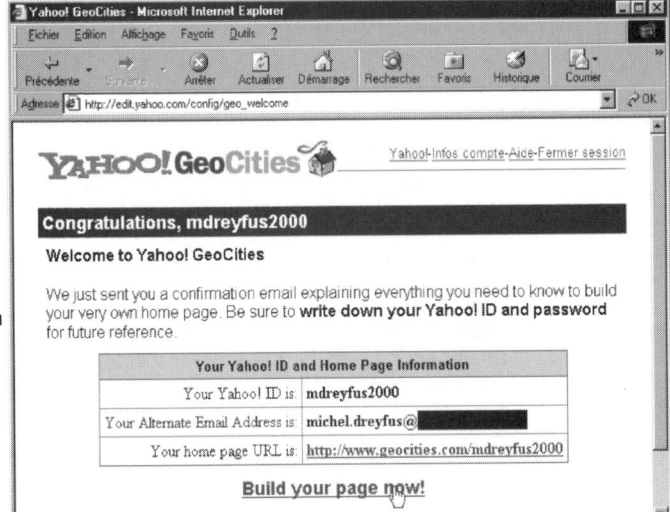

Figure 3.6 :
Félicitations !
votre
inscription
chez
GeoCities est
terminée !

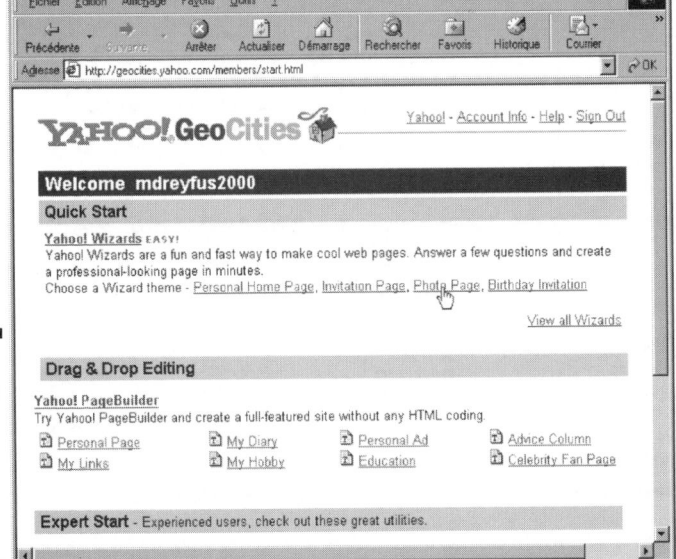

Figure 3.7 :
Trois moyens
vous sont
proposés
pour
construire
votre page
Web.

moyen de vous familiariser avec ce travail, bien qu'il ne vous permette pas de saisir des balises HTML.

Voici comment vous allez opérer pour créer une page "album de photos" :

1. **Dans la page d'accueil de GeoCities, au-dessous de Photo Page, cliquez sur le lien Start Building (commencez à construire).** GeoCities va alors vous envoyer quelques *cookies* que vous devrez accepter (selon la façon dont vous avez configuré votre navigateur, vous pouvez fort bien ne pas vous en apercevoir).

2. **Une nouvelle page s'affiche, dans laquelle vous allez vous identifier.** Pour cela, saisissez votre identifiant (Yahoo! ID) et votre mot de passe (Password). Cochez ensuite la case placée devant Remember my ID and Password, puis cliquez sur Sign in.

3. **Vous voyez alors une page vous proposant six présentations différentes (Figure 3.8).** A la vérité, ces pages ne diffèrent que par la bordure située du côté de la marge gauche. Cliquez sur Launch Yahoo! page Wizard pour lancer l'Assistant.

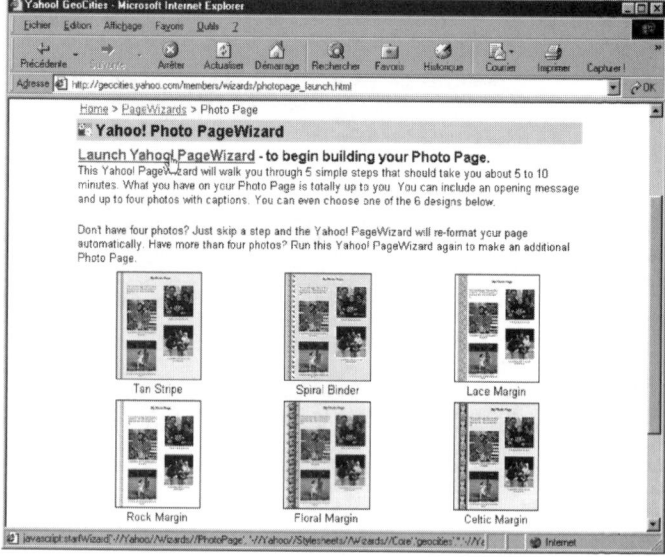

Figure 3.8 : Voici les modèles de pages qui vous sont proposés.

4. **Une nouvelle fenêtre s'ouvre, en plus de celle qui existait déjà.** Les opérations de création vont maintenant se dérouler dans cette fenêtre, reproduite sur la Figure 3.9. Elle est dépourvue de barre d'outils et de barre de menus et vous ne pouvez pas la redimensionner. Vous allez y indiquer si vous voulez modifier une page ou en créer une. Cliquez sur le bouton radio placé devant Create new page.

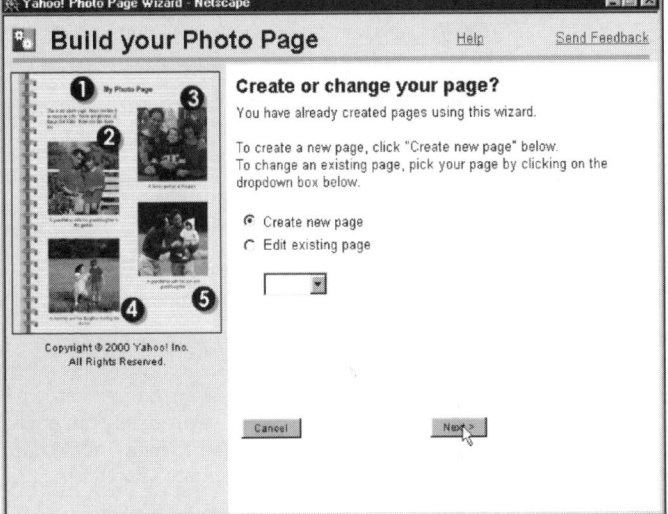

Figure 3.9 : Voulez-vous créer une nouvelle page ou en modifier une ?

5. **Vous devez maintenant choisir parmi les six présentations qui vous sont proposées.** Nous choisirons celle qui ressemble à une reliure spirale en cliquant sur le bouton radio placé devant Spiral binder.

6. **La fenêtre suivante vous demande de saisir un titre et un texte de présentation.** Nous souhaitons évoquer quelques motos anciennes de la défunte marque Gnome & Rhône. Dans la première boîte de saisie, nous tapons donc :

```
Les motos anciennes Gnome & Rhône
```

et dans la zone plus grande, qui se trouve au-dessous, un texte un peu plus long, résumant en quelques lignes ce que fut Gnome & Rhône (Figure 3.10). Nous cliquons ensuite sur Next.

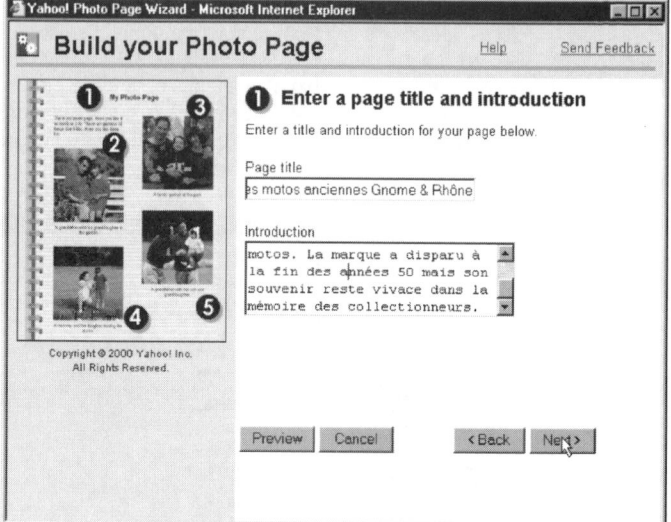

Figure 3.10 :
Titre et texte
de
présentation
de notre
page.

7. **Nous voyons maintenant s'afficher une fenêtre intitulée "Pick your first photo".** En cliquant sur le bouton Parcourir, nous allons explorer le contenu de notre disque dur et choisir la première photo. Après cela, son chemin d'accès apparaîtra dans la boîte de saisie à gauche du bouton Parcourir.

   Au-dessous de Photo caption (légende de la photo), nous saisissons un très court texte descriptif. Par exemple : "Une des plus anciennes : la moto ABC". Nous cliquons ensuite sur le bouton Next.

8. **Le fichier image de la photo est alors envoyé à GeoCities.** Pendant ce temps, une petite fenêtre auxiliaire s'affiche, reproduite sur la Figure 3.11, nous invitant à patienter. A la fin du transfert, elle disparaît et le titre de la précédente fenêtre est remplacé par Pick your second photo, nous invitant à procéder comme nous venons de le faire pour la deuxième image.

   Cette fenêtre apparaîtra encore deux fois pour nous permettre d'envoyer les fichiers images des troisième et quatrième photos, accompagnés des légendes que nous leur avons données.

9. **La fenêtre qui s'affiche maintenant nous demande : "Make This Your Home Page?" (Voulez-vous en faire votre page d'accueil ?).** Cliquez devant le bouton radio placé devant Yes

Figure 3.11 :
Patience ! le
fichier de
l'image est
envoyé à
GeoCities.

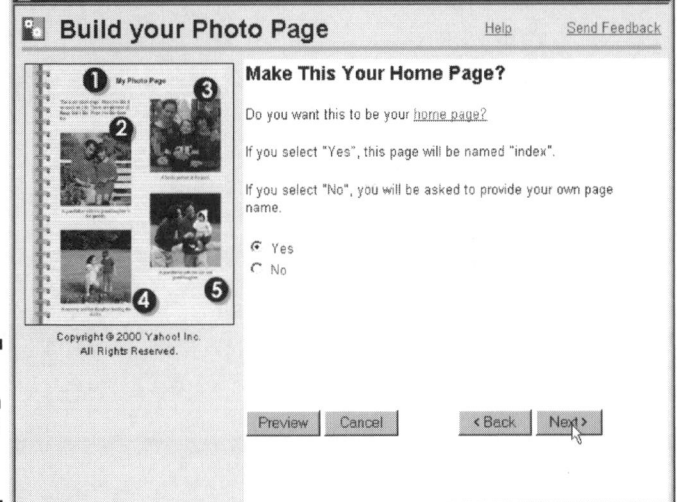

Figure 3.12 :
Cette page va
devenir notre
page
d'accueil.

(Figure 3.12). Cela aura pour effet de donner au fichier de cette
page le nom index.html qui est le nom par défaut des pages
d'accueil.

10. **Nous arrivons à la dernière fenêtre dont le titre est "Congratu-
lations!" (Félicitations !).** Comme nous ne voyons rien – pour le
moment – à modifier, nous cliquons sur Done (Fait) pour valider
le travail que nous venons d'exécuter. Nous pouvons noter l'URL
de notre page qui se trouve affichée :

```
http://www.geocities.com/mdreyfus2000/index.html
```

C'est un lien et, si nous cliquons dessus, nous allons pouvoir contempler ce que pourront voir tous nos visiteurs (Figure 3.13).

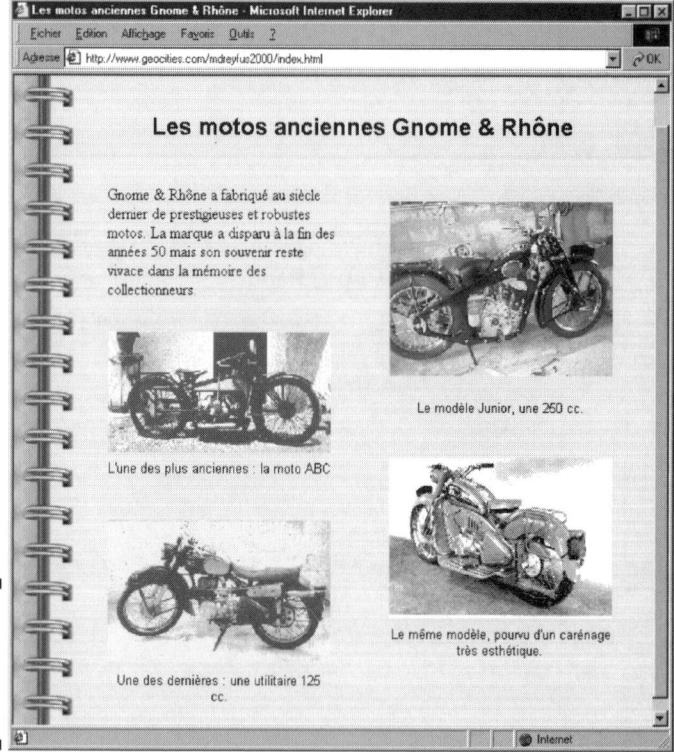

Figure 3.13 :
Notre
première
page avec
GeoCities.

La facilité avec laquelle nous venons de réaliser quelque chose de présentable nous incite à améliorer cette page. C'est possible, mais nous laisserons cela de côté pour le moment.

Chapitre 4

Les services en ligne et la publication Web

Dans ce chapitre :

▶ Quels sont les meilleurs services en ligne ?

▶ AOL et CompuServe.

▶ Club-Internet.

À côté des fournisseurs d'accès à l'Internet, il existe en France l'équivalent de GeoCities : des *hébergeurs* qui, sans vous proposer d'accès à l'Internet, vous offrent tout simplement de la place sur leurs disques durs. Le seuil de l'espace offert semble se situer à 20 Mo, avec un plafond à 50 ou 100 Mo, voire illimité, parfois.

Choix d'un service en ligne pour publier sur le Web

Il n'est pas rare d'essayer plusieurs fournisseurs d'accès avant d'en trouver un qui vous convienne. Dans ce chapitre, nous allons tenter de montrer quels sont les avantages et inconvénients des services en ligne par rapport aux simples fournisseurs d'accès et hébergeurs. A vous de choisir en dernier ressort.

Le meilleur service en ligne

La question "Quel est le meilleur service en ligne ?" a souvent été posée, et des douzaines d'articles et de discussions publiques ont tenté d'y répondre. Différents critères sont mis en avant : qualité de l'interface utilisateur, permanence du fonctionnement, efficacité de l'assistance, services annexes proposés, coût...

Si vous êtes satisfait de votre fournisseur d'accès (ou de votre service en ligne) actuel, il n'y a pas de raison, *a priori*, d'en changer. Chez nous, il existe bon nombre d'entreprises de tailles diverses, dont vous trouverez les coordonnées dans les revues *Netsurf* et *.net*. Périodiquement, certaines d'entre elles proposent des offres d'essai d'un mois sous forme de CD-ROM, la plupart du temps encartés dans des revues consacrées à l'informatique. C'est une bonne occasion de faire un essai sans bourse délier.

Vous trouverez à l'Annexe B une liste de quelques-uns des fournisseurs d'accès français ayant une couverture permettant de les joindre pour le prix d'une communication locale.

Si vous avez déjà un accès Internet et envisagez de changer de fournisseur d'accès, faites un tour sur le forum `fr.reseaux .internet.fournisseurs` et vous en apprendrez de belles. Mais ne prenez pas tout ce que vous lirez pour argent comptant. Recoupez les informations que vous lirez. Si l'unanimité se fait sur la mauvaise qualité des prestations d'un fournisseur d'accès, ce n'est généralement pas sans raison. Alors, évitez-le.

Les services en ligne ont aussi des groupes de news qui leur sont propres mais qui ne sont généralement pas publics, ce qui vous empêche d'y accéder sans être inscrit chez eux. C'est le cas, par exemple, de Club-Internet et de Wanadoo. Mais si un de vos amis a un abonnement chez eux, demandez-lui ce qu'il en pense.

Le meilleur accès au Web

Si les prestations annexes (cours de la Bourse, météo, actualité du cinéma...) que les services en ligne vous proposent sur leur portail ne vous intéressent pas, vous aurez peut-être meilleur compte à les éviter et à vous abonner à un fournisseur d'accès sans valeur ajoutée.

✔ **Pour un accès personnel, les services en ligne sont bon marché.** Maintenant que presque tous ont opté pour la gratuité, ce qui vous reste à payer, ce sont les communications téléphoniques. Mais il existe des formules de forfait comprenant l'accès à l'Internet **et** les communications téléphoniques. Généralement, ces forfaits existent en plusieurs versions, pouvant aller de quelques heures (généralement 2 à 5) à une cinquantaine d'heures de connexion par mois.

On considère que l'internaute moyen "consomme" entre 10 et 15 heures de connexion par mois.

✔ **L'accès en est facile et fiable.** C'est généralement vrai en France, sauf aux heures de pointe en ce qui concerne le débit.

✔ **Le service d'assistance (la *hot line*).** Il est rarement à la hauteur. Si vous appelez, préparez-vous à une longue attente et, trop souvent, à une réponse dilatoire.

D'un autre côté, certains services en ligne posent problème :

✔ **Manque de choix.** Certains vous imposent l'utilisation de leur navigateur. C'était le cas, entre autres, pour AOL, CompuServe et Infonie. Mais, peu à peu, ces particularismes s'estompent et si parfois, l'interface semble personnalisée à l'excès, le navigateur utilisé est en réalité presque toujours Internet Explorer de Microsoft. De toute façon, grâce à l'option de mise en veilleuse, on peut souvent accéder à un véritable Internet non biaisé avec le navigateur que l'on préfère.

✔ **L'accès est lent.** C'est la rançon du succès et de la guerre des prix à laquelle se livrent les fournisseurs d'accès, accueillant beaucoup trop d'utilisateurs par rapport au nombre de modems installés chez eux et au débit de leur propre accès à l'Internet et un débit ralenti causé par la saturation de ces accès.

✔ **S'abonner à un service en ligne, c'est comme rouler en vélo avec des stabilisateurs.** On a l'impression d'être materné. Certains trouveront ça rassurant, tout au moins au début ; d'autres éprouveront une sensation d'étouffement.

Le meilleur support de publication sur le Web

Les services en ligne peuvent sembler une bonne solution pour démarrer dans la publication sur le Web : bas prix, bons outils, assistance assurée (en tout cas : promise), sinon directement par eux-mêmes, tout au moins par les autres abonnés sur leurs forums privés.

Chaque service en ligne a ses propres avantages et inconvénients dont voici un bref aperçu :

✔ **AOL.** Déclare totaliser 25 millions d'abonnés de par le monde. C'est ici que l'on trouve le plus d'utilisateurs de Macintosh. Jusqu'à 10 Mo d'espace disque (2 Mo par "nom d'écran" et vous pouvez en avoir jusqu'à cinq par compte). 1-2-3 Publish, un service facile à utiliser pour créer des pages Web, supporte les images et le multimédia. Il existe un outil plus perfectionné appelé Easy Designer.

🖊 **CompuServe.** Vous pouvez accéder directement au Web à partir de la version 4.0 de son interface. Propose un assistant appelé Home Page Wizard pour créer des pages Web et un autre outil, Publishing Wizard, pour publier les pages sur le Web. Vous avez droit à 5 Mo d'espace gratuit. Toutefois, l'association de Home Page Wizard et de Publishing Wizard est assez complexe à manipuler. Vous n'avez pas le droit de créer une page pouvant être assimilée à quelque chose de commercial, à moins de payer un supplément.

🖊 **Club-Internet.** Pour 14 €, vous aurez droit à 20 heures de connexion, communications comprises. Ses utilisateurs en sont généralement satisfaits. La place attribuée aux pages Web est de 100 Mo.

🖊 **Wanadoo.** C'est une filiale de France Télécom. Les forfaits proposés sont plus chers que ceux de la concurrence. L'espace disque autorisé pour des pages personnelles est limité à 15 Mo.

Vous trouverez davantage de détails sur ce que proposent les fournisseurs d'accès en France à l'Annexe B.

Chapitre 5

Votre page Web avec Club-Internet

. . . .

Dans ce chapitre :

▶ Présentation de Club-Internet.

▶ Accès à l'édition en ligne.

▶ Création de votre page personnelle.

. . . .

lub-Internet est un fournisseur d'accès qui existe depuis plusieurs années et se situe dans le peloton de tête en ce qui concerne le nombre de ses abonnés. Il a été racheté à hauteur de 90 % par T-Online (émanation de Deutsche Telekom comme Wanadoo est une émanation de France Télécom).

Présentation de Club-Internet

Vous pouvez vous inscrire en ligne et utiliser votre nouveau compte dans le quart d'heure qui suit. La Figure 5.1 vous présente sa page d'accueil à l'URL http://www.club-internet.fr/.

Bien entendu, il faut être abonné à Club-Internet pour pouvoir bénéficier de son hébergement de pages Web. Vous disposez d'un maximum de 100 mégaoctets pour abriter vos pages, ce qui est très largement suffisant. Vous devez respecter certaines règles générales dont vous pouvez prendre connaissance à l'URL :

    http://www.club-internet.fr/pagesperesos/

En particulier, le contenu des pages doit respecter la réglementation française en vigueur en évitant tout ce qui concerne la pédophilie, la pornographie, l'incitation à la haine raciale, le négationnisme, l'appel

Figure 5.1 :
Page
d'accueil de
Club-Internet.

au meurtre, le proxénétisme, la diffamation, etc. Aucun contenu ne doit violer des copyrights (écrits, musique...). A ce titre, vous n'avez pas le droit de placer dans vos pages des images dont vous n'êtes pas propriétaire (scannées dans un magazine, par exemple). Vous ne pouvez pas non plus proposer des logiciels piratés.

En contrepartie, Club-Internet s'engage à vous apporter le soutien nécessaire à la construction et à la mise en ligne de vos pages, et à mettre à votre disposition un support technique par e-mail accessible 24 heures sur 24, sept jours sur sept.

Accès à l'édition en ligne avec La Fabrique

Comme avec GeoCities, c'est en étant connecté à Club-Internet que vous allez composer, au vol, votre première page Web. Les sites Internet étant en constante évolution, il est probable que les écrans qui suivent diffèrent de ceux que vous aurez affiché. Cependant, les tâches à réaliser sont identiques.

1. **Commencez par vous connecter à Club-Internet.** Pour cela, la procédure est la même que pour n'importe quel fournisseur d'accès : double-cliquez sur l'icône représentant la boîte de connexion.

2. **Demandez à votre navigateur de vous afficher la page d'accueil de Club-Internet.** Son URL est http://www.club-internet.fr/.

3. **Cliquez sur "Mes pages perso".** C'est là où on voit le pointeur de la souris sur la Figure 5.1. Une nouvelle page s'affiche, que vous pouvez voir sur la Figure 5.2.

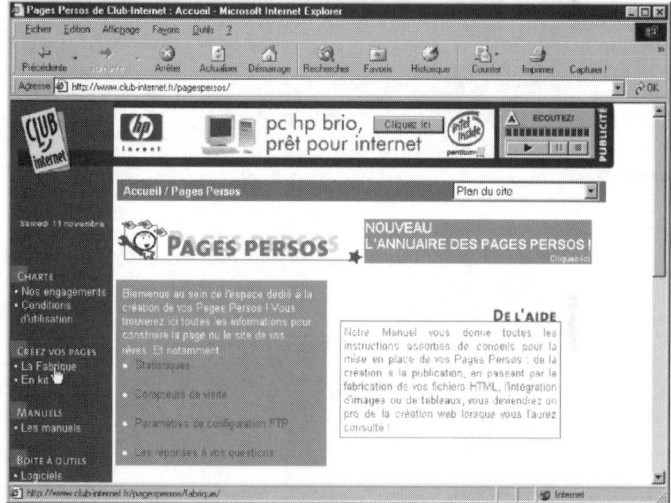

Figure 5.2 :
La première
page de
l'édition de
pages
personnelles.

4. **Cliquez sur La Fabrique.** Là où se trouve le pointeur de la souris sur la Figure 5.2. La page qui s'affiche est reproduite sur la Figure 5.3.

5. **Vous allez maintenant devoir déclarer votre identité d'abonné à Club-Internet.** La page qui vient de s'afficher (voir la Figure 5.4) est divisée en deux zones : la première concerne la toute première utilisation de la Fabrique ; la seconde sert à modifier ou à compléter une page déjà créée. C'est donc la première que nous allons renseigner.

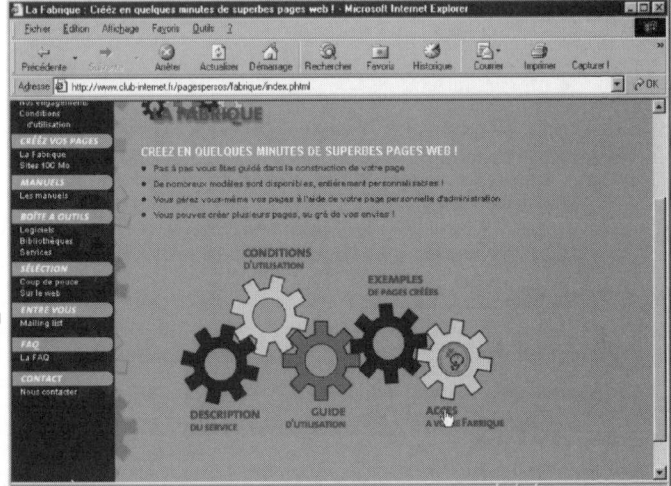

Figure 5.3 : La deuxième page de l'édition de pages personnelles.

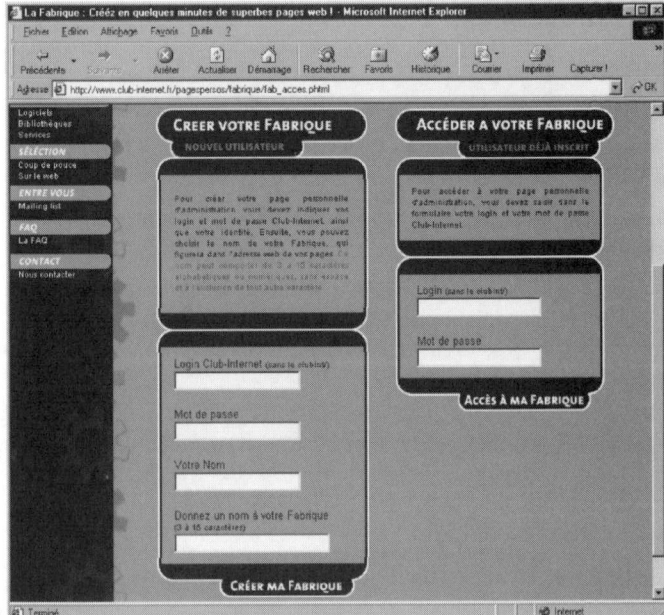

Figure 5.4 : C'est ici que vous devez vous identifier.

6. **Dans la rubrique Login Club-Internet, saisissez votre identité d'utilisateur.** C'est celui qui est représenté par la partie gauche (avant le "@") de votre adresse e-mail chez Club-Internet.

7. **Dans la rubrique Mot de passe, saisissez votre mot de passe.** C'est celui que vous utilisez pour vous connecter ou pour relever votre courrier électronique.

8. **Dans la rubrique Votre nom, saisissez votre nom précédé ou non de votre prénom.** C'est sous ce nom que vous serez inscrit dans l'annuaire des pages personnelles de Club-Internet.

9. **Dans la rubrique Donnez un nom à votre fabrique, saisissez un nom d'au plus 15 caractères.** Nous avons choisi "Mapremierepage", ce qui ne révèle pas une imagination débordante. Nous vous conseillons de choisir un nom plus en rapport avec le sujet de votre page.

10. **Cliquez ensuite sur "Créer ma Fabrique".** Vous allez maintenant pouvoir entrer dans le vif du sujet : la création de votre page personnelle.

Le nom de domaine de vos pages est `http://mapage.club-internet.fr`.

Création de votre page personnelle

Vous avez maintenant sous les yeux l'écran reproduit sur la Figure 5.5 qui vous propose un choix de trois thèmes. Nous choisirons de présenter très sommairement l'activité d'un club de motos anciennes, l'Amicale Gnome & Rhône (AMGR). C'est donc dans la troisième rangée de modèles que nous allons faire un second choix. Ici, ce sera : "Classique". Nous cliquons donc sur ce mot.

Les généralités

Dans la fenêtre qui s'ouvre (voir la Figure 5.6), vous pouvez voir trois rubriques que nous allons détailler :

1. **Police de caractères.** Sept polices nous sont proposées, qui sont des polices classiques et ont donc de grandes chances d'être installées sur presque tous les navigateurs. Nous allons choisir la police Times qui est la police par défaut de tous les navigateurs. Nous cliquons donc sur le bouton radio placé en face de Times.

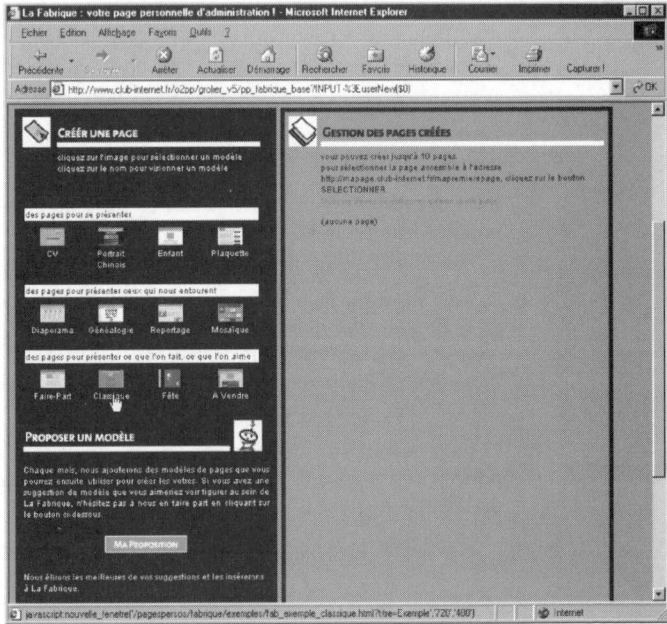

Figure 5.5 :
Les différents
modèles de
pages offerts.

2. **Couleurs.** Quatre sous-rubriques nous permettent de définir la couleur du texte et celle des liens, d'une part ; celle du cadre qui entourera notre page et celle du fond de page, d'autre part. Evitez de modifier les deux premières sous peine de dérouter le visiteur. Nous allons personnaliser les deux dernières.

Pour cela, du bout de la souris, nous allons déplacer le curseur correspondant à chacune des trois couleurs primaires, de bas en haut : rouge, vert et bleu. La couleur affichée dans le petit carré à gauche de la sous-rubrique variera en fonction des positions occupées par chacun de ces curseurs.

3. **Titre de la fenêtre.** C'est le titre qui sera affiché dans la barre des tâches du navigateur du visiteur. Nous choisirons un titre court et descriptif : "L'Amicale des Motos Gnome & Rhône".

Pour terminer, nous cliquons sur le bouton Suite placé en bas et à droite de la page.

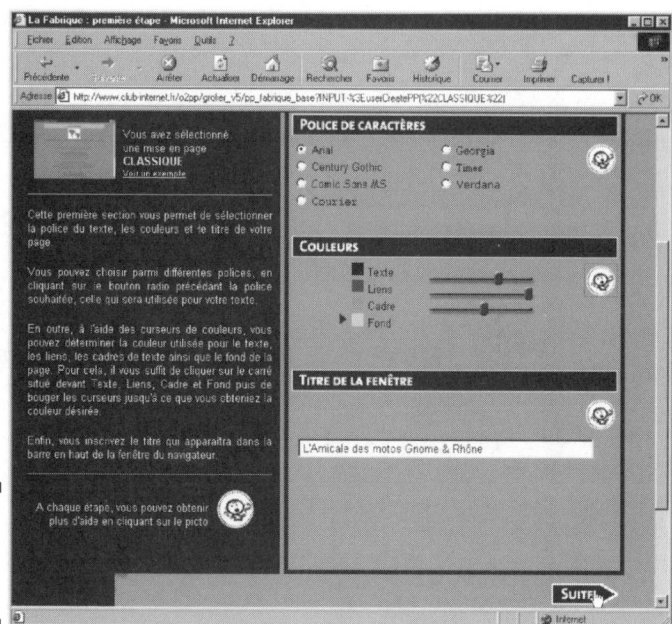

Figure 5.6 :
Principaux
éléments de
composition.

La page d'accueil

La page suivante, visible sur la Figure 5.7, concerne la page d'accueil de notre petite présentation Web. En effet, Club-Internet va nous permettre de composer un véritable petit site Web avec plusieurs pages reliées par des liens placés en bas de chaque page. La page d'accueil est un peu particulière, car c'est elle qui doit présenter un résumé du sujet de la présentation et l'illustrer avec une image de taille raisonnable (pas trop longue à charger) mais représentative.

1. **Identité du créateur de la page.** Ce sont les quatre rubriques d'identification qui se trouvent en haut et à gauche. Elles sont facultatives et sont destinées à indiquer les coordonnées de l'auteur de la présentation Web dans un bandeau de couleur situé au bas de la page. Ici, nous avons choisi de les laisser de côté.

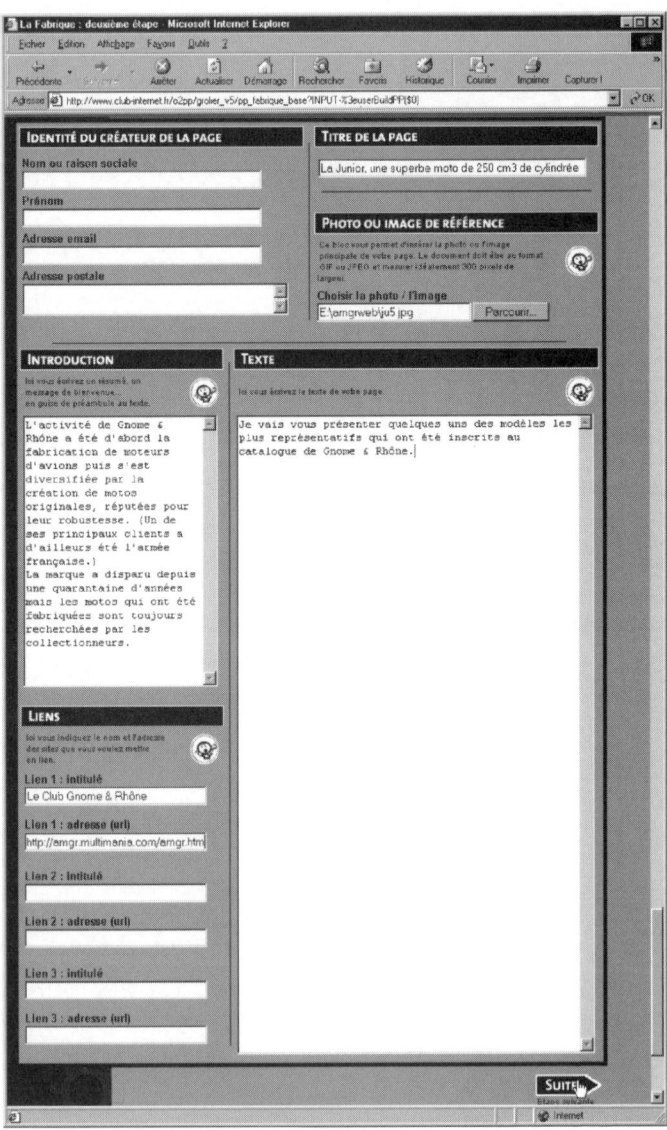

Figure 5.7 :
Contenu de la
page
d'accueil.

2. **Titre de la page.** C'est le titre qui va s'afficher dans un bandeau de couleur situé au-dessus de l'image. C'est en quelque sorte la légende de cette image. Nous avons choisi : "La Junior, une superbe moto de 250 cm^3 de cylindrée".

3. **La photo ou image de référence.** En cliquant sur le bouton Parcourir, une boîte de sélection de fichier va nous permettre de sélectionner un fichier d'image situé sur notre disque dur.

4. **Introduction.** C'est le texte de présentation général qui sera placé immédiatement au-dessous de l'image que nous venons de choisir. Ici, nous avons le droit à plusieurs lignes qui doivent présenter de façon assez brève, mais cependant informative, le sujet des pages qui vont suivre.

5. **Texte.** C'est là que vous allez dire à vos visiteurs ce qu'ils verront dans les pages qui vont suivre et dont les liens se situeront au bas de la page d'accueil. Ce texte, bien entendu plus bref que le précédent, sera situé au-dessous et en sera séparé par quelques lignes blanches.

6. **Liens.** Pour l'instant, le seul lien que nous allons définir sera celui qui pointe sur la page de l'Amicale (bien réelle et qui existe depuis plusieurs années à l'URL indiquée sur la Figure 5.7). Nous renseignons donc les deux premières rubriques respectivement avec le nom du site et avec son URL.

Nous pouvons maintenant cliquer sur le bouton Suite placé en bas et à droite de la page.

Publication de votre page

Vous parvenez à la fenêtre reproduite sur la Figure 5.8 qui vous propose deux possibilités :

✔ Publier votre page maintenant, c'est-à-dire l'enregistrer sur les disques durs de Club-Internet d'où elle sera visible par le monde entier. Elle aura comme URL :

```
http://www.mapage.club-internet.fr/mapremierepage/
classique_001.html
```

Si c'est ce que vous voulez faire, cliquez sur Publier : une fenêtre supplémentaire s'ouvre, vous présentant le résultat de vos travaux. Dans notre cas, la Figure 5.9 vous présente ce que vous allez voir.

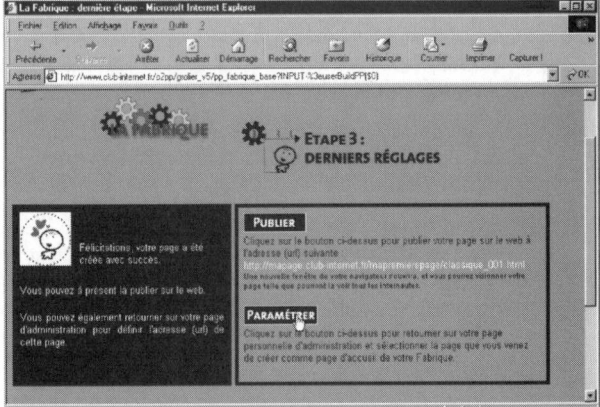

Figure 5.8 :
Deux
possibilités
vous sont
maintenant
offertes.

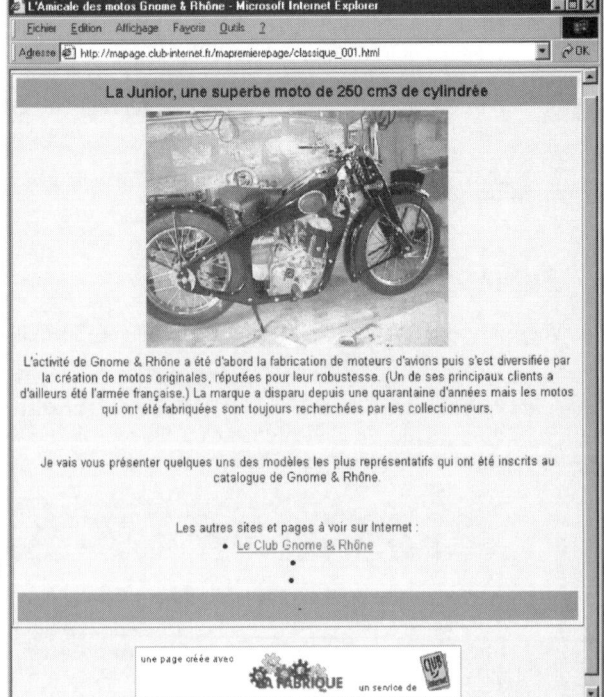

Figure 5.9 :
Voici notre
première
page Web.

✔ En modifier le contenu. C'est en cliquant sur Paramétrer que nous pourrons modifier le contenu de notre page. Nous ne détaillerons pas ici le détail des manipulations nécessaires qui sont pratiquement identiques à celles qui nous ont permis de composer la page d'accueil.

Après avoir ajouté trois pages, notre page d'accueil se présente maintenant comme le montre la Figure 5.10.

Figure 5.10 : Notre nouvelle page d'accueil.

Impression d'ensemble

La Fabrique permet de faire davantage qu'une page simplette comme celle que propose GeoCities, puisque nous pouvons esquisser l'amorce d'un véritable site avec des liens entre les pages. Cependant, nous n'avons que fort peu de contrôle sur le contenu de chaque page.

Pour cela, nous devrions utiliser l'autre versant de l'offre de Club-Internet en matière de pages personnelles, "Le Kit", dont on voit la mention sur la Figure 5.2, au-dessous de "La Fabrique". Mais pour cela, nous devons mettre les mains dans le cambouis, c'est-à-dire manipuler le code HTML. Nous y viendrons plus loin.

Chapitre 6

Votre page Web avec MultiMania

Dans ce chapitre :

▸ Que vous propose MultiMania ?

▸ Comment on devient membre de MultiMania.

▸ Choix du type de page.

▸ Création de votre page personnelle.

Si nous avons choisi MultiMania (récemment racheté par Lycos, mais qui poursuit néanmoins son activité sous son ancien nom), c'est parce que c'est l'un des plus anciens hébergeurs de pages en France. On n'entend pratiquement pas de réclamations à son sujet.

Que vous propose MultiMania ?

Notez bien que Multimania ne vous propose que d'héberger vos pages Web sur son serveur. Vous devez donc vous adresser à un authentique fournisseur d'accès pour vous connecter à l'Internet. L'espace disque mis gratuitement à votre disposition est annoncé comme étant illimité.

Plusieurs types de support sont proposés aux créateurs de pages personnelles :

▸ **WebMinute.** C'est un éditeur en ligne très simple qui vous permettra de créer votre page, texte et image(s), sans aucune connaissance de HTML.

▸ **WebStarter.** C'est l'option qui vous permettra d'apprendre les bases de la création de pages avec HTML, leur mise en ligne et leur référencement.

✔ **WebMaster.** Ici, il s'agit d'une chaîne grâce à laquelle vous pouvez créer de véritables contenus. S'adresse à des utilisateurs déjà initiés aux techniques du Web.

Tous ces modules sont accessibles à partir de la même URL : www.multimania.fr/hebergement/, que vous présente la Figure 6.1. Comme pour le Chapitre 5, les sites Internet étant en constante évolution, il est probable que les écrans qui suivent diffèrent de ceux que vous aurez affiché. Cependant, les tâches à réaliser sont identiques.

Figure 6.1 : Cette page de MultiMania vous ouvre la porte de la création de vos pages Web personnelles.

Mais avant de pouvoir vous lancer, vous devez devenir membre de la communauté MultiMania. Pour cela, vous devez cliquer sur le bouton bleu de forme allongée Rejoignez MultiMania.

Comment on devient membre de MultiMania

Vous êtes alors amené devant la page reproduite sur la Figure 6.2 où vous allez devoir renseigner quelques boîtes de saisie réparties en plusieurs rubriques.

Figure 6.2 :
Formulaire
d'inscription
à
MultiMania.

Créez votre compte MultiMania

Au cours du dialogue, MultiMania va vouloir à plusieurs reprises
enregistrer des cookies sur votre disque dur. Si vous ne les acceptez
pas, vous devrez ressaisir identifiant et mot de passe (que vous avez
la liberté de choisir sous réserve d'homonymie) chaque fois que vous
passerez par une des pages sécurisées, et vous ne pourrez pas faire de
modifications dans votre page "espace Membre".

Votre nom d'utilisateur

La première boîte de saisie vous demande de choisir un *identifiant
MultiMania*, c'est-à-dire un nom — pas nécessairement le vôtre — sous
lequel vous serez reconnu par MultiMania et qui fera partie intégrante
de l'URL qui vous sera attribuée. Nous avons choisi mdreyfus. Notre
site Web sera accessible par deux URL : http://www.multimania
.com/mdreyfus/ ou http://mdreyfus.multimania.com/
complétées par le nom de sa page d'accueil.

Votre mot de passe

Il doit se composer d'au moins 6 caractères (majuscules et/ou minuscules et chiffres). Evitez de choisir votre date de naissance, celle de votre femme ou de vos enfants, le nom de votre chien, le numéro d'immatriculation de votre voiture, etc.

Votre adresse e-mail

Cette rubrique se termine par la saisie de votre adresse e-mail qui va permettre à MultiMania de vous envoyer un courrier électronique auquel vous devrez répondre en cliquant sur un lien de façon à valider votre inscription.

Informations personnelles

Viennent ensuite d'autres informations d'identité, "destinées exclusive-ment à la société MultiMania, et [qui] serviront à la gestion des comptes et de votre relation avec MultiMania, ainsi qu'à l'établisse-ment de statistiques générales".

Informations facultatives

Vous pouvez aussi indiquer votre état (particulier, association, entreprise) et votre lieu de connexion (maison, travail, université/ école, autres).

Vos centres d'intérêt

Ces informations permettront à MultiMania de mieux vous situer et de vous envoyer éventuellement des offres commerciales. On vous propose : art et culture, affaires, informatique, musique, santé, science et technologie, shopping, sport et voyage.

Lettres d'information

MultiMania vous demande ensuite si vous désirez recevoir un ou plusieurs courriers électroniques périodiques. Si vous vous intéressez réellement à la création de pages personnelles sur le Web, nous vous suggérons de dire *oui* à la lettre MasterWeb : l'actualité de la création de site (toutes les semaines).

Fin de la page

Au-dessous du bouton Suite, figurent en petits caractères quelques
rappels de la législation relative aux pages Web et à votre droit à la
rectification des informations vous concernant au titre de la loi
Informatique et Libertés.

Après avoir cliqué sur le bouton Suite, une nouvelle page s'affiche,
reproduite sur la Figure 6.3, signalant que votre enregistrement est
terminé et indiquant l'adresse de votre (future) page Web ainsi que
l'adresse e-mail qui vous a été automatiquement attribuée.

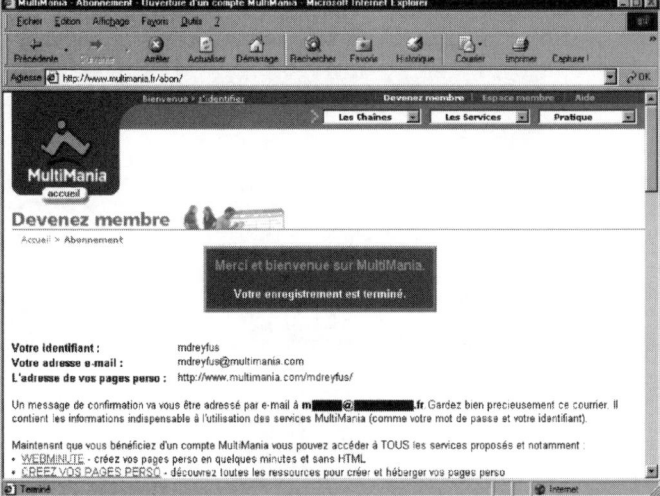

Figure 6.3 :
Fin de votre
enregistre-
ment et
présentation
des adresses
qui vous ont
été
attribuées.

Confirmation de l'enregistrement

Comme on peut le lire sur la Figure 6.3, un e-mail vous sera envoyé
ayant pour sujet "Abonnement", dans lequel vous pourrez lire, en
particulier : "Pour confirmer votre inscription cliquez sur l'URL ci-
dessous." Après avoir suivi cette dernière injonction, vous serez
membre à part entière de MultiMania et vous allez pouvoir immédiatement attaquer votre première page Web. Pour cela, il suffit de cliquer
sur le premier lien de la liste : WEBMINUTE.

Composition de notre première page

Nous allons commencer par composer une page rudimentaire que nous pourrons ensuite, tout à loisir, éditer pour l'améliorer.

Généralités

La page d'accueil de WebMinute propose les quatre modèles qu'on peut voir sur la Figure 6.4. Nous choisissons le premier : l'album photos. Après avoir cliqué sur l'image correspondante, la page reproduite sur la Figure 6.5 est affichée.

Figure 6.4 :
Quatre
modèles de
page Web
sont
proposés.

Nom du fichier

Comme il s'agit ici d'une page d'essai destinée à nous familiariser avec WebMinute, nous choisissons albumphoto. Plus tard, lorsque nous construirons une page plus réfléchie, mieux organisée, nous pourrons l'appeler index.html (nom par défaut des pages d'accueil).

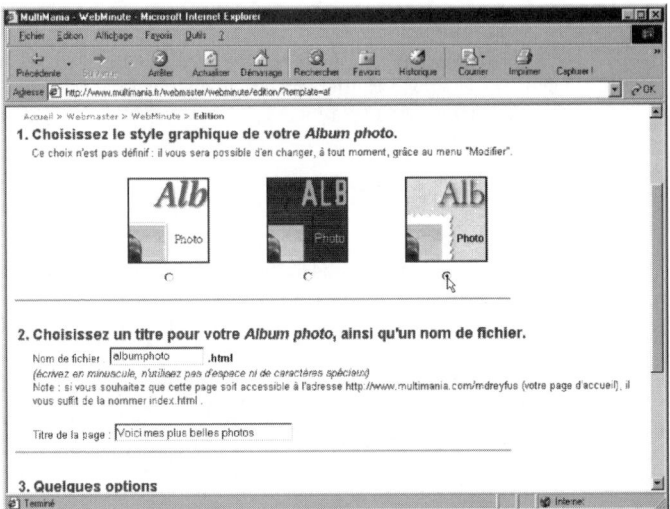

Figure 6.5 :
Début de la
composition
de notre
page Web.

Titre de la page

Cette page va s'appeler "Mes plus belles photos". C'est ce titre qui
s'affichera dans la barre de titre du navigateur lorsqu'on visitera la
page.

Quelques options

On peut répondre par *oui* ou par *non* à chacune des trois questions
qui sont posées :

- ✔ **Barre de navigation.** Répondre *oui* n'est pas une bonne
  réponse, car, comme il s'agit d'une page simple (pour ne pas
  dire simplette), notre "site Web" n'en comportera pas d'autres.

- ✔ **Moteur de recherche MultiMania.** Inutile, pour le moment.
  Cochons donc *non*.

- ✔ **Compteur de visites.** Par ce moyen, il est possible de savoir
  quel est le nombre de visiteurs qui sont venus admirer (ou
  critiquer) une page. Cochons donc la réponse *oui*.

Poursuivre

Après avoir cliqué sur le bouton bleu marqué Poursuivre, nous arrivons à la page MultiMania qui présente l'organisation générale de la page en cours de création.

Choix des éléments

Cet écran montre comment seront disposés les éléments de notre page. Pour un début, nous n'allons prévoir, outre le texte général, que deux images et un court texte de présentation de ces images, ce qui nous amène à la structure de page reproduite sur la Figure 6.6.

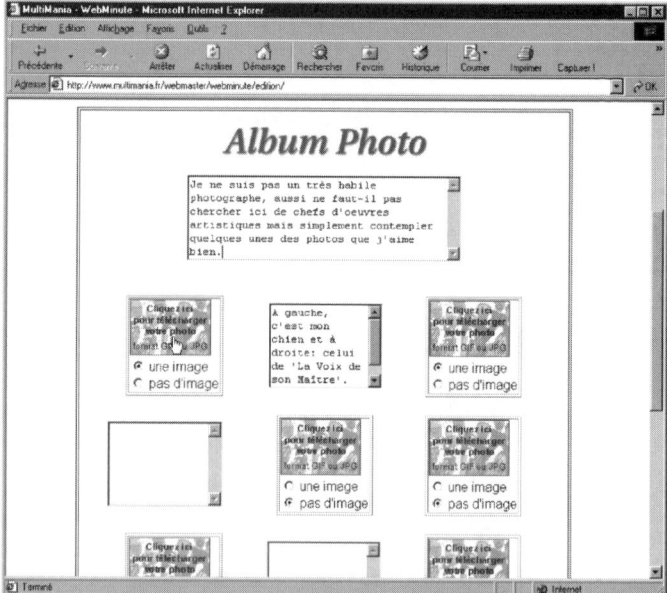

Figure 6.6 :
Organisation
générale de
notre future
page.

Nous cliquons alors sur l'image où se trouve le pointeur de la souris sur la Figure 6.6, ce qui nous conduit à la page du choix des images.

Les images

Il y a deux phases dans l'ajout des images à une page : constitution
chez MultiMania d'un petit stock de nos images, puis choix, parmi ces
images, de celles qui vont figurer dans la page en cours de création.

Chargement d'une image

Avec WebMinute, les images qui seront chargées sur le site de
MultiMania iront se placer dans le même répertoire que les fichiers
HTML contenant le texte des pages. Rappelons que les trois seuls
formats d'images acceptables dans une page Web sont : GIF, JPEG et
PNG.

Dans la rubrique de chargement d'une image, on trouve les deux
boîtes de saisie que l'on peut voir sur la Figure 6.7.

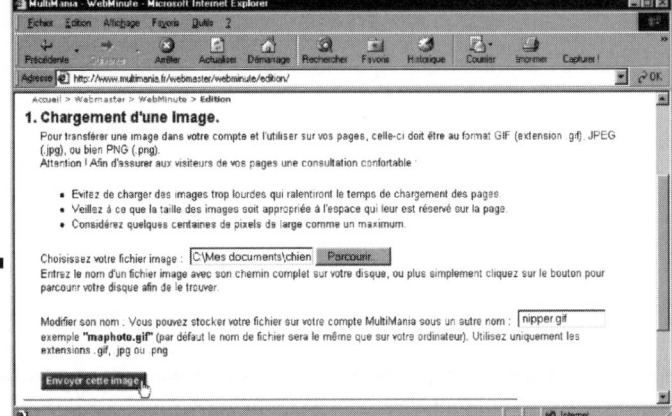

Figure 6.7 :
Enregistre-
ment d'une
image chez
MultiMania.

✔ Dans la première, on peut saisir directement le nom d'une image
située quelque part sur son disque dur, si on connaît exactement son nom et son chemin d'accès, ou cliquer sur le bouton
Parcourir pour choisir l'image dans une boîte de sélection de
fichier. Dans cet exemple, l'image se trouve dans le répertoire
`Mes documents` et son nom est `chien.gif`.

✔ La seconde permet de modifier le nom sous lequel cette image sera conservée chez MultiMania. Bien entendu, il ne faut pas modifier l'extension du nom de fichier puisque c'est lui qui détermine le format de l'image. Comme notre image représente une petite figurine de porcelaine à l'effigie du chien Nipper (celui qui est le logo de La Voix de son Maître), nous décidons que cette image s'appellera `nipper.gif`.

En cliquant ensuite sur le bouton Envoyer cette image, elle va être téléchargée depuis notre machine vers le répertoire des disques durs de MultiMania qui nous a été attribué. La durée de cette opération nous renseigne sur le temps que mettra plus tard l'image pour se charger dans le navigateur d'un visiteur. Une nouvelle page s'affiche, qui montre l'image qui vient d'être envoyée.

En cliquant sur le bouton Continuer l'édition, nous sommes ramenés au choix des images. Nous allons effectuer une autre fois ces opérations, de façon à avoir transféré deux de nos images (la seconde s'appelle `fredo.jpg`) sur le site de MultiMania. Ensuite, nous passerons à la rubrique du choix des images qui suit celle du chargement proprement dit.

Choix d'une image

La page représentée sur la Figure 6.8 s'affiche. Nous choisissons l'image de droite (`fredo.jpg`), et cliquons sur le bouton Utiliser cette image.

Nous revenons alors à l'écran présentant l'organisation générale de notre page (revoir la Figure 6.6). Pour mettre en place la seconde image, nous cliquons dans le cadre de droite de la première rangée, ce qui nous ramène à la page où on nous propose le chargement et le choix des images. Nous opérons comme précédemment, mais, cette fois, en sélectionnant l'image `nipper.gif`. La structure de notre page se présente maintenant comme le montre la Figure 6.9.

Ne faites pas attention à la déformation des images. Ici, ce n'est qu'un schéma structurel général ; les figures auront leurs proportions correctes dans la page définitive.

Prévisualisation

Avant d'aller plus loin, nous souhaiterions voir comment se présente la page. En bas, nous voyons deux boutons : Prévisualiser et Publier. En cliquant sur le premier, nous obtenons un avant-goût de ce que verront nos visiteurs, ce qui nous permettra éventuellement de

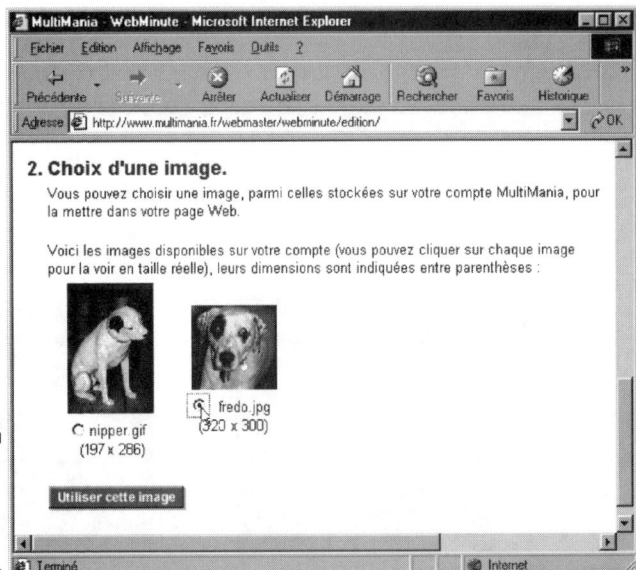

Figure 6.8 :
Choix de
l'image à
utiliser.

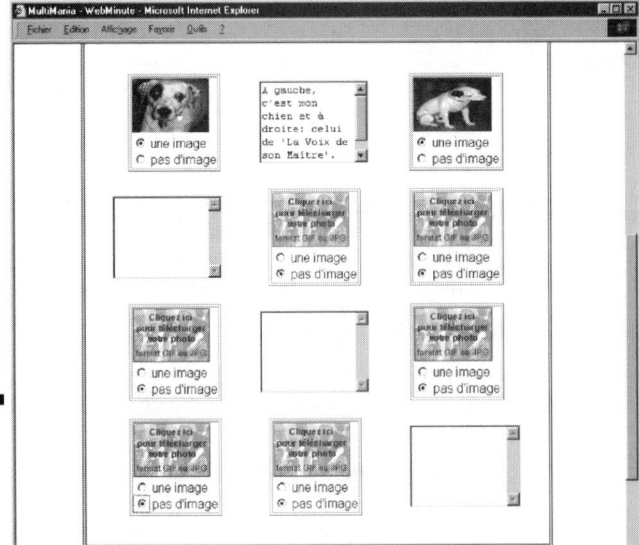

Figure 6.9 :
Notre page
comporte
maintenant
deux images.

modifier le contenu de la page. La Figure 6.10 montre comment se présente maintenant notre page.

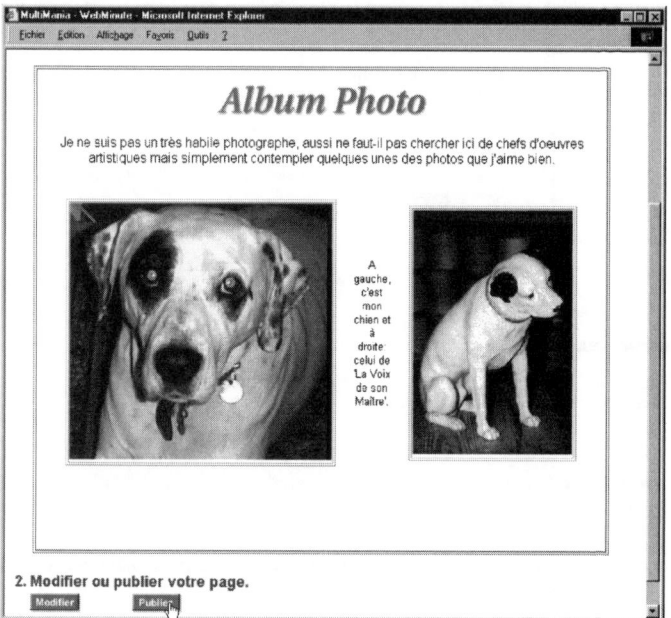

Figure 6.10 :
Prévisualisation
de notre
page.

Publication

Ce résultat nous paraissant correct, nous décidons de *publier* cette page, c'est-à-dire de l'écrire définitivement sur les disques de MultiMania. Pour confirmer cet enregistrement, une nouvelle page s'affiche, nous proposant plusieurs actions possibles :

- ✔ **Retourner à la page d'accueil.**

- ✔ **Reprendre l'édition.** Par exemple, si on veut ajouter de nouvelles images, corriger une faute d'orthographe ou changer un texte.

- ✔ **Référencer le site.** Pour une page aussi simplette, cette question ne se pose pas.

Test de la page

Sur le Web, il faut toujours tout vérifier. Pour contrôler ce que verront nos visiteurs, il suffit de taper <Ctrl>+<O> et de saisir dans la petite fenêtre qui s'ouvre l'URL :

```
http://www.multimania.com/mdreyfus/albumphoto.html
```

Un petit écran publicitaire vient se coller sur notre page comme on le voit sur la Figure 6.11. C'est la rançon de la gratuité. Pour survivre, MultiMania a choisi de vendre des espaces publicitaires sous forme de bandeaux à des annonceurs. Ils sont affichés dans une fenêtre flottante apparaissant lorsqu'un internaute vient consulter le site d'un membre de MultiMania. Il est facile de déplacer cette bannière ou de la faire passer à l'arrière-plan par les manipulations qu'on pratique habituellement sous Windows.

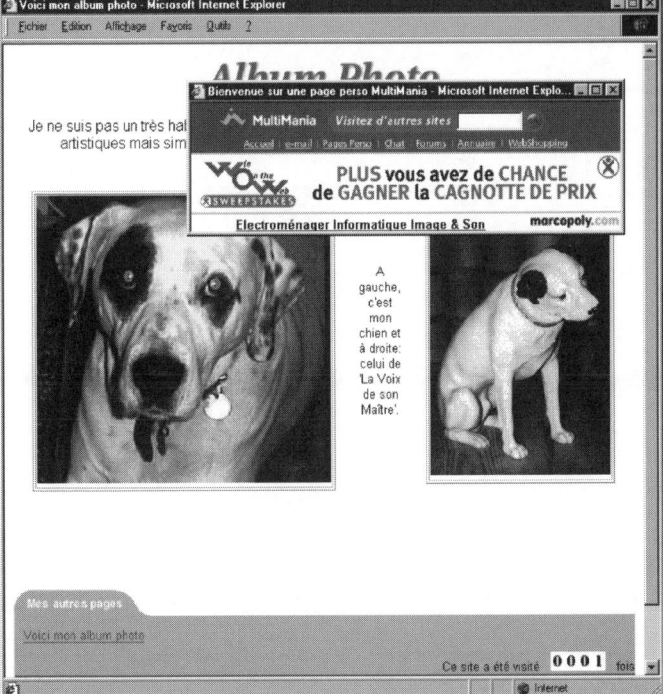

Figure 6.11 :
Ce que voit
un visiteur.

Troisième partie

Des sites meilleurs, plus rapides et plus solides

"Arrêtez une minute ! Il faut du temps pour réaliser une page d'accueil pour quelqu'un de votre taille !"

Dans cette partie...

Une fois terminée votre première page, vous voudrez certainement l'améliorer. Pour cela, vous devez connaître les rudiments de HTML (*HyperText Markup Language* : langage de marquage hypertexte). Vous pourrez alors bidouiller finement le code HTML de vos pages, ajouter des images et du multimédia, et en faire quelque chose qui se remarque sur le Web. Dans cette partie, nous allons vous expliquer comment y parvenir.

Chapitre 7
Juste assez de HTML

. . . .

Dans ce chapitre :

- ▶ A la découverte du document HTML.
- ▶ Identification des balises HTML.
- ▶ Création de listes.
- ▶ Pose d'ancrages.
- ▶ Test de votre document HTML.

. . . .

*V*ous pouvez ajouter des balises HTML, des éléments de formatage et de liens que nous avons vus au Chapitre 1, à du texte
ordinaire pour créer votre propre document HTML avec n'importe
quel éditeur de texte ou traitement de texte. Vous pouvez aussi utiliser
des éditeurs spécialisés, certains WYSIWYG, qui vous permettent
d'ignorer toute la cuisine HTML.

Tenter d'apprendre HTML de façon exhaustive est, pour le moment,
une *mauvaise* idée. Nous allons donc nous limiter au strict nécessaire
afin que ce que vous allez découvrir ici puisse vous aider à créer des
pages encore plus personnelles.

Brève et reposante description de HTML

Si vous voulez en savoir un peu plus avant de retrousser vos manches,
nous vous conseillons, chez le même éditeur, la lecture de *HTML 4
pour les Nuls*, d'Ed Tittel, Natanya Pitts et Chelsea Valentine.

Pourquoi se casser la tête avec HTML ?

Il y a plusieurs raisons de connaître quelques éléments de HTML :

✔ **Pour comprendre comment fonctionne le Web.** Ce savoir vous sera utile si vous avez l'intention de publier beaucoup de pages ou même si vous êtes un acharné du surf sur le Web.

✔ **Pour être à même d'utiliser des outils HTML.** Beaucoup d'outils HTML gratuits vous permettent de saisir directement des balises pour apporter des retouches à une page.

✔ **Pour travailler directement en HTML.** Beaucoup de profession- nels de HTML, fatigués de manipuler des balises à la main, commencent à utiliser des outils qui leur permettent d'ignorer HTML. D'autres ne jurent que par HTML. Le seul moyen de choisir entre ces deux attitudes demande que l'on connaisse au moins un peu HTML.

Au travail avec HTML

Un document HTML n'est autre qu'un fichier texte ordinaire contenant des balises HTML. Un document de texte ordinaire est un document qui ne contient que des caractères pouvant tous être saisis au clavier. Les documents issus de traitements de texte contiennent, eux, des indications de formatage spéciales qui ne peuvent être comprises que par le logiciel qui les a créés. Le principe de formatage des documents HTML consiste à utiliser des marqueurs tels que <B> et </B> que nous avons rencontrés au Chapitre 1.

Comment voir le contenu d'un document HTML

Pour voir ce que contient un document HTML présent dans votre navigateur, utilisez la commande <u>A</u>ffichage/<u>S</u>ource (ou toute autre commande ayant un sens voisin, selon le navigateur que vous utilisez). Tout le contenu du document, balises comprises, va alors s'étaler sous vos yeux.

Création de documents HTML

Pour créer des documents HTML, vous pouvez utiliser un éditeur de texte ordinaire, un traitement de texte ou un éditeur HTML spécialisé. Chaque méthode a ses avantages et ses inconvénients :

✔ **Traitement de texte.** Les versions récentes de nombreux traitements de texte ont une option de sauvegarde sous forme HTML. Ces logiciels contiennent généralement beaucoup d'outils de mise en page ainsi qu'un vérificateur d'orthographe et des moyens de recherche et de remplacement évolués.

✔ **Editeur de texte.** Un éditeur de texte est un programme qui édite du texte ordinaire : pas de police de caractères spéciale, pas de gras ni d'italique, aucun style de paragraphe. De nombreux experts en HTML ne jurent que par eux.

✔ **Outils HTML spécialisés.** Un éditeur HTML vous cache toute la cuisine HTML. Cependant, il y en a peu qui dissimulent absolument tout ce qui concerne HTML. C'est pourquoi vous devez néanmoins apprendre quelques rudiments de HTML, même si vous souhaitez utiliser ce type d'outil.

HTML : une affaire de bon sens

Lorsque vous serez habitué à voir des balises HTML, toutes ces règles vous sembleront évidentes et vous n'aurez guère de difficultés à vous les rappeler.

Quelques règles simples

✔ **La plupart des balises vont par paire.** Si, par exemple, vous voulez afficher du texte en gras, vous allez le placer entre une balise `<B>` et une balise `</B>`. Surtout, n'oubliez pas la balise terminale (la même que la balise initiale, mais avec un slash "/" après le chevron ouvrant), faute de quoi, tout le texte qui suit la balise initiale continuerait à être affiché en gras.

✔ **Les balises sont généralement écrites en MAJUSCULES.** C'est une convention et on pourrait fort bien décider de faire le contraire. Ce qu'il y a à l'intérieur, les *attributs*, obéit éventuellement à d'autres règles. Par exemple, l'URL d'un lien dans un ancrage sera généralement écrite en minuscules :

```
<A HREF="textver.htm">Version en texte pur</A>
```

Le texte écrit entre les balises peut être écrit indifféremment en majuscules ou en minuscules.

Les machines UNIX (un système d'exploitation très utilisé sur les serveurs) différencient les minuscules des majuscules. Les noms de fichiers `MonFich.txt` et `monfich.txt` désignent deux fichiers distincts. Par contre, le PC et le Macintosh ne s'en soucient pas : les deux noms que nous venons de citer désignent le même fichier.

✔ **HTML ignore les retours chariot et les tabulations.** Un navigateur remplace les retours chariot et tabulations, quelque soit
leur nombre, par **un seul** espace.

✔ **Vous devez insérer des balises <P> entre chaque paragraphe.**
Votre texte apparaîtra comme un magma informe si vous n'avez
pas inséré des balises ⟨P⟩ entre chaque paragraphe.

✔ **Tous les navigateurs n'affichent pas de la même façon un
document HTML.** Par exemple, un titre de niveau supérieur
(spécifié par les balises ⟨H1⟩ et ⟨/H1⟩) pourra apparaître plus
gros avec un navigateur qu'avec un autre.

✔ **Certaines balises sont ignorées par certains navigateurs.**
Certains navigateurs reconnaissent des balises que d'autres
ignorent. C'est la raison pour laquelle nous vous avons déjà
recommandé de vous en tenir aux balises spécifiées par
HTML 3.2 que, pratiquement, tous les navigateurs reconnaissent. C'est ce que nous ferons ici.

✔ **Les utilisateurs peuvent configurer leur navigateur différemment.** Les utilisateurs peuvent configurer différemment leur
navigateur. Ils peuvent décider d'afficher le texte avec une
police de caractères de corps différent ou de ne pas afficher les
images contenues dans une page. Toutes ces manies peuvent
faire apparaître le même document de façon très différente,
comme on peut le voir sur les Figures 7.1 et 7.2.

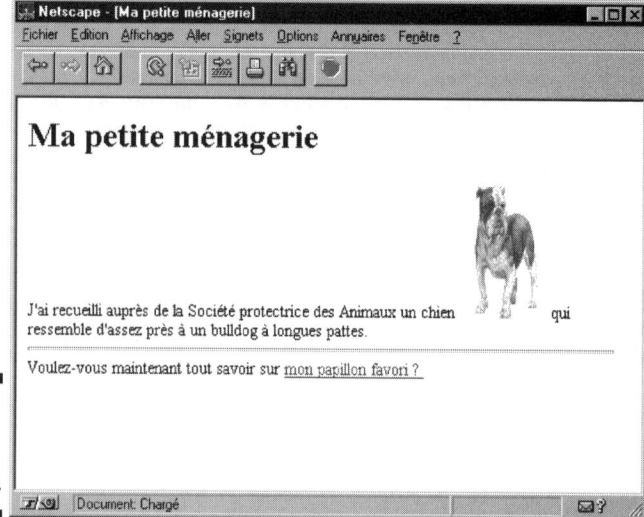

Figure 7.1 :
Page Web
affichée
normalement.

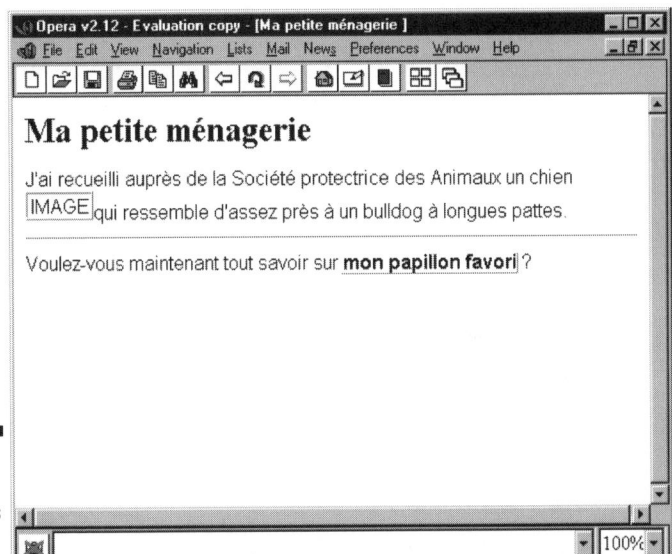

Figure 7.2 :
Page Web
affichée sans
les images.

Dix commandes HTML importantes plus une

Voici un exemple très simple de page Web dont la Figure 7.3 montre le résultat affiché par un navigateur :

```
<HTML>

<!--
Le texte placé entre <des chevrons> est une balise HTML et
il n'est pas affiché. La plupart des balises, comme <HTML> et
</HTML> qui encadrent la totalité du contenu d'une page, sont
agencées par paires. D'autres, comme <HR> qui sert à placer un
filet horizontal, interviennent seules. Les commentaires, comme le
texte que vous êtes en train de lire, ne sont pas affichés. Les
informations placées entre les balises <HEAD> et </HEAD> ne
sont pas non plus affichées. Les informations placées entre les
 balises <BODY> et </BODY> sont, elles, affichées.
-->
```

```
<HEAD>
<TITLE>Placez ici un titre qui ne sera pas affiché </TITLE>
</HEAD>

<!-- Les informations placées entre les balises BODY et /BODY
sont affichées.-->
<BODY>

<H2>Placez ici le titre principal, généralement identique à
celui qui est utilisé comme titre de page.</H2>
Tapez ici du texte, par exemple une présentation de vous-même et
de ce que vous faites. Mettez en <B>gras</B> les points
importants. Placez le tout dans une liste. <P>
<UL>
<LI>Premier article de la liste
<LI>Second article <I>en italique</I>
</UL>
Améliorez la présentation en y incorporant une image. <P>
<IMG SRC="rose.gif">
<P>
Puis ajoutez un lien vers votre <A HREF="http://www.monfavori.fr/">
site Web favori</A>.
<P>
Insérez un filet horizontal en bas de la page. <P>
<HR>
Terminez par un lien vers <A HREF="page2.htm">une autre page</A>
de votre présentation.
<!-- N'oubliez pas la notice de copyright. -->
<BR>
&#169; First Interactive 2001
</BODY>
</HTML>
```

Dans ce texte, pour plus de clarté, les caractères accentués ont été représentés tels quels, mais nous verrons un peu plus loin que, dans un véritable document HTML, ils devraient être codés sous forme d'*entités de caractères*.

Le Tableau 7.1 présente quelques-unes des balises les plus importantes de ce texte accompagnées d'une brève description de leur rôle. Vous trouverez, plus loin dans ce même chapitre, des explications plus détaillées.

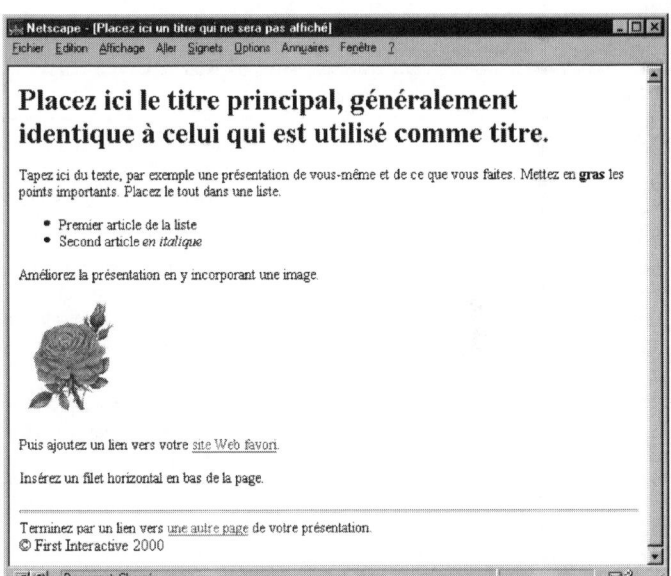

Figure 7.3 :
Affichage
d'une page
exemple très
simple.

Tableau 7.1 : Quelques balises parmi les plus usitées.

Balise	Emplacement
`<HEAD> </HEAD>`	Encadre les balises `<TITLE> </TITLE>`, au début du document.
`<TITLE> </TITLE>`	Contient un court titre décrivant le document. Ce titre sera affiché dans la barre de titre du navigateur.
`<BODY> </BODY>`	Après la balise `</HEAD>`. Vous y mettrez tout le reste du document.
`<H1> </H1>, <H2> </H2>, ...`	Pour définir le titre principal (`<H1>`) ou des sous-titres de niveaux décroissants (de 1 à 6) dans le document.
`<B> </B>`	Pour délimiter le texte que vous voulez afficher en gras.
`<I> </I>`	Pour délimiter le texte que vous voulez afficher en *italique*.
` `	Pour causer une rupture de ligne non suivie d'une ligne vierge dans le cours d'un paragraphe (en dehors d'un titre ou sous-titre).

Tableau 7.1 : Quelques balises parmi les plus usitées (suite).

Balise	Emplacement
`<P> </P>`	Pour causer une rupture de ligne suivie d'une ligne vierge dans le cours d'un paragraphe (en dehors d'un titre ou sous-titre). La balise terminale `</P>` est facultative.
`<HR>`	Pour afficher un filet de séparation horizontal.
`<A HREF="http://www .unsite.fr"Autre chose> </A>`	Pour définir un appel de lien (également appelé *ancrage*) interne ou externe. On trouve à l'intérieur le texte sur lequel cliquera l'utilisateur pour charger la nouvelle page. Ce texte est généralement affiché en couleur (le plus souvent, ce sera en bleu) et souligné.
`<IMG SRC="rose.gif">`	A l'endroit où on veut afficher une image au format GIF ou JPEG. L'attribut `SRC` indique l'emplacement de son fichier sur le disque dur du serveur.

Création d'une page Web avec HTML

On peut classer les balises en trois groupes :

- ✔ **Balises contenant des *méta-informations* sur le document.** Par exemple le titre du document qui est placé dans la section d'en-tête (`<HEAD>`). Certains outils du Web comme les moteurs de recherche les utilisent pour savoir de quoi traite votre document.

- ✔ **Balises de mise en forme du texte**. Elles modifient simplement la présentation du texte affiché par le navigateur, comme `<B>` `</B>` ou `<I>` `</I>`.

- ✔ **Balises de liens**. Elles créent un lien vers d'autres informations qui seront chargées par le navigateur.

Créons un fichier vierge pour le document HTML

Voici comment créer un fichier vide destiné à contenir du texte pur et dans lequel vous allez placer votre code HTML.

1. **Lancez votre éditeur de texte ou votre traitement de texte.**

2. **Ouvrez un nouveau document.**

3. **Sauvegardez ce document vide de façon à lui donner tout de suite un nom.** En général, c'est l'entrée de menu Enregistrer sous... du menu Fichier qui convient pour cette opération. Choisissez Texte comme type de fichier.

4. **Donnez un nom au document.** Et tapez **.htm** ou **.html** à la suite de ce nom.

5. **Sauvegardez le document.** En général, il vous suffit de cliquer sur le bouton Enregistrer ou d'appuyer sur <Entrée>.

Au travail !

Votre document va commencer par quelques balises dont le contenu ne sera pas affiché. Ce sont ces *méta-informations* dont nous vous avons parlé plus haut.

✔ <HTML> </HTML> : Renferme tout ce qui va se trouver dans votre document.

✔ <HEAD> </HEAD> : C'est la section d'en-tête du document, celle dans laquelle on trouvera principalement le titre (<TITLE>).

✔ <TITLE> </TITLE> : Renferme le titre du document qui sera affiché dans la barre de titre de la fenêtre du navigateur.

✔ <BODY> </BODY> : Renferme tout le reste du document HTML, c'est-à-dire tout ce qui sera réellement affiché par le navigateur.

Voici comment se présentent dans notre document les quatre balises que nous venons de décrire :

```
<HTML>
<HEAD>
<TITLE>Ma petite famille</TITLE>
</HEAD>
<BODY>
Le contenu de votre document viendra ici.
</BODY>
</HTML>
```

Si vous n'utilisez pas un éditeur HTML spécialisé, créez un fichier ne contenant que les balises visibles dans l'exemple précédent et sauvegardez-le, par exemple, sous le nom de modele.htm. Quand vous voudrez créer un nouveau document, vous chargerez modele.htm, vous remplirez les blancs, puis vous le sauvegarderez à nouveau, mais cette fois, sous son nom définitif.

Un titre et quelques balises

La plupart des documents HTML commencent par un titre qui apparaît en haut de la page. Il est défini comme tel par une balise ⟨Hn⟩, avec *n* compris entre 1 et 6 selon l'importance logique du titre. Ensuite vient le texte proprement dit du document où certains mots ou groupes de mots peuvent être affichés en **gras** ou en *italique*.

N'abusez pas du gras ou de l'italique. Vos visiteurs vous diront merci.

Voici un exemple de la façon dont vous pouvez saisir le contenu d'une page Web élémentaire :

1. **A la suite de la balise** ⟨BODY⟩ **et avant la balise** ⟨/BODY⟩, **placez un titre de plus haut niveau que vous encadrerez avec** ⟨H1⟩ **et** ⟨/H1⟩. Ce premier titre peut être identique à celui qui a été utilisé dans ⟨TITLE⟩.

2. **Tapez ensuite du texte.** Ce premier paragraphe devrait logiquement être un court résumé de ce qui va suivre.

3. **A la fin de chaque paragraphe, placez un marqueur** ⟨P⟩. Comme nous l'avons dit, les navigateurs n'obéissent qu'à la balise ⟨P⟩ pour créer un nouveau paragraphe.

4. **Encadrez quelques mots du texte que vous venez de taper avec** ⟨B⟩ **et** ⟨/B⟩ **pour qu'il soit affiché en gras.** Simplement à titre d'exemple. Dans la réalité, le gras doit être utilisé avec circonspection.

5. **Encadrez quelques mots du texte que vous venez de taper avec** ⟨I⟩ **et** ⟨/I⟩ **pour qu'ils soient affichés en italique.** Toujours à titre d'exemple. Comme le gras, l'italique doit être utilisé avec circonspection.

6. **Ajoutez maintenant un filet de séparation horizontal.** Autrement dit, tapez ⟨HR⟩. Isolez cette balise sur une seule ligne de façon à pouvoir la localiser plus facilement ensuite.

7. **Vérifiez maintenant le texte que vous venez de taper.** En particulier, faites bien attention aux balises de fermeture (celles qui contiennent un slash).

8. **Sauvegardez votre document.** Si vous avez utilisé un traitement de texte, faites bien attention à effectuer la sauvegarde sous forme de texte pur, sans formatage.

Et si nous ajoutions une petite liste ?

Parmi les types de liste qui existent, trois sont réellement utilisés : listes à puces, listes numérotées et listes de définitions. Les articles des listes sont indentés d'une quantité qui dépend du navigateur qu'utilisera le lecteur.

- ✔ **Listes à puces** (dites aussi *listes non numérotées*). Chaque article est précédé d'une marque généralement en forme de gros point. Les listes à puces sont définies par une balise ⟨UL⟩.

- ✔ **Listes numérotées** (dites aussi *listes ordonnées*). Chaque article est précédé d'un numéro qui commence par défaut à 1 et va en croissant. Les listes numérotées sont définies par une balise ⟨OL⟩.

- ✔ **Listes de définitions** (dites aussi *listes de glossaire*). Ces listes présentent un terme puis sa définition. Le terme vient à la place de la puce ou du chiffre des listes précédentes. La définition suit, en retrait, à la ligne suivante. Les listes de définitions se trouvent dans une balise ⟨DL⟩.

Voici, à titre d'exemple, comment constituer une liste à puces (pour une liste numérotée, ce serait à peu près pareil : il suffirait de remplacer ⟨UL⟩ et ⟨/UL⟩ par ⟨OL⟩ et ⟨/OL⟩) :

1. **Placez un marqueur ⟨UL⟩ en début de ligne.**

2. **A la ligne suivante, tapez ⟨LI⟩.**

3. **Sur la même ligne, tapez le texte de cet article de liste.**
   Pourquoi pas "Corbeau" ? (Sans les guillemets, bien sûr.)

4. **Répétez les étapes 2 et 3 pour chacun des articles suivants.** Par exemple : " Oiseau des îles" et "Paon du Japon" (toujours sans les guillemets).

   Attention : la balise ⟨LI⟩ s'emploie toute seule. Il n'y a pas de balise terminale.

5. **Il ne vous reste plus qu'à refermer la liste en tapant ⟨/UL⟩ tout seul sur la ligne suivant le dernier article.**

Pour créer une liste de définitions, voici comment procéder :

1. **Placez un marqueur ⟨DL⟩ en début de ligne.**

2. **A la ligne suivante, tapez ⟨DT⟩.**

3. **Sur la même ligne, tapez le mot que vous voulez définir.**

4. **A la ligne suivante, tapez ⟨DD⟩.**

5. **Sur la même ligne, tapez la définition du mot précédent.**

6. **Répétez les étapes 2 à 5 pour les articles (couples de mots et leur définition) suivants.**

Ici non plus, il ne faut pas utiliser de balise de fermeture pour chacun des éléments du couple constituant l'article.

7. **Terminez la liste en tapant ⟨/DL⟩ tout seul sur la ligne suivant le dernier article.**

La Figure 7.4 vous présente un exemple de chacun de ces trois types de listes avec le code HTML correspondant.

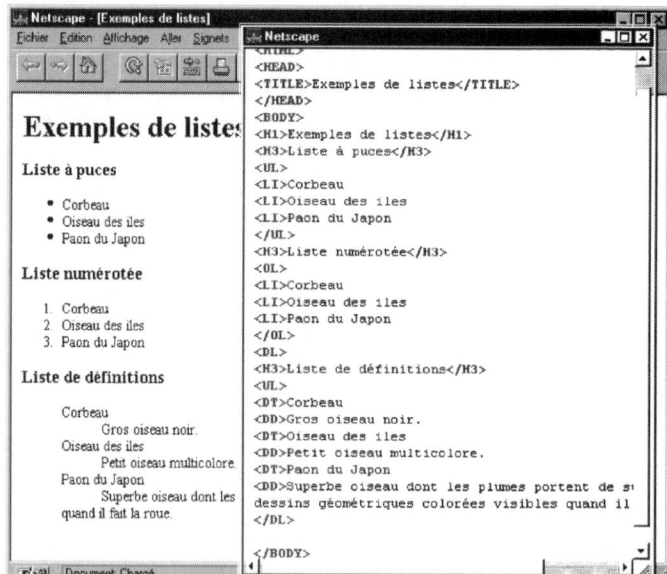

Figure 7.4 :
Exemples de
listes HTML.

HTML et les langues européennes

HTML ne connaît que l'alphabet ASCII standard qui est limité à 128 caractères. Pour représenter les caractères accentués et autres signes diacritiques, on doit utiliser des *entités de caractères*. Ce sont de courtes descriptions du caractère à représenter encadrées à gauche par "&" et à droite par ";".

Ainsi, en HTML, la phrase suivante :

```
L'élève du château suit sans ambiguïté les propos de son maître.
```

doit s'écrire :

```
L'&eacute;l&egrave;ve du ch&acirc;teau suit sans
ambigu&iuml;t&eacute; les propos de son ma&icirc;tre.
```

Si vous n'utilisez pas cette façon spéciale d'écrire les caractères accentués, tout se passera bien lorsque le visiteur de votre présentation Web utilisera la même machine que celle dont vous vous êtes servi pour la créer. Mais cela risque de ne pas être le cas s'il utilise, par exemple, un Macintosh alors que vous avez créé vos pages avec un PC, car la représentation interne des caractères est différente. Certains navigateurs sauront s'en arranger, d'autres pas.

Le Tableau 7.2 vous présente quelques-unes des entités les plus usitées dans notre langue :

Tableau 7.2 : Entités de caractères fréquemment utilisées en français.

Caractère	Entité de caractère
à	à
â	â
ç	ç
é	é
è	è
ê	ê
ë	ë
î	î
ô	ô
ù	ù
û	û

Les ancrages

Comme dans la vie réelle, chaque lien HTML a deux extrémités : celle d'où l'on part et celle où l'on aboutit.

Un ancrage constitue le début d'un lien. Il apparaît dans un document sous forme de texte souligné et affiché d'une couleur différente (par défaut en bleu) ou d'une image entourée d'une bordure colorée. Lorsque vous cliquez sur un ancrage, cela provoque le chargement d'une nouvelle page (celle qui se trouve à l'autre extrémité du lien). Son contenu vient remplacer le précédent dans la fenêtre de votre navigateur. Pour revenir à l'ancienne page, vous devez utiliser le bouton "vers l'arrière" (ou page précédente) de votre navigateur.

Un ancrage demande deux informations : le texte ou l'image qui va servir d'appel de lien et où cliquera l'utilisateur, et l'adresse de la nouvelle page à charger. Voici un exemple d'ancrage :

```
<A HREF="http://www.monchien.fr">Centre de dressage</A>
```

Décomposons :

- ✔ <A> ... </A> : c'est le couple de balises de l'ancrage qui vont entourer le texte qui servira d'appel pour la nouvelle page à charger.

- ✔ HREF : c'est l'*attribut* qui indique que ce qui va suivre sera l'adresse de la nouvelle page à charger. Ici : "http://www.monchien.fr".

Cette adresse peut se simplifier lorsque la nouvelle page se trouve sur le même serveur que celle qui contenait l'ancrage. Dans ce cas, les adresses peuvent se présenter sous deux formes :

- ✔ **Adresse absolue** : elle spécifie le chemin d'accès complet de la nouvelle page **par rapport au répertoire racine** du serveur et commence par un slash (/).

- ✔ **Adresse relative** : elle spécifie le chemin d'accès complet de la nouvelle page **par rapport au répertoire où se trouvait la page de l'appel** sur le serveur et ne commence pas par un slash (/). Elle peut commencer par ../ pour indiquer le répertoire de niveau immédiatement supérieur.

Si la page actuelle se trouve dans le répertoire /monsite/toto, et que la nouvelle page (nouvo.htm) figure dans le répertoire /monsite/toto/alpha, l'adresse relative s'écrira :

```
alpha/nouvo.htm
```

Si vous aviez voulu indiquer l'adresse d'un document HTML appelé otre.htm situé dans le répertoire /monsite/essais, vous auriez écrit :

```
../essais/otre.htm
```

 Pour vos pages Web simples, placez tous vos fichiers dans le même répertoire : cela simplifiera grandement l'écriture des liens et vous évitera de nombreuses erreurs.

Le Tableau 7.3 présente quelques exemples d'ancrages.

Tableau 7.3 : Exemples de liens hypertexte.

Destination	Ancrage
Document situé sur un serveur différent	`<A HREF="http://www.machin.fr/ autruche.htm">La vie des autruches</A>`
Document situé sur le même serveur et dans le même répertoire	`<A HREF="autruche.htm"> La vie des autruches</A>`
Document situé sur le même serveur mais dans un autre répertoire (adresse relative)	`<A HREF="animaux/autruche.htm"> La vie des autruches</A>`
Document situé sur le même serveur mais dans un autre répertoire (adresse absolue)	`<A HREF="/monsite/animaux/autruche.htm"> La vie des autruches</A>`

Ecrivez un lien

Pour être sûr d'avoir bien compris, vous allez maintenant passer à la pratique.

1. **Ouvrez un document HTML existant.**

2. **Placez-vous dans ce document à l'endroit où vous voulez ajouter un appel de lien.**

3. **Commencez par taper** `<A HREF="`.

4. **Tapez maintenant l'adresse de la page à charger.** Supposons que son nom soit `suivante.htm`.

   Si cette page se trouve dans le même répertoire, tapez simplement `suivante.htm`.

   Si cette page se trouve sur un autre serveur, vous devez indiquer l'adresse de ce serveur suivie du chemin d'accès

complet (absolu) de la page. Par exemple : `http://www.otreserv.fr/toto/html/suivante.htm`.

Si vous n'indiquez aucun nom de fichier, le navigateur cherchera par défaut un fichier `index.htm` ou `index.html`.

5. **Refermez le marqueur `<A>` initial en tapant un guillemet (")**
   suivi d'un chevron fermant (>).

6. **Tapez maintenant le texte d'appel : celui sur lequel cliquera le**
   visiteur. Par exemple : `Suite de mes aventures`.

7. **Refermez le conteneur d'ancrage en tapant `</A>`.**

Les liens à la loupe

Et si vous voulez aller à un endroit différent de la même page ? Cela pourrait être le cas si cette page est longue et que vous voulez que votre visiteur puisse arriver directement au bon endroit sans avoir à jouer avec l'ascenseur vertical du navigateur. Vous devez alors définir un point de référence dans la page (ou plusieurs si vous voulez pouvoir aller à différents endroits de cette page). En outre, l'appel du lien revêtira une forme différente, plus simple puisque la page où on doit aboutir est déjà chargée.

Voici, par exemple, comment atteindre le paragraphe de la même page contenant la conclusion d'un rapport :

```
Pour savoir <A HREF="#Conclusion">le fin mot</A> de l'histoire
```

Le second ancrage, là où doit aboutir le lien, devra être repéré par une *étiquette* qui sera constituée par l'ancrage suivant :

```
<A NAME="Conclusion"></A>
```

Ce point de référence ne sera pas affiché sur l'écran : c'est une *référence interne*. Il doit néanmoins comporter un marqueur de fermeture `</A>` et on ne doit rien écrire entre les deux marqueurs.

Une faute courante consiste à répéter le caractère dièse (#) sur l'ancrage marquant le point de référence. Tâchez d'éviter de la commettre.

Remarquons que ce point de référence interne pourrait être utilisé dans une adresse complète si, au lieu d'afficher un document à partir de son début, vous vouliez que ce soit une autre partie qui soit immédiatement visible dans la fenêtre du navigateur. Dans ce cas, vous écririez par exemple :

```
Pour savoir
<A HREF="http://www.bidule.fr/alfred/savie.htm#Conclusions">
le fin mot</A> de l'histoire
```

Le nom du point de référence (attribut NAME) doit être écrit exactement de la même façon que son appel (attribut HREF), majuscules et minuscules comprises. La seule différence est l'absence de tout caractère dièse (#) dans le nom du point de référence.

Contemplez votre chef-d'œuvre

Si vous avez bien suivi nos explications, vous êtes maintenant en possession d'un petit document HTML prêt à être utilisé. Pour voir comment il s'affiche, vous allez utiliser votre navigateur. Voici comment vous allez procéder sous Windows avec votre navigateur :

1. **Lancez votre navigateur.**

2. **Dans le menu Fichier, cliquez sur Fichier/Ouvrir (ou, plus simplement, tapez <Ctrl>+<O>).**

3. **Une boîte de sélection de fichier s'affiche.** Sélectionnez le répertoire où se trouve votre page et double-cliquez sur le nom du fichier HTML que vous voulez examiner.

4. **Regardez si votre page est conforme à ce que vous espériez et voyez si vous ne voulez pas y ajouter quelque chose.** Par exemple, si la moitié de *votre document est en italique* et que le reste est souligné comme s'il faisait partie d'un lien, il y a sans doute une balise qui n'est pas (ou est mal) refermée.

5. **Ouvrez alors le document HTML dans votre éditeur de texte et corrigez-le.**

6. **Sauvegardez le document modifié.**

7. **Au moyen de la commande Recharger (Netscape Navigator) ou Actualiser (Internet Explorer), rechargez le document modifié dans votre navigateur.**

8. **Répétez les étapes 4 à 7 jusqu'à ce que tout vous semble correct.**

Chapitre 8
Le poids des images

*O*n peut dire que ce qui a réellement fait décoller le Web c'est l'avènement de l'image, apparue avec le premier navigateur : Mosaic.

Les images

Le choix et le mélange des images dans le texte d'une page Web ne sont pas aussi faciles qu'on pourrait le croire.

Images et vitesse de chargement

Un des problèmes permanents du Web est la vitesse de chargement des pages, c'est-à-dire le temps qu'elles mettent à se charger et à s'afficher complètement. C'est particulièrement crucial lorsqu'une page contient beaucoup d'images. Beaucoup de facteurs interviennent ici ; nous allons détailler les trois principaux :

✔ **Vitesse d'accès.** Tous les utilisateurs ne se connectent pas à l'Internet de la même façon et, en particulier, le débit de leurs connexions peut varier dans d'appréciables proportions.

✔ **Bonnes et moins bonnes images.** Si une image est mauvaise, les gens n'accepteront pas d'attendre aussi longtemps que si elle est excellente. Une bonne image, cela peut être une image réactive utilisée comme moyen de navigation pour explorer la totalité d'un site. Une mauvaise image, cela peut être une bannière qui vous dit "Hello" en Technicolor DeLuxe.

✔ **Niveaux de frustration.** Les mêmes utilisateurs qui attendent tranquillement le chargement de votre page en buvant leur café matinal seront tentés d'arrêter les frais s'ils lancent la même opération à un moment de la journée où les réseaux sont très encombrés.

Essayez par tous les moyens de réduire la taille de vos fichiers d'images. Consultez les sites Web spécialisés dans les images afin de faire le meilleur choix et de ne retenir que les plus intéressantes d'entre elles. Vous pouvez parsemer votre page de petites images plutôt que d'y placer une seule image de grande taille.

Le Tableau 8.1 montre le temps approximatif nécessaire pour transférer 100 Ko d'informations. Une page de texte ne dépasse généralement pas quelques Ko, alors que la taille d'une image se chiffre plutôt en dizaines de Ko.

Tableau 8.1 : Temps nécessaire pour télécharger 100 Ko.

Vitesse d'accès	Description	Temps
14,4 Kbps	Modem très ancien	1 minute
28,8 Kbps	Modem un peu ancien	30 secondes
56 Kbps	Modem actuel (V90)	20 secondes[1]
Numéris ou ADSL	Ligne téléphonique numérique	2 secondes
Câble télévision	Télédistribution d'images animées	Moins d'une seconde
Ethernet	Réseau local	Moins d'une seconde

Les formats d'images GIF et JPEG

On appelle *format* la façon dont sont arrangés dans le fichier les éléments qui représentent les pixels de l'image. Par bonheur, on ne rencontre principalement sur le Web que deux formats : GIF et JPEG.

GIF (*Graphics Interchange Format* : format d'échange d'images) est sans doute le format actuellement le plus utilisé. Il est limité à 256 couleurs,

---

[1] Un modem V90 ne reçoit jamais réellement des informations à 56 Kbps, mais, au mieux, à un peu moins de 50 Kbps. *(N.d.T.)*

et convient donc principalement aux images n'ayant que peu de couleurs. C'est le meilleur format pour les séparateurs colorés ou les icônes, autrement dit les images créées au moyen d'outils de dessin simples.

JPEG (*Joint Photographic Experts Group* : groupe d'experts en photo) est un format qui met en œuvre des algorithmes de compression complexes. C'est le format de prédilection pour les images photographiques dont il préserve la délicatesse des nuances.

Les fichiers GIF offrent d'autres avantages comme la *transparence* et l'*entrelacement*. La *transparence*, c'est la possibilité de choisir une des couleurs (généralement celle du fond) et de la rendre transparente de façon qu'on puisse voir ce qu'il y a derrière, sur la page. L'*entrelacement* consiste à sauvegarder une image d'une façon particulière, afin qu'elle se charge progressivement dans son ensemble, les détails s'affinant peu à peu au fur et à mesure de la transmission. La Figure 8.1 montre la différence entre une image GIF normale et la même, transparente (l'arrière-plan a été choisi à dessein très présent).

Figure 8.1 :
Images GIF
normale et
transparente.

De nouvelles versions de JPEG offrant les mêmes avantages que GIF commencent à apparaître, mais tous les outils graphiques ne sont pas encore capables de les exploiter. De même pour les navigateurs.

Certaines couleurs sont mal rendues par des ordinateurs dont la carte vidéo est réglée pour afficher seulement 256 couleurs. Pour éviter cet inconvénient, on peut se limiter à l'ensemble des 216 couleurs qui sont toujours correctement rendues avec n'importe quel navigateur et sur n'importe quelle machine. Vous trouverez une liste de ces couleurs à l'URL :

```
http://www.bagism.com/colormaker
```

Comment et où se procurer des images ?

La façon la plus simple de se procurer des images est d'acquérir des collections de *cliparts* proposées sur CD-ROM. Il en existe un certain nombre libre de tous droits. Vous pouvez aussi en rechercher sur le Web, par exemple à l'URL suivante :

```
http://www.maths.tcd.ie/pub/images/images.html
```

Pour des trames de fond de page, voyez :

```
http://www.webreference.com/authoring/graphics/backgrounds.html
```

Enfin, pour les photos, voici les URL de trois pages où vous pourrez en trouver facilement :

```
http://www.weststock.com
http://www.eyewire.com
http://www.filmworks.com
```

Vous pouvez aussi créer vos images à l'aide d'un logiciel de dessin. Les professionnels du graphisme utilisent des outils logiciels de haut niveau comme Photoshop ou Illustrator, tous deux édités par Adobe, mais ils ont les compétences et l'expérience indispensables pour en tirer parti. Avec Windows est livré MsPaint, qui suffit dans bien des cas.

Un autre moyen de se procurer des images consiste à utiliser un scanner pour numériser des dessins ou des photos sur papier. Depuis quelques années, ces périphériques ont connu une importante baisse de prix et on en trouve maintenant de bonne qualité pour moins de 1 000 francs (environ 150 €) qui permettent de traiter des images au format A4.

Enfin, il faut citer les appareils de photo numériques, qui restent encore relativement chers lorsqu'on recherche une définition suffisante et un rendu des couleurs correct (de 5 000 à près de

30 000 francs – environ 750 à 4 600 € – pour avoir des images de bonne qualité au format 1 024 x 768) mais dont le prix ne fait que baisser.

Lorsque vous éditez une image, ne la sauvegardez pas en JPEG, car, à force de la sauvegarder et de la rouvrir entre chaque retouche, vous risqueriez d'en dégrader progressivement la qualité jusqu'à un niveau inacceptable.

Attention au copyright !

Que vous résidiez aux Etats-Unis ou en France, vous n'avez pas le droit d'utiliser n'importe quelle image pour illustrer vos pages. La plupart des illustrations que vous pourrez trouver dans la presse écrite ou sur le Web sont en effet protégées par un copyright. Il faut donc demander l'autorisation de les réutiliser en précisant dans quel type de présentation Web (personnelle ou d'entreprise) vous avez l'intention de vous en servir. Dans le premier cas, l'autorisation vous sera assez souvent accordée sans rien payer. Pour des besoins professionnels, cette autorisation vous sera toujours accordée pour peu que vous acceptiez de payer les droits de reproduction qui vous seront demandés.

Trois erreurs à éviter

Evitez de commettre les trois erreurs suivantes :

- ✔ **Pas du tout d'image.** Vos pages vont être ennuyeuses.
- ✔ **Trop d'images.** C'est une faute courante chez les débutants.
- ✔ **Pas de texte de remplacement.** Certains utilisateurs peuvent avoir désactivé le chargement des images dans leur navigateur. Pensez à prévoir un texte de remplacement (attribut ALT) pour chaque image.

Faites une expérience : lancez votre navigateur et désactivez le chargement des images (sous Windows, avec Netscape 4.x, supprimez la coche placée devant Edition/Préférences/Avancées/Charger les images automatiquement). Chargez alors votre propre page Web. Si vous ne pouvez pas dire ce qui se trouve sur la page ou si les appels de liens effectués par des images sont invisibles, il va falloir que vous revoyiez sa conception.

Dans ce cas, la façon habituelle de modifier la conception d'une page consiste à y inclure un menu de liens ne comportant que du texte au même endroit que le menu graphique. Comme le nombre de gens n'affichant pas les images ne cesse de décroître, le surcroît de travail qui en résulterait ne justifie pas toujours un tel souci.

Voici un exemple de la façon de doubler un menu graphique par son équivalent en texte pur :

```
<IMG SRC="menunav.gif" ALT="Menu de navigation"><P>
[ <A HREF="ausujet.htm"> Au sujet de...</A> |
<A HREF="accueil.htm">Page d'accueil</A> |
<A HREF="liens.htm"> Mes liens favoris</A> |
<A HREF="carte.htm">Carte du site</A> |
<A HREF="cherche.htm">Recherche</A> ]
```

La Figure 8.2 montre ce même fragment affiché en haut, après avoir désactivé le chargement des images, et en bas, normalement.

Figure 8.2 : Bonne utilisation de menu à base de texte.

Voici les plus importantes règles à observer pour permettre la navigation avec ou sans image dans une page Web :

✔ Lors de la conception puis de la création de votre page, essayez de vous représenter à quoi elle ressemblera avec ou sans chargement des images.

✔ Testez votre page après avoir désactivé le chargement des images.

✔ Testez votre page avec différents navigateurs.

✔ Pensez à inclure un attribut ALT dans toutes les images pour suppléer leur éventuelle absence. (Voyez l'Annexe C.)

✔ Prévoyez des menus à base de texte en plus des menus avec images et des images réactives.

HTML et les images

Trois types d'images produisent des effets différents dans une page :

✔ **Accents.** De petites images destinées à attirer l'attention sur des points précis ("Nouveau", "Top 10", etc.).

✔ **Icônes.** De petites images qui servent de liens vers d'autres pages. On clique dessus et la nouvelle page est chargée.

✔ **Vignettes** Des réductions au format d'un timbre-poste sur lesquelles le visiteur peut cliquer pour voir la même image en grandeur réelle (pouvant aller jusqu'à occuper la totalité de l'écran).

Alors que le premier type se contente d'afficher une image, les deux autres combinent la balise d'image <IMG> avec celle de lien <A> pour créer un appel de lien graphique. Nous allons voir en détail comment cela fonctionne.

La balise <IMG>

Voici ce qu'il faut faire pour afficher une image :

1. **Trouvez ou créez l'image que vous souhaitez utiliser.** Les images doivent être suffisamment petites pour ne pas ralentir le chargement de votre page. Ne dépassez pas la taille d'une carte de visite.

2. **Dans votre document HTML, insérez une balise** <IMG> **à l'intérieur de laquelle vous ajouterez l'attribut** SRC= **suivi du nom du fichier.** Pour une image située dans le même répertoire que le document HTML, indiquez son seul nom :

```
<IMG SRC="monimage.gif">
```

Pour une image située sur un autre serveur Web, indiquez son URL complète :

```
< IMG SRC="http://www.serveur.fr/images/sonimage.gif">
```

Cette dernière façon de faire est à déconseiller formellement, car vous ne savez jamais ce qui peut se passer sur un autre site (il peut disparaître ou son *webmaster* peut supprimer certaines images) La règle à suivre consiste à **importer** la ou les images qui vous intéressent dans votre propre site avec, bien entendu, l'accord de leur propriétaire.

3. **Ajoutez l'attribut** ALT= **suivi du texte qui devra s'afficher si le visiteur ne charge pas les images. Exemple :**

```
<IMG SRC="tetrodon.gif" ALT="Poisson des mers chaudes">
```

Image + ancrage = appel de lien

Comme nous l'avons dit, un des meilleurs moyens d'agrémenter une page Web à bon compte sans trop allonger son temps de chargement est d'utiliser des petits éléments graphiques comme des icônes pour représenter les appels de liens ou inviter le visiteur à afficher l'image présentée en vraie grandeur.

Pour créer un appel de lien graphique, insérez une balise <IMG ...> à l'intérieur d'une balise <A ...>. Si, à la suite du conteneur d'image, vous placez du texte, votre visiteur pourra cliquer à son gré sur le texte ou sur l'image. Voici le détail des opérations à réaliser :

1. **Commencez par placer une balise** <IMG> **dans votre document HTML pour afficher l'image d'appel de lien :**

```
<IMG SRC="monimage.gif">
```

2. **Ajoutez maintenant une balise d'ancrage spécifiant le lien.** S'il s'agit d'un appel de lien, encadrez cette balise d'image par l'adresse de la page à charger, en faisant figurer son seul nom de fichier si elle se trouve sur votre serveur ou sous forme d'URL si elle est située sur un autre serveur :

```
<A HREF="suite.htm"> ... </A>
```

Ce qui donne :

```
<A HREF="suite.htm"><IMG SRC="monimage.gif"></A>
```

La technique de la vignette

Si vous voulez proposer à votre visiteur une petite image (une *vignette*) sur laquelle il devra cliquer pour voir la même image en vraie grandeur, vous procéderez de la même façon :

1. **Commencez par placer une balise <IMG> dans votre document HTML pour afficher l'image de la vignette :**

```
<IMG SRC="petitimaj.gif">
```

2. **Ajoutez maintenant une balise d'ancrage spécifiant l'image en vraie grandeur :**

```
<A HREF="grandimaj.gif"> ... </A>
```

Ce qui donne :

```
<A HREF="grandimaj.gif"><IMG SRC="petitimaj.gif"></A>
```

La Figure 8.3 montre un exemple d'utilisation de vignettes dont la taille est de 77 x 58 pixels (2 615 octets) pour charger l'image de grande taille (640 x 480, soit 329 406 octets) présentée Figure 8.4. Voici le fragment du code HTML qui utilise ces balises (pour plus de clarté, les caractères accentués ont été conservés tels quels) :

```
Les fleurs de l'hortensia sont normalement de couleur
<A HREF="hortensi.jpg">rose <IMG SRC="petithor.jpg"></A>
mais certaines variétés peuvent subir des variations de teinte
selon le type de sol dans lequel elles sont plantées.
Le <A HREF="hortbleu.jpg">bleu <IMG SRC="petibleu.jpg"></A>
est la couleur qu'on obtient le plus facilement.
```

L'image en vraie grandeur va remplacer le contenu actuel de votre page. Pour revenir à la page où se trouvait la vignette, le visiteur devra donc utiliser le bouton Page précédente de la barre de menus.

La balise <IMG> dispose de deux options servant à spécifier la taille d'affichage de l'image. Cela ne modifie évidemment en rien la taille de l'image qui sera transmise par le serveur. Il s'agit des attributs WIDTH (largeur) et HEIGHT (hauteur). L'avantage de ces attributs est de permettre au navigateur de continuer d'afficher le texte qui avoisine l'image sans attendre que celle-ci soit complètement chargée.

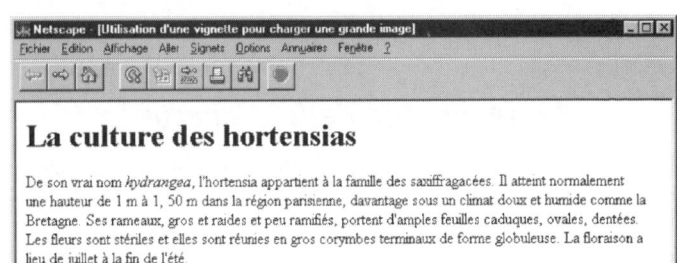

Les auteurs Web expérimentés utilisent la balise ⟨TABLE⟩ pour réaliser une mise en page soignée du texte et des images au moyen de tableaux dépourvus de bordures. Pour plus de détails sur cette astuce, visitez le site dont l'URL est :

```
http://www.killersites.com/1-design/jpeg.html
```

D'autres propriétés du format GIF

Les images en format GIF sont très répandues sur le Web, principalement en raison de leur taille réduite et de trois fonctionnalités précieuses :

- ✔ **Images GIF transparentes.** Nous en avons déjà parlé dans une section précédente.

- ✔ **Images GIF entrelacées.** L'image est décomposée en quatre groupes de lignes qui vont s'afficher successivement. Le premier groupe part de la première ligne et comprend les lignes 1, 5, 9, 13... Le deuxième groupe part de la deuxième ligne et comprend les lignes 2, 6, 10, 14..., et ainsi de suite pour les deux groupes restants. L'image semble alors se charger en basse résolution et s'affiner progressivement.

- ✔ **Images GIF animées.** On s'est aperçu que la spécification GIF 89a permettait de réaliser de petites animations. Pour cela, il faut créer une suite d'images décomposant le mouvement puis les regrouper dans un même fichier à l'aide d'outils spécialisés comme GIFANIM.

Nous allons voir comment réaliser une image GIF transparente en utilisant l'excellent shareware LViewPro sous Windows[2] :

1. **Choisissez une image dont le fond présente de grandes zones de teinte uniforme et chargez-la en cliquant sur F̲ile/O̲pen.**

   Si le fond de l'image comporte des petits détails, une fois qu'il sera rendu transparent, l'image aura l'air d'être "mangée aux mites".

2. **Cliquez sur R̲etouch/Background color.** Une boîte de dialogue reproduisant la palette de l'image s'affiche.

3. **Cliquez sur le bouton Dropper.** La boîte de dialogue se referme et le pointeur de la souris se change en un petit compte-gouttes.

---

[2] Avec un Mac, on utiliserait *Transparency*.

4. **Cliquez avec l'extrémité de ce compte-gouttes sur le fond d'image à rendre transparent.**

5. **Sauvegardez l'image (File/Save as...) en choisissant GIF 89a dans la boîte de sélection Type.**

Les images réactives

Les images réactives peuvent être préparées à partir de n'importe lequel des formats d'image acceptés sur le Web (GIF, JPEG ou PNG). Il s'agit d'une image de taille suffisante, décomposée en zones clairement repérables qui sont affectées chacune à un appel de lien différent. On donne à ces zones le nom de *zones sensibles*. En cliquant sur l'une d'elles, on charge la page correspondante. La Figure 8.5 montre comment se présente un menu de navigation fait d'une image réactive composée à partir d'une image découpée en cinq parties.

Figure 8.5 :
Un menu de
navigation
fait d'une
image
réactive.

La création d'une image réactive se fait assez facilement en utilisant sous Windows des outils logiciels tels que MapEdit ou MapThis. En gros, il y a deux processus possibles :

✔ Les images réactives *server side*, les plus anciennes, nécessitent de recourir au serveur pour rechercher dans un fichier, qui y a été placé à cette intention, l'URL correspondant aux coordonnées du clic de souris. Deux implémentations existent : CERN et NCSA, incompatibles entre elles.

✔ Les images réactives *client side*, innovation de Netscape, dans lesquelles le fichier de cartographie est directement incorporé au document HTML, supprimant ainsi toute nécessité de dialogue client-serveur, ce qui diminue à la fois la charge de l'Internet et le temps de réponse.

Chapitre 9

Plus loin
avec le multimédia

. . . .

Dans ce chapitre :
- Mettez du multimédia dans vos pages.
- QuickTime et MP3.
- Programmez vos pages.

. . . .

L e multimédia est un média bien plus attractif que des images et du texte. Les solutions qui permettent d'en saupoudrer vos pages Web commencent à apparaître, même en se contentant d'une bande passante réduite. Toutefois, le multimédia est actuellement sur le Web dans l'état où se trouvait le Web lui-même il y a quelques années. Il reste beaucoup de problèmes techniques à résoudre, ce qui rend difficile le bon usage du multimédia par l'auteur Web.

Le multimédia et au-delà

Commencez par réaliser des pages Web simples avant de vous lancer dans le multimédia.

Sons et vidéo

On peut maintenant exploiter les fichiers multimédias inclus dans une page Web en temps réel ou en léger différé au moyen d'assistants logiciels spécialisés (*plugins*) comme QuickTime ou RealPlayer.

Mais le temps de chargement est préoccupant. Attendre plusieurs minutes pour télécharger une courte séquence vidéo sautillante ne se fait pas sans ressentir une certaine frustration. Le son est souvent de piètre qualité. Sans parler de la surcharge que le transfert de tels fichiers engendre sur l'Internet. Quelques centaines de gens en train d'écouter en même temps de la musique en temps réel, c'est plus qu'il n'en faut pour saturer les liaisons d'un fournisseur d'accès à l'Internet.

Cependant, lorsque vous parvenez à faire fonctionner correctement le multimédia, il faut reconnaître qu'il en résulte un agrément certain pour un site Web. Regardez l'immense popularité dont jouit le MP3 utilisé pour transmettre de la musique sur le Web. Avec une qualité très proche du CD ou de la bande FM, ces fichiers ont développé une nouvelle culture musicale à base de partage sur le Net. Malheureusement, ce "partage" s'effectue presque toujours en violation absolue des copyrights légitimes tant des auteurs que des éditeurs et des interprètes de musique.

Les plus importants plugins pour le multimédia sur le Web sont :

- ✔ **RealAudio.** Il permet la reproduction en temps réel de fichiers audio et vidéo. L'utilisateur clique sur l'appel de lien d'une séquence RealAudio. Il doit attendre quelques secondes que le début du fichier soit chargé, puis la reproduction commence. Souvent entrecoupée de silences, selon la charge instantanée de l'Internet et/ou du fournisseur d'accès. Plus le débit de la connexion Internet est élevé, meilleure est la qualité.

- ✔ **RealJukebox.** Il ne prend en charge que les fichiers de sons. Il a été créé par RealNetworks et convient pour des fichiers de type RealAudio, MP3 ou WAV.

- ✔ **QuickTime.** Créée par Apple, cette technologie est devenue un standard pour l'édition et la reproduction vidéo sur ordinateur. QuickTime VR est un dérivé de QuickTime permettant de créer des panoramas et des objets en réalité virtuelle à haute résolution. Le plugin QuickTime est fourni en même temps que Netscape Navigator. Il supporte toutes sortes de formats multimédias : animations, sons, QuickTime VR et les vidéo-clips QuickTime. La plupart des animations qui circulent sur le Web exploitent ce standard. Il est facile à utiliser et il n'y a pas de royalties à payer.

- ✔ **ShockWave/Flash.** Il sert à reproduire des scènes créées par Macromedia Director. L'apprentissage de Director n'est pas une mince affaire, mais si vous en connaissez déjà le maniement, n'hésitez pas à vous lancer dans l'incorporation de telles séquences dans votre page Web. Flash est un format plus simple à manipuler et sa popularité va croissant. Vous trouverez tous les détails nécessaires pour utiliser ces deux techniques sur le site Web de Macromedia.

Voici trois URL où vous pourrez trouver des compléments d'information :

```
http://www.macromedia.com
http://www.quicktime.com
http://www.realaudio.com
```

Les fichiers vidéo QuickTime

C'est probablement le format multimédia le plus populaire. Voici les points à connaître pour réussir dans son utilisation :

- ✔ **Contenu multimédia.** Vous devez être en possession d'un fichier QuickTime multimédia. Pour débuter, le mieux est sans doute d'en trouver un tout prêt.

- ✔ **Commandes HTML.** Certains outils HTML permettent l'incorporation de séquences QuickTime directement dans un fichier HTML. A défaut, vous pouvez toujours écrire l'appel de lien nécessaire à la main.

- ✔ **QuickTime et le plugin QuickTime.** Vous et vos utilisateurs devez avoir la version la plus récente de QuickTime et le plugin de QuickTime. Pour venir en aide à ceux de vos utilisateurs qui ne l'auraient pas, prévoyez un lien vers la page Web de QuickTime à l'URL :

```
http://www.apple.com/quicktime
```

On peut trouver QuickTime non seulement sur le Web mais aussi sur les CD-ROM accompagnant les revues d'informatique.

Pour en savoir davantage, visitez la page de QuickTime VR et celle du groupe des utilisateurs de Macintosh de Berkeley (*Berkeley Macintosh User's group*) aux URL suivantes :

```
http://www.apple.com/quicktime
http://www.bmug.org
```

Voici comment procéder pour ajouter une animation QuickTime à votre page Web :

1. **Installez QuickTime et le plugin QuickTime sur votre propre machine.** Pour télécharger ces fichiers, allez à la page des logiciels QuickTime, à l'URL :

```
http://www.apple.com/quicktime
```

2. **Cherchez une animation QuickTime (animation proprement dite, sons, vidéo ou VR).** N'oubliez pas que pour pouvoir l'utiliser sur votre page, vous devez avoir le droit de la reproduire au sens légal du terme.

3. **Incorporez la séquence dans votre page Web.** Utilisez la balise ⟨EMBED⟩ dont la forme de base est :

```
<EMBED SRC="monfichier.mov">
```

4. **Testez votre page en local, sur votre machine.** Essayez-la avec Netscape Navigator puis avec Internet Explorer.

5. **Transférez votre page sur votre serveur Web en compagnie du fichier multimédia, et refaites le test mais cette fois en vous connectant à l'Internet.** Félicitations ! Vous voici devenu un auteur Web multimédia !

Les fichiers audio MP3

Les fichiers audio MP3 soulèvent un certain nombre de problèmes. La qualité auditive est très correcte mais, malheureusement, la plus grande partie des fichiers qu'on trouve sur le Web sont des copies illégales. La création de fichiers MP3 n'est pas bien difficile. Il suffit d'avoir un fichier WAV (obtenu soit par enregistrement direct, soit par extraction d'un CD de musique) et d'utiliser un des nombreux logiciels de conversion qu'on trouve facilement sur le Web. Suivez ensuite les instructions ci-dessous :

1. **Procurez-vous un fichier MP3.** Si vous ne l'avez pas constitué vous-même, cherchez-le sur le Web à l'aide d'un moteur de recherche puis téléchargez-le.

N'oubliez pas les problèmes de copyright, et assurez-vous que le fichier que vous avez téléchargé est bien libre de tout droit.

2. **Créez un lien dans votre page vers le fichier MP3.** Pour cela, utilisez la balise ⟨A⟩, selon le modèle suivant :

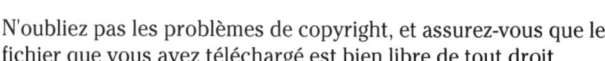

```
<A HREF="MaMusique.mp3">Mon air favori</A>
```

3. **Il ne vous reste plus qu'à faire un test en local.**

Le Web et la programmation

Vous pouvez déjà faire beaucoup de choses sur le Web en vous limitant à l'usage du texte et des images, mais l'adjonction d'éléments multimédias vous donne encore davantage de possibilités. Cependant, pour "passer pro", vous devez envisager d'affronter un peu de véritable programmation.

La programmation du Web est un sujet délicat qui sort des limites de cet ouvrage pour aborder un domaine bien plus complexe. La façon la moins ardue d'y accéder est probablement de vous mettre à JavaScript. Vous pourrez apprendre à l'utiliser avec *JavaScript pour les Nuls* par Emily A. Vander Veer, chez le même éditeur.

Formulaires et CGI

Un formulaire consiste en un certain nombre de boîtes de saisie et de menus déroulants permettant à l'utilisateur de fournir les informations que vous lui demandez. Tous les navigateurs en usage aujourd'hui sont capables de les comprendre. La difficulté n'est pas au niveau du recueil des informations, mais à celui de leur exploitation.

Traiter les informations reçues requiert, en effet, un script CGI et une application. Un *script CGI* est un programme qui sert d'intermédiaire entre le serveur Web qui a reçu vos informations et l'application qui va les traiter. Il est nécessairement hébergé sur le même serveur que votre site Web. Ces scripts ne se présentent pas de la même façon sur des plates-formes aussi différentes que Windows NT, UNIX et Macintosh. Certains sont écrits en C, d'autres en PERL ou en PHP, langages spécialisés dont il existe des versions pour de nombreuses plates-formes.

Pour pouvoir faire tourner un script CGI ou PHP sur un serveur, vous devez avoir l'autorisation de l'administrateur du système qui vous héberge. Pour des raisons de sécurité, elle ne vous sera pas toujours accordée. Mais il existe un certain nombre de packages tout faits, qui peuvent convenir à un nombre limité de situations comme compter les visiteurs d'une page ou les enregistrer. Dans tous les cas, vous devrez commencer par vous adresser à l'administrateur de votre système ou à votre fournisseur d'accès.

Pour en savoir davantage sur les scripts CGI, pointez votre navigateur sur l'URL :

```
http://www.comvista.com/lessons/CGI.html
```

Java

Java est l'un des derniers-nés des langages de programmation. Créé par Sun, il est destiné à faciliter la réalisation d'applications interactives sur le Web. Les programmes écrits en Java s'appellent des *applets*. Ils sont téléchargés sur votre machine afin de permettre une vitesse d'exécution acceptable et un bon niveau d'interactivité. Mais on ne sait jamais de façon certaine ce que contiendront ces programmes et on risque, par exemple, d'amener ainsi un virus destructif dans sa machine. C'est la raison pour laquelle la plupart des navigateurs proposent une option permettant à l'utilisateur de filtrer le chargement de ces programmes.

Ce langage est inspiré du C++ et demande beaucoup d'expérience et de compétence technique pour être correctement utilisé. Mieux vaut donc, si on tient à saupoudrer ses pages Web de Java, se procurer des applets toutes faites plutôt que d'essayer de les écrire soi-même. Vous trouverez beaucoup d'informations aux URL suivantes :

```
http://java.sun.com/
http://www.gamelan.com/
```

ActiveX

C'est une technologie créée par Microsoft afin de pouvoir faire tourner sur le Web des applications écrites en Visual Basic. Vous pouvez faire avec ActiveX des choses très amusantes, mais, malheureusement, lui aussi renferme de nombreuses failles de sécurité. En outre, il ne marche pas très bien sur les Macintosh, pas du tout sous Windows 3.x et pas davantage sous UNIX. Cerise sur le gâteau, il n'est reconnu que par Internet Explorer.

Si, malgré tout, vous voulez l'utiliser, consultez la page de Microsoft à l'URL :

```
http://www.microsoft.com/dna/default.asp
```

Dynamic HTML

Il s'agit d'une extension à HTML qui permet de superposer plusieurs couches d'informations à envoyer à l'utilisateur au cours de sa connexion. Il ne verra au départ que certaines parties de ces informations, le reste lui étant dévoilé lorsqu'il effectuera certaines actions.

Malheureusement, Netscape et Microsoft ont adopté chacun une implémentation différente et Microsoft qui, par le passé, adoptait toujours les extensions proposées par Netscape, se refuse cette fois, à implémenter la balise <LAYER> de Netscape.

Les feuilles de style

Les deux navigateurs supportent les feuilles de style, alternative plus complexe et plus riche de possibilités définie par les instances officielles du Web (le W3C).

Toutes ces nouveautés ne sont apparues qu'avec les versions 4.0 de Netscape Navigator et Internet Explorer. Tant pis pour les millions d'utilisateurs continuant à utiliser de plus anciennes versions de leurs navigateurs. Aussi, les auteurs Web ont-ils le temps de voir venir.

XML

XML (*eXtensible Markup Language*) semble avoir plus de chance de voir le jour que Dynamic HTML. Il s'agit d'un sur-ensemble de HTML qui est, comme lui, un sous-ensemble de SGML (*Standard Generalized Markup Language*). XML permet de construire des structures de données complexes dans une page Web, permettant ainsi aux auteurs Web de réaliser des pages dans lesquelles le cheminement dépend des informations fournies par l'utilisateur. A notre avis, XML devrait voir le jour d'abord sur les intranets, parce que de telles applications semblent prometteuses pour un usage interne où tout l'environnement est parfaitement maîtrisé (tout le monde y utilise la même version du même navigateur).

Le Web est entré dans le XXIe siècle

En raison de sa souplesse, le Web est théoriquement capable de supporter à peu près tout ce qui peut être imaginé sur un ordinateur. Au fur et à mesure que la bande passante offerte à l'utilisateur moyen augmentera, que de nouvelles technologies apparaîtront dans les pages Web et que les utilisateurs s'équiperont de navigateurs plus récents, de plus en plus d'innovations pourront voir le jour. Mais il faut se garder de sauter sur toutes les nouveautés qui apparaissent et avoir la patience d'attendre qu'elles se stabilisent et se standardisent. En attendant, faites-vous les dents avec HTML et les outils logiciels qui l'accompagnent. C'est sans doute la meilleure façon de vous préparer au Web de demain ou d'après-demain.

Quatrième partie
Passage en vraie grandeur

Dans cette partie...

Maintenant que vous avez quelques notions de la publication sur le Web, vous êtes prêt pour transformer votre simple page en un véritable site Web. Il ne vous manque plus que de savoir comment publier votre site sur un véritable serveur. Dans cette partie, nous allons vous aider à le faire sans difficulté.

Chapitre 10

De la page Web au site Web

- -

Dans ce chapitre :

▶ Définissez les objectifs de votre site.

▶ Ajoutez des pages Web à votre site.

▶ Améliorez vos pages.

- -

S
i vous avez bien suivi les instructions que nous vous avons
prodiguées dans les chapitres précédents, vous avez maintenant
publié une page sur le World Wide Web. Les étapes suivantes vont
consister à l'améliorer et à la compléter pour en faire un véritable site
Web de plusieurs pages.

Vous pourriez maintenant envisager d'utiliser directement un des
outils d'édition ou de publication que nous décrirons dans la cinquième partie. Certains sont là pour vous faciliter l'emploi des balises ;
d'autres, au contraire, pour vous les cacher complètement. Comme
vous allez le constater, le fait de travailler au niveau de HTML vous
permet de mieux comprendre comment s'affichent les pages et vous
donne un contrôle plus précis sur leur présentation.

Choisissez vos objectifs

Passer d'une simple page Web à un site Web interactif demande pas
mal de temps. Afin de parvenir plus rapidement au but, la première
chose à faire est de définir clairement quelques-uns des objectifs
envisagés pour ce site.

Sites personnels

Dans le cas d'un site personnel, ce que vous cherchez avant tout, c'est l'amusement, tant pour le créateur que pour les visiteurs. Mais la création de plusieurs pages, l'établissement des liens entre elles, l'ajout des images, du multimédia et de toutes sortes de gadgets de ce genre ne se font pas en un tournemain. Plus vous y passerez de temps, plus vous en serez récompensé par les réactions de vos visiteurs, ce qui vous amènera à vouloir en rajouter.

Une première façon de définir vos objectifs est de les voir depuis l'intérieur. Que voulez-vous faire de votre site ?

- ✔ Présenter au monde entier des informations sur vous-même, votre vie et vos centres d'intérêt ?

- ✔ Acquérir de l'expérience pour votre vie professionnelle ?

- ✔ Promouvoir un club, une association ou une cause digne d'intérêt ?

Selon ce que vous aurez choisi, fixez la somme de temps et d'énergie que vous devrez (et que vous pourrez) y consacrer. Délimitez son étendue et ses limites : avez-vous l'intention de vous arrêter à un certain moment ou pensez-vous continuer à l'enrichir sans fin ?

Mais vous pouvez aussi définir vos objectifs à partir de l'extérieur. Pour cela, recherchez sur le Web des sites auxquels vous souhaitez que le vôtre ressemble. Vous trouverez ce type de pages par milliers dans les sites hébergés par GeoCities, Tripod, AOL, Multimania, Chez et d'autres.

Les sites dédiés

Les sites dédiés émergent généralement de sites personnels dès que l'un des centres d'intérêt de son auteur prend le pas sur les autres. Beaucoup vont alors plus loin, jusqu'à devenir des sites à part entière, qu'ils parlent de sujets particuliers, d'intérêts commerciaux ou même des deux à la fois. Le côté personnel peut même s'estomper jusqu'à disparaître. On rencontre aussi des sites qui continuent à prospérer tout en maintenant un mélange équilibré des deux objectifs.

Si une partie de votre site personnel se met à croître, isolez-la sans hésiter. Suivez alors les mêmes étapes que si vous vouliez créer un site personnel : décidez de la somme de temps et d'énergie que vous allez pouvoir y consacrer et fixez-vous des buts raisonnables.

La Figure 10.1 vous montre la page d'accueil d'un site dédié au cerf-volant de traction et dont l'URL est :

```
http://perso.club-internet.fr/effeil/Effeil.htm
```

Figure 10.1 :
Un site dédié
au cerf-
volant de
traction.

Les outils de création de page

Si vous avez peu d'expérience et que vous voulez réaliser une page simple ou un petit ensemble de pages, rien ne vous empêche de travailler directement sur le code HTML. Avec un outil d'édition HTML, vous devrez apprendre le maniement d'un nouveau logiciel (pas toujours simple), sans que cela vous dispense complètement de savoir ce que vous pouvez faire avec les commandes HTML.

Néanmoins, si vous connaissez bien les commandes de base de HTML, c'est sans doute l'outil d'édition spécialisé qui vous donnera le plus de satisfaction pour travailler sur un certain nombre de pages. Vous constaterez vite, en effet, que le maniement direct des balises est quelque chose de fastidieux et de très répétitif.

Si vous travaillez sur du code HTML "de haute volée" mettant à profit les derniers gadgets, ou si votre tâche consiste à construire ou à entretenir un groupe de pages, vous devrez presque toujours utiliser un ou plusieurs logiciels spécialisés.

Amélioration d'un site

Dans les sections qui vont suivre, nous allons voir ce qu'il est possible de faire pour améliorer la conception, la mise en page et même la structure de votre site. A cette occasion, nous étudierons de plus près les liens, les tableaux, les frames (cadres) et d'autres choses encore. Nous avons déjà traité le sujet des images et du multimédia aux Chapitres 8 et 9.

Davantage de pages

Comment établir un lien entre les pages ? Comme vous allez le voir, ce n'est pas bien difficile.

Liens entre pages d'un même site

Pour lier plusieurs pages entre elles, vous devez donner à votre visiteur un moyen de charger une autre page en cliquant sur un *objet HTML d'appel* (texte ou image). Pour cela, on utilise la balise ⟨A⟩. "A" signifie *ancrage* (*anchor*, en anglais).

Commencez par créer les deux pages que vous voulez lier et ajoutez ensuite un ancrage dans la page qui doit appeler l'autre. Voici comment cela va se présenter :

```
Si vous voulez savoir comment marche cet appareil,
consultez ⟨A HREF="notice.htm"⟩sa notice⟨/A⟩.
```

La Figure 10.2 vous présente ce que va voir l'utilisateur sur l'écran.

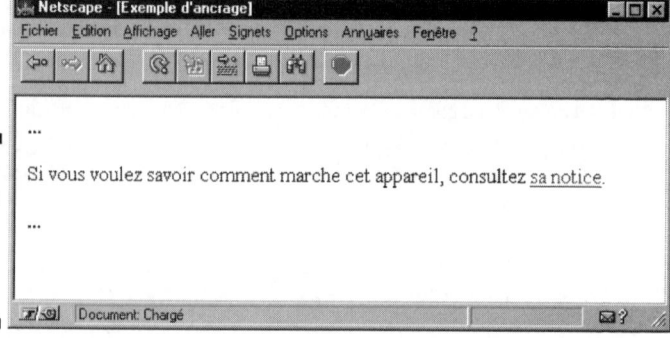

Figure 10.2 :
Comment est
affiché un
appel de lien
(ancrage)
simple.

Voici le rôle de chacune des parties de cette commande :

`<A>`	Indique au navigateur qu'il doit afficher le texte qui va suivre dans une couleur différente (généralement en bleu) et en le soulignant.
`HREF="notice.htm"`	Indique que lorsque l'utilisateur cliquera sur le texte souligné, le navigateur devra charger le fichier appelé `notice.htm`. Netscape Navigator et Internet Explorer affichent le nom du fichier à charger dans leur barre d'état lorsque l'utilisateur promène le pointeur de sa souris (sans cliquer) sur le texte d'appel.
`sa notice`	C'est le texte d'appel, celui qui va être affiché dans une autre couleur et souligné. Si on clique dessus, le navigateur charge le fichier correspondant.
`</A>`	C'est le marqueur de fermeture de la balise `<A>`.

Vous pouvez aussi créer un lien vers une page située dans un répertoire différent, mais c'est un peu plus compliqué et, lorsqu'on ne connaît pas bien le mécanisme de l'arborescence des répertoires, on s'expose ainsi à de nombreuses erreurs. Pour les sites qui ne contiennent pas trop de fichiers, mieux vaut tout placer dans le même répertoire.

La Figure 10.3 vous montre comment se présentent des liens établis de plusieurs façons vers d'autres pages toutes situées dans le même répertoire.

Vous pouvez essayer cet exemple sans avoir besoin de vous connecter à l'Internet. Créez simplement les pages référencées et celles qui contiennent les balises nécessaires et ouvrez le fichier qui contient les appels dans votre navigateur.

Liens à l'intérieur d'une même page

Les ancrages que nous venons d'étudier vous emmènent systématiquement en tête de la page chargée. Mais vous pouvez aussi créer un lien vers un autre endroit d'une page. Pour indiquer le point précis que vous voulez atteindre dans une page, vous devez y poser une *étiquette*, ce qui va se faire aussi avec une balise `<A>`, mais cette fois, elle contiendra l'attribut `NAME` au lieu de l'attribut `HREF` :

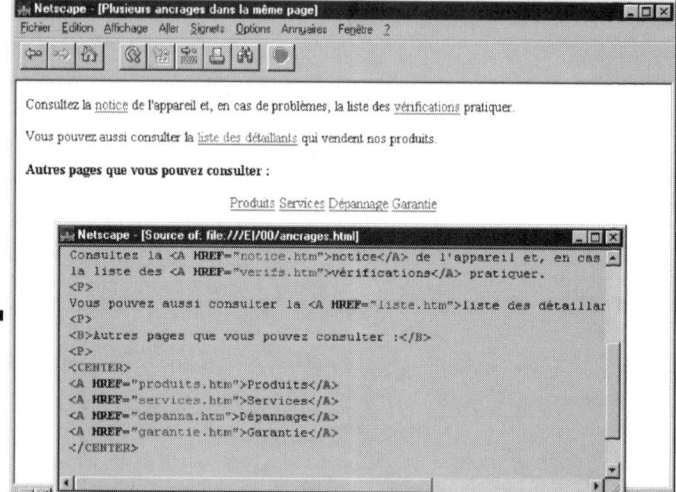

Figure 10.3 :
Plusieurs
liens
différents
dans une
même page.

```
<A NAME="fonctionnement"></A>
```

Voici le rôle que joue chacune des parties de cette commande :

`<A> ... </A>`   Délimiteurs de la commande.

`NAME="fonctionnement"`   Nom de l'étiquette ainsi posée.

Pour atteindre cette étiquette, il faut ajouter son nom à la suite de celui du fichier en interposant entre les deux un caractère dièse (#) :

```
Consultez le <A HREF="notice.htm#fonctionnement">
mode d'emploi</A> de l'appareil.
```

Si l'appel se trouvait dans la même page, inutile de recharger le fichier, il suffit d'écrire :

```
Consultez le <A HREF="#fonctionnement">
mode d'emploi</A> de l'appareil.
```

Lorsque vous publiez de longs documents, il est bon de prévoir en tête de la page un menu de liens internes dans le document. Cependant, évitez de créer de trop longues pages. Le visiteur voit vos pages écran par écran, aussi mieux vaut prévoir une page par rubrique.

Navigation à l'intérieur d'un site

Lorsque le nombre de pages de votre site dépasse deux ou trois, il faut vous préoccuper des moyens de navigation. Créez des zones de navigation où seront regroupés les appels de liens. Pensez aussi à créer au bas de chaque page une liste des principales rubriques de votre site. Pour les petits sites, une rubrique, c'est une page, alors que pour les sites importants vous pourrez distinguer des rubriques et des sous rubriques, voire davantage. La Figure 10.3 vous en a montré un exemple.

Ajout de liens externes

La façon la plus simple de renforcer l'impact de votre site est d'ajouter des liens vers des sites externes. Un site dépourvu de liens externes ressemble à une impasse : c'est un site bien ennuyeux car replié sur lui-même.

Créez d'abord un ensemble de pages cohérent avec des liens entre elles. Ensuite, voyez comment et où insérer des liens vers l'extérieur, et choisissez ces sites de façon que les utilisateurs qui ont trouvé de l'intérêt à votre site en trouvent pour ceux que vous leur proposez. Créez des tableaux de liens sur les sujets que vous connaissez bien. Evitez les liens hors sujet. A titre d'illustration de ces principes, regardez la Figure 10.4 qui vous montre un fragment de la page de liens d'un site consacré à la restauration des motos anciennes Gnome & Rhône (`http://amgr.multimania.com/liens.htm`). Vous noterez l'homogénéité des liens externes, tous pointant vers des sites qui traitent du même centre d'intérêt mais pour des marques différentes.

Il est très facile d'ajouter un appel de lien externe : dans l'attribut `HREF` de la balise `<A>`, il suffit d'indiquer une URL complète sans oublier le préfixe `http://` qui indique clairement qu'il s'agit d'un lien externe vers un serveur Web. Voici un exemple réel de ce type de lien :

```
Pour des informations sur la sécurité informatique,
consultez le <A HREF="http://www.urec.fr">
serveur de l'UREC</A>.
```

Création d'un tableau

Les tableaux HTML peuvent servir à plusieurs usages : pour regrouper des informations numériques (c'est ce que nous allons vous montrer

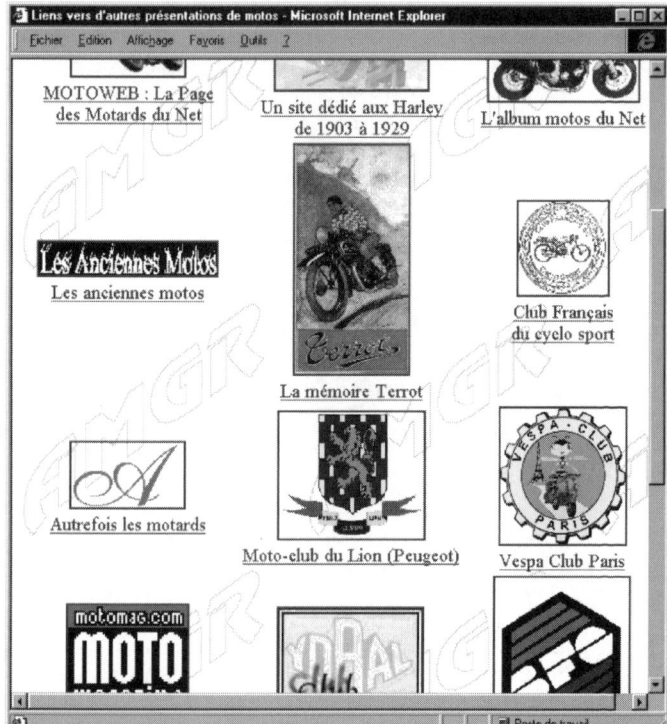

Figure 10.4 :
Le site des
liens de
l'AMGR
pointe vers
d'autres sites
de
collection-
neurs de
motos
anciennes.

dans ce chapitre) ou pour effectuer des mises en page élaborées. On peut créer un tableau simple en travaillant directement au niveau HTML, mais dès que sa structure se complique, mieux vaut recourir à des éditeurs HTML spécialisés. La Figure 10.5 vous montre un exemple élémentaire de tableau.

```
<TABLE BORDER="2">
<TR>
<TH></TH>
<TH>Production (en tonnes)</TH>
<TH>% de l'Objectif</TH>
</TR>
<TR>

<TD>Nord 40</TD>
<TD>87</TD>
```

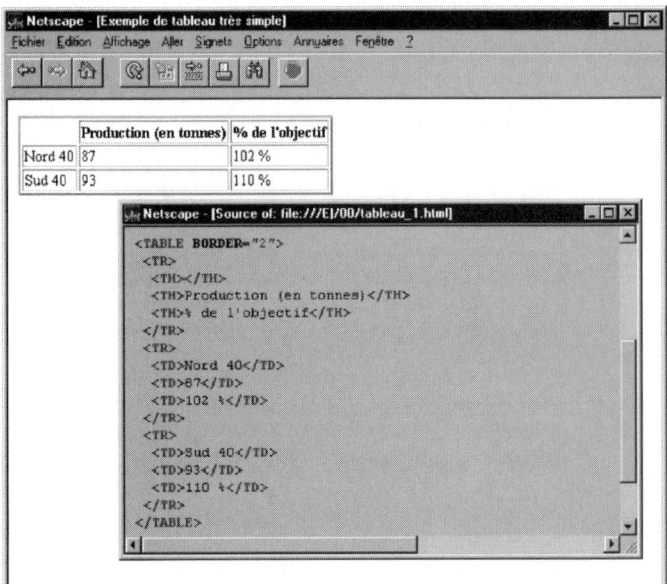

Figure 10.5 :
Exemple de
tableau
simple.

```
<TD>102 %</TD>
</TR>
<TR>
<TD>Sud 40</TD>
<TD>93</TD>
<TD>110 %</TD>
</TR>
<TR>
</TABLE>
```

Voici le rôle joué par chaque balise :

`<TABLE> ... </TABLE>`	Délimiteurs du tableau.
`BORDER=2`	Définit l'épaisseur des bordures du tableau.
`<TR> ... </TR>`	Définissent la ligne qui contiendra les en-têtes.
`<TH> ... </TH>`	Définissent les cellules d'en-tête de colonnes.
`<TD> ... </TD>`	Définissent les cellules de données.

Comme on le voit, la création d'un tableau, si elle est simple, n'en est pas moins fastidieuse. En outre, il y a quelques précautions à prendre pour que l'alignement du contenu des cellules soit correct. Aussi beaucoup d'auteurs Web préfèrent-ils utiliser des logiciels d'édition spécialisés pour créer leurs tableaux.

Ne vous laissez pas encadrer

Les *frames* (cadres) consistent à diviser l'écran en plusieurs zones indépendantes. Vous pouvez, par exemple, cliquer dans un lien situé dans la moitié basse de la fenêtre du navigateur et seul changera le contenu de la moitié haute. Ils sont reconnus depuis les versions 3.x de Netscape Navigator et d'Internet Explorer.

Pour certains utilisateurs peu aguerris ou débutants, l'utilisation correcte de ces cadres peut s'avérer plus délicate que celle des tableaux. Il suffit cependant d'un peu d'habitude pour que ces petits inconvénients disparaissent rapidement. Ce qui est vrai, c'est que l'utilisation correcte des cadres réclame une résolution d'écran d'au moins 800 x 600 pixels. La Figure 10.6 vous montre un type d'utilisation classique où le cadre de gauche est utilisé pour présenter le menu principal de navigation. (Le cadre supérieur reçoit un sous-menu pour chacun des menus principaux sollicités.)

Nous pensons que la création et la gestion de structures à base de cadres sont plus difficiles que la manipulation des tableaux. Aussi nous n'en parlerons pas davantage dans ce livre.

Formulez bien vos formulaires

Les formulaires sont incontestablement une des meilleures choses qu'on puisse trouver dans HTML. Le revers de la médaille, c'est que, si vous proposez un formulaire à vos visiteurs, c'est pour qu'ils y saisissent des informations. Pour les recueillir puis les traiter, vous devrez disposer d'un programme particulier, exactement adapté aux questions posées dans le formulaire, et qu'on appelle un *script CGI*. Qui dit programme sous-entend programmation. Si vous ne savez (ou ne voulez) pas programmer, c'est là un écueil de taille. En outre, on n'installe pas ce programme sans demander au préalable l'autorisation à l'administrateur du système, lequel vous répondra souvent par une fin de non-recevoir pour des raisons de sécurité. Lorsque vous vous adressez à un sous-traitant pour réaliser et héberger une présentation Web, le problème est différent, car le danger n'existe plus : il sait exactement ce que contient le script CGI parce qu'il a été écrit par un professionnel responsable et connaissant bien son métier.

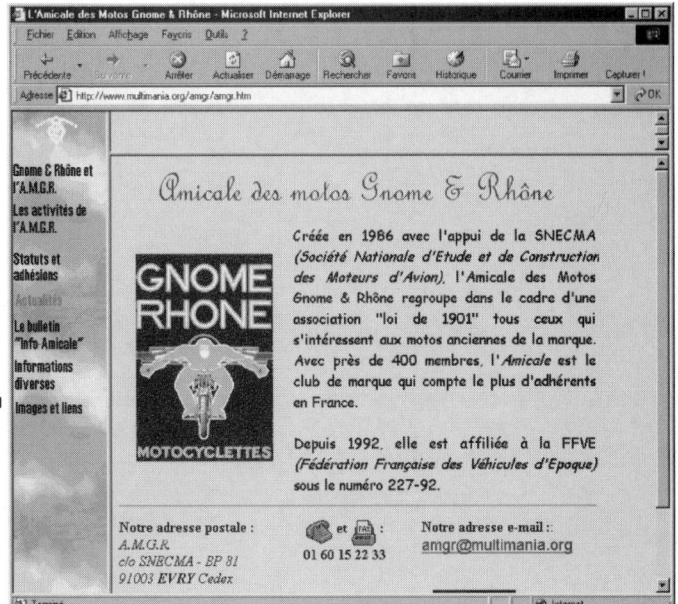

Figure 10.6 :
Exemple de
page
d'accueil
ayant une
structure de
frame.

Un compteur dans un coin

C'est un moyen pratique et simple à mettre en œuvre pour mesurer
l'audience d'un site. Toute présentation "sérieuse" se doit d'en avoir
un sur sa page d'accueil. Les compteurs demandent, eux aussi,
l'assistance d'un script CGI. Mais, il s'agit ici d'un script standard dont
le contenu est bien connu, donc sans danger. Si le serveur qui héberge
votre présentation ne vous en propose pas, sachez qu'il en existe de
nombreux à votre disposition sur d'autres sites. L'URL permettant d'y
accéder pointera alors sur les sites en question.

Chapitre 11
Publication
de vos pages Web

· ·

Dans ce chapitre :

▶ Comment trouver un serveur pour vous héberger.

▶ Transfert de vos fichiers sur le serveur Web.

▶ Activation de votre site.

· ·

A près tout ce temps passé à manipuler le texte, les images, le multimédia..., vous allez enfin pouvoir montrer au monde entier ce dont vous êtes capable en *publiant* votre site Web. Pour une présentation personnelle, c'est quelque chose de très simple.

La première chose à faire est de trouver de la place sur un serveur Web. Ici, plusieurs choix s'offrent à vous selon que vous voulez votre nom de domaine en propre ou que vous acceptez de n'occuper qu'un sous-répertoire à l'intérieur d'un serveur spécialisé.

Mais ce n'est pas tout. Le but final de toutes ces manipulations, c'est de rendre votre site visible par le monde entier. Parmi les millions d'autres sites déjà présents, il faut parvenir à vous faire connaître et amener les gens sur votre site. Et après avoir mis en œuvre les moyens nécessaires pour y parvenir, encore faudra-t-il en mesurer l'impact.

Comment trouver de la place sur un serveur Web

Un *serveur Web* est un ordinateur connecté à l'Internet et sur lequel tourne un logiciel particulier qui lui permet de diffuser des informa-tions (des pages Web) à l'intention des internautes surfant sur le Web.

Pour devenir membre à part entière du Web, vous devez ou bien créer votre propre serveur (nettement déconseillé aux débutants), ou bien placer vos fichiers sur un serveur existant, c'est-à-dire trouver un *site d'hébergement* ou, comme on dit couramment, un *hébergeur*.

Il est très facile de trouver de la place sur un serveur Web. Pour un site personnel, les services de publication gratuits que nous avons vus aux Chapitres 3 et 4 sont tout prêts à vous accueillir. Pour un site d'entreprise, les choses se compliquent un peu dans la mesure où il faut payer pour louer de la place sur un serveur.

Prestations offertes par un site d'hébergement

Qu'il s'agisse du choix d'un fournisseur d'accès à l'Internet ou de celui d'un hébergeur, le prix n'est pas un critère décisif. Voici quelques points importants à examiner attentivement :

- ✔ **Assistance.** Nous avons tous besoin d'assistance, quoique à des degrés divers, selon notre expérience et la nature des problèmes que nous rencontrons. Ici, les premières difficultés peuvent survenir au moment du transfert de vos pages sur le serveur.

- ✔ **Services annexes.** Certains hébergeurs proposent des services parfois sophistiqués : des statistiques de visites, par exemple. D'autres peuvent vous autoriser à utiliser des scripts CGI sur leur machine.

- ✔ **Nom de domaine.** On appelle *nom de domaine* le nom du serveur qui vous héberge. Mais cela ne veut pas dire *sa machine*. En effet, presque toujours, les hébergeurs abritent plusieurs domaines différents sur leurs machines. Pour avoir un nom de domaine personnalisé, la procédure est contraignante en France, rapide et facile aux Etats-Unis.

  Chez nous, si vous voulez un nom de domaine en **.fr**, vous devrez obligatoirement passer par l'intermédiaire d'un prestataire agréé par l'AFNIC (association française ayant délégation pour délivrer des noms de domaine). Pour connaître la règle du jeu instaurée par l'AFNIC, consultez son serveur (dont la page d'accueil est reproduite sur la Figure 11.1) à l'URL :

```
http://www.nic.fr/prestataires/index.html
```

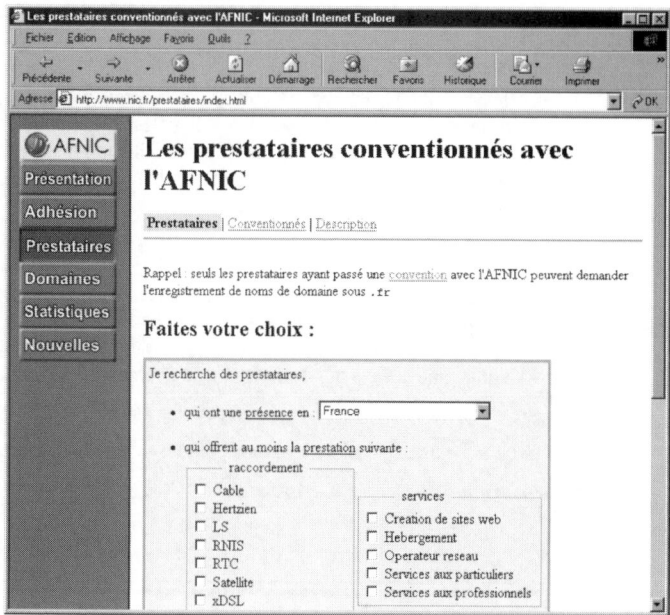

Figure 11.1 :
Page
d'accueil de
l'AFNIC.

En outre, l'AFNIC a défini des règles précises, très contraignantes quant au *nommage* des noms de domaines. Vous pourrez les consulter à l'URL suivante :

```
http://www.nic.fr/enregistrement/nommage.html
```

Comme vous devrez obligatoirement passer par un "intermédiaire agréé", celui-ci ne le fera pas gratuitement. Résultat : la note à payer sera nettement plus élevée qu'aux Etats-Unis. Heureusement, rien ne vous empêche de vous adresser vous-même, directement, à l'Internic, aux Etats-Unis, si vous êtes pressé et qu'un nom de domaine en **.com**, **.net** ou **.org** vous convient.

Certains hébergeurs qui vous proposent d'enregistrer votre nom de domaine en conservent cependant la propriété, ce qui risque de vous causer de sérieuses difficultés si vous envisagez, plus tard, de changer de prestataire. Par prudence, faites-vous préciser par écrit les conditions d'attribution et de propriété de votre nom de domaine.

Voici quelques autres paramètres à prendre en compte au moment du choix de votre prestataire de services :

Qu'y a-t-il dans un nom de domaine ?

Si vous avez réussi à obtenir un nom de domaine personnel, sa forme générale dépendra de certaines règles. Si vous acceptez de partager le nom de domaine d'un prestataire, votre identité pourra apparaître sous des formes diverses. Par exemple, avec MultiMania, pour une association sans but lucratif appelée AMGR, ce serait :

```
http://amgr.multimania.com/
```

Il faut savoir, en outre, que certains des "grands services en ligne" proposent des URL pas très gratifiantes. Celle imposée par AOL commence par members. Quant à Wanadoo, ce sera perso.wanadoo.fr/votrenom. Toutefois, vous pouvez choisir un sous-domaine si vous entrez dans une des catégories suivantes :

- ✔ assoc.wanadoo.fr/votrenom pour les associations.
- ✔ ecole.wanadoo.fr/votrenom pour les écoles.
- ✔ pro.wanadoo.fr/votrenom pour les PME, PMI et professions libérales.
- ✔ mairie.wanadoo.fr/votrenom pour les mairies.

- ✔ **Vitesse.** A quelle vitesse vos visiteurs pourront-ils accéder à votre site et à quelle vitesse pourront-ils éventuellement télécharger des fichiers à partir ce site ? Pour le savoir, le mieux est de faire des essais en tentant d'accéder à différents sites hébergés par ce prestataire à différents moments de la journée et de la nuit.

- ✔ **Fiabilité.** L'hébergeur que vous seriez tenté de choisir peut-il assurer une bonne continuité de son service ? Même les plus importants peuvent avoir des pannes (logicielles ou matérielles) de longue durée, aussi la question mérite-t-elle une étude sérieuse.

- ✔ **Prix.** La question ne se pose pas pour des sites personnels, toujours hébergés gratuitement. Par contre, elle serait primordiale pour un site d'entreprise.

Quels types de serveurs ?

Maintenant que vous savez quels sont les paramètres importants dans le choix du serveur qui vous hébergera, nous allons voir où le chercher. Bien sûr, il n'est pas réellement impossible de créer votre propre serveur. Mais pour cela, il faut que vous ayez de solides connaissances en informatique, ce qui n'est probablement pas votre cas si vous êtes en train de lire cet ouvrage.

Hébergement gratuit

Les grands services en ligne (CompuServe, AOL, Club-Internet, Infonie, Wanadoo...) proposent tous à leurs abonnés particuliers un espace disque compris entre 5 et 50 Mo pour héberger gratuitement leur page Web. C'est une très bonne solution pour débuter. Pour une présentation personnelle, c'est même sans doute la meilleure, dans la mesure où sa taille ne risque pas de croître au-delà du raisonnable.

D'autres services, sans pour autant être fournisseurs d'accès, offrent un accès gratuit à leurs disques. C'est le cas, par exemple, de GeoCities ou de Tripod, aux Etats-Unis, et de Multimania, Chez, Free, CiteWeb et autres en France. Une recherche par Altavista ou Yahoo! sur les mots clé "hebergement Web" peut vous permettre, en cas de besoin, d'en trouver d'autres.

Les fournisseurs d'accès

Leur vocation première est d'offrir de la *connectivité*, c'est-à-dire de raccorder quiconque le souhaite à l'Internet. Nous en citerons quelques-uns parmi ceux qui ont le plus de "surface" et qui disposent d'une couverture nationale, à l'Annexe B.

On trouvera périodiquement une liste de fournisseurs d'accès, dans certains numéros des revues *Netsurf* et *.net*. Les conditions proposées évoluent assez rapidement. A vous de prendre contact avec eux pour comparer non seulement les prix mais surtout les prestations proposées et notamment l'assistance technique qu'ils sont disposés à vous accorder.

Les services d'hébergement spécialisés

Il s'agit de prestataires dont la vocation première est d'héberger des sites Web et non pas, à la différence des précédents, de fournir un accès à l'Internet. La plupart du temps, ils sont à même de réaliser pour vous un site complet. Pour une page personnelle, leurs prestations sont gratuites. Nous en avons cité quelques-uns plus haut, dans ce même chapitre.

Le transfert de vos fichiers

Tôt ou tard, vous allez devoir passer en vraie grandeur et transférer tous les fichiers de votre site sur la machine du prestataire que vous avez choisi.

Préparez vos fichiers pour le transfert

Les plus grosses difficultés qu'on peut rencontrer dans la création, la gestion et le transfert de fichiers proviennent de la structure de répertoires que vous avez adoptée. Selon que tous vos fichiers seront ou non dans le même répertoire, tout se passera bien ou vos références de liens ne seront plus correctes. La plupart du temps, les noms des répertoires principaux (et plus rarement ceux des sous-répertoires) chez votre prestataire ne seront pas les mêmes que chez vous. Aussi faut-il prendre quelques précautions pour éviter toute rupture de lien.

Pour un site comportant au plus une douzaine de fichiers, mettez tout (texte, images, multimédia) dans le même répertoire. De cette façon, vos liens auront la forme la plus simple possible et ne risqueront pas d'être altérés une fois le transfert effectué.

Pour des sites plus importants, il est normal d'envisager des répertoires séparés pour chaque type de fichiers. Même dans ce cas, conservez la structure la plus simple (la moins ramifiée) possible. Créez des liens *relatifs* (revoir le Chapitre 3) qui éviteront de spécifier le chemin d'accès complet en situant tous les liens par rapport au répertoire de la page d'accueil.

Aussi simple que FTP

Le protocole standard de transfert de fichiers sur l'Internet entre différentes machines s'appelle FTP (*File Transfer Protocol* ou *protocole de transfert de fichiers*) et il existait bien avant qu'apparaisse le Web. C'est le moyen le plus simple qui soit pour transférer une présentation Web d'une machine à l'autre.

Il existe de nombreux logiciels de *client FTP* sur toutes les plates-formes (PC, Macintosh, UNIX...), chacun avec ses avantages et ses inconvénients. Les étapes que nous allons décrire sont valables pour tous les logiciels de FTP, à condition que ceux-ci soient de véritables programmes de transfert complets, c'est-à-dire pouvant fonctionner dans les deux sens. Les navigateurs qui permettent de faire du FTP ne fonctionnent souvent que dans le sens serveur vers client, aussi ne conviennent-ils pas toujours pour ce travail.

Pour le Macintosh, Fetch est sans doute le client FTP le plus largement utilisé. Pour les PC travaillant sous Windows, c'est probablement WS_FTP qui a la faveur du plus grand nombre d'utilisateurs, CuteTFP arrivant bon second.

Réalisation de la connexion

Les étapes énumérées ci-après concernent WS_FTP, mais leur succession sera à peu près la même avec d'autres logiciels et sous d'autres plates-formes, pour peu qu'elles aient une interface utilisateur graphique.

1. **Connectez-vous à votre fournisseur d'accès à l'Internet.**

2. **Lancez votre logiciel de FTP.** Il affiche son écran d'accueil. Dans le cas de WS_FTP, la Figure 11.2 vous présente ce que vous allez voir sur votre écran.

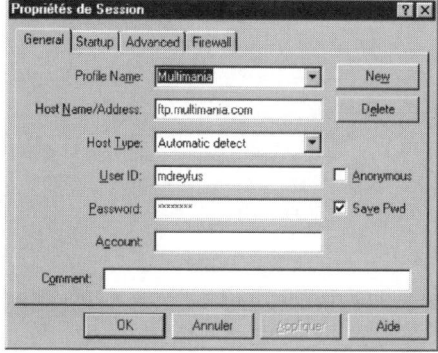

Figure 11.2 :
L'écran
d'accueil de
WS_FTP.

3. **Indiquez le nom de la machine à laquelle vous voulez vous connecter dans la boîte de saisie Host Name.** Ce nom sera souvent le même que celui du site Web de votre hébergeur, à ceci près que "www" sera remplacé par "ftp". Par exemple, au lieu de www.monserveur.fr, vous aurez ftp.monserveur.fr. Mais ce n'est pas une règle, et il est indispensable de vous renseigner au préalable.

4. **Saisissez votre nom d'utilisateur dans la boîte de saisie User Id.** Lorsque vous transférez des fichiers **depuis** un répertoire

public d'un serveur, vous pouvez le plus souvent vous logger sous le nom fictif `anonymous`. Ici, vous opérez dans l'autre sens, puisque vous allez transférer des fichiers depuis votre propre machine **vers** votre répertoire personnel sur un serveur externe. Vous devez donc presque toujours vous logger sous le nom d'utilisateur qui vous a été attribué par votre fournisseur d'accès.

5. **Saisissez votre mot de passe dans la boîte de saisie Password**. Votre véritable mot de passe (attribué par votre fournisseur d'accès) et non votre adresse *e-mail* comme lorsque vous faites un transfert en *anonymous*.

6. **Cliquez sur l'onglet Startup.** La boîte de dialogue reproduite sur la Figure 11.3 s'affiche pour que vous puissiez y indiquer les répertoires source et destination de vos fichiers.

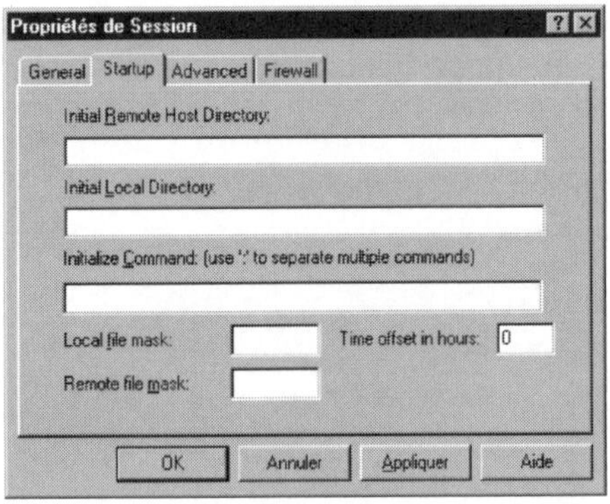

Figure 11.3 : Ici, vous allez indiquer les répertoires source et destination de vos fichiers.

7. **Spécifiez le nom de répertoire qui vous a été attribué dans la boîte de saisie Initial Remote Host Directory.** Souvent, vous serez d'autorité dans le répertoire qui vous a été attribué lorsque vous vous êtes loggé et vous ne devrez donc rien saisir dans cette case.

8. **Spécifiez le chemin d'accès complet à vos fichiers sur votre machine dans la boîte de saisie Initial Local Directory.** Si vous avez plusieurs disques (ou un gros disque partitionné), n'oubliez pas de placer en tête l'identité de ce disque.

9. **Cliquez sur OK pour amorcer la connexion.** L'écran précédent s'efface pour laisser place à l'écran de transfert proprement dit (Figure 11.4).

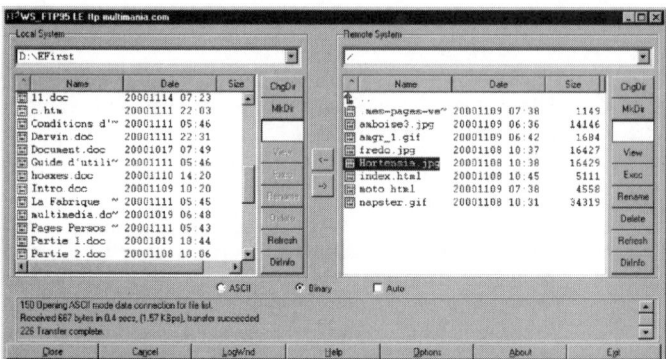

Figure 11.4 :
L'écran de
transfert de
WS_FTP.

Transfert des fichiers

C'est maintenant que les choses sérieuses vont commencer :

1. **Modifiez éventuellement les options de transfert en bas de la fenêtre.** Elles sont représentées par trois boutons radio : ASCII, binary, Auto. La première est celle qui convient aux fichiers HTML et la deuxième aux fichiers d'images. Mais en conservant l'option par défaut, binary, l'expérience montre que ça marche très bien. Surtout, ne transférez pas des fichiers d'images avec l'option ASCII.

   Sur les Macintosh, vous trouvez parfois un choix supplémentaire : Mac binary. A éviter comme la peste !

2. **Dans la fenêtre de gauche, cliquez sur le nom du fichier que vous voulez transférer.** Pour transférer plusieurs fichiers consécutifs, appuyez sur la touche <Maj> puis cliquez sur le nom du dernier. Pour transférer plusieurs fichiers non consécutifs, cliquez successivement sur le nom de chacun d'eux tout en maintenant enfoncée la touche <Ctrl>.

3. **Cliquez sur le bouton portant une flèche tournée vers la droite entre les deux fenêtres.** Le transfert va commencer. Une petite fenêtre s'affichera momentanément pour assurer le suivi des transferts. Pour de petits fichiers HTML, vous n'aurez généralement pas le temps de la voir, mais pour des fichiers d'images, de taille plus importante, vous la verrez très bien.

4. **Une fois les transferts terminés, cliquez sur le bouton Exit, en bas et à droite de la fenêtre.**

5. **Déconnectez-vous.**

Activation de votre site

Une fois vos fichiers transférés, vous n'êtes pas encore au bout de vos peines. Voici quelques-unes des étapes à parcourir avant de procéder à l'activation de votre site.

Les tests

Dès que vous aurez refermé votre programme FTP, lancez votre navigateur et indiquez-lui l'URL de votre site. Il faut que vous parcouriez absolument toutes vos pages pour être certain que tout continue de se passer comme lors de vos tests en local. Cette approche peut se révéler un peu frustrante, parce que vous risquez de mettre le doigt sur de menus détails que vous aviez négligés jusqu'à présent.

Espérez des réactions de vos visiteurs

Vous avez certainement prévu la possibilité pour vos visiteurs de vous communiquer leurs impressions. Ne vous faites pas d'illusions : très peu en profiteront et ce sera sans doute plus pour vous faire des reproches que pour vous féliciter. Si votre hébergeur vous a autorisé à prévoir des formulaires ou vous a indiqué lequel de ses programmes convenait pour réaliser un livre d'or, profitez-en pour solliciter les avis de vos visiteurs en leur posant des questions du genre : comment trouvez-vous ce site par rapport à d'autres ? Quelles sont les modifications que vous aimeriez y voir apporter ? etc.

Faites connaître votre site

Maintenant que tout est au point, c'est le moment de vous faire connaître. Le soin que vous allez consacrer à cette dernière tâche dépend des buts que vous poursuivez. Essayez de vous faire référencer le plus possible, tout spécialement par des sites traitant de sujets analogues au vôtre. Ajustez votre effort publicitaire aux buts que vous poursuivez.

Pour vous faire connaître, vous pouvez essayer de vous faire référencer par des moteurs de recherche et des annuaires implantés en France comme Eureka, Lokace, Nomade, Yahoo! France, Voila, etc. Il existe aussi des services spécialisés dans le référencement qui se chargeront de vous enregistrer auprès d'un certain nombre de moteurs de recherche et d'annuaires. Leurs prestations sont gratuites ou payantes selon l'objet de votre présentation et le nombre de références que vous voulez avoir. Vous trouverez une liste (en français) de ces services aux URL suivantes :

```
http://www.referencement.com
http://www.chez.com/pennchauffeur/gratuit/plangrat/promouv.htm
```

En France, on peut citer Le Référenceur à l'URL :

```
http://www.referenceur.com/
```

Comptez vos visiteurs

Compter ses visiteurs est un bon moyen de mesurer l'impact d'un site. L'une des méthodes les plus utilisées dans ce but consiste tout simplement à incorporer un compteur d'accès (de *hits*) à votre site, ce qui ne présente guère de difficultés. Presque tous les hébergeurs vous proposeront des logiciels tout faits pour cette fonction. Il existe aussi des services spécialisés comme :

```
http://www.compteur.com/
```

dont la Figure 11.5 vous montre la page d'accueil.

Figure 11.5 : Quelques services de compteurs d'accès.

Qu'est-ce qui assure le succès d'un site Web ?

Chaque connexion d'un visiteur à un site Web est appelée *hit*. La mesure du nombre de hits, par exemple au moyen des compteurs d'accès, est donc, en principe, significative. En réalité il n'en est rien, car votre visiteur peut se détourner de votre présentation dès qu'il en a vu la page d'accueil (soit parce qu'elle lui déplaît foncièrement, soit parce qu'il s'aperçoit qu'il s'est trompé).

Cinquième partie

Les outils
de publication Web

"Qu'est-ce que vous entendez au juste par
'mettre à jour notre page Web' ?"

Dans cette partie...

*L*es outils de publication Web sont des programmes destinés à vous aider dans le processus de création puis de gestion de votre site Web. Certains vous permettent quasiment d'ignorer les balises HTML grâce à une interface graphique pareille à celle d'un traitement de texte WYSIWYG (*what you see is what you get*, c'est-à-dire *tel écran, tel écrit*). D'autres ajoutent des fonctionnalités à votre traitement de texte habituel pour le transformer en éditeur HTML ou lui permettre de convertir de simples fichiers texte formatés en documents HTML.

Dans cette partie, nous allons passer en revue ceux de ces outils que nous estimons être les meilleurs et vous expliquer comment les utiliser pour créer vos propres pages Web.

Chapitre 12

Une poignée d'outils Web

· ·

· ·

*U*n *outil logiciel*, c'est un programme utilitaire. Beaucoup sont proposés sous forme de shareware*s* (*partagiciels*) ou même de freeware*s* (*graticiels*). Parmi ces outils, deux se sont taillé la part du lion dans le domaine de l'écriture des pages Web : FrontPage Express de Microsoft (que nous décrirons au Chapitre 13) et Netscape Composer (auquel sera consacré le Chapitre 14).

Un *shareware* est un programme qu'on peut essayer gratuitement pendant une période limitée. On doit verser une contribution (généralement modeste) à l'auteur si on désire continuer à l'utiliser. Un programme freeware est utilisable gratuitement sans limite de temps. Tous deux bénéficient d'un copyright.

A côté d'eux, il existe aussi des produits commerciaux vendus sous emballage cartonné, accompagnés d'une brochure explicative et appuyés par un véritable support technique. On les trouve couramment dans toutes les boutiques d'informatique.

Certains traitements de texte ont une option de sauvegarde "sous forme de document HTML" qui permet de convertir un fichier créé avec ce traitement de texte en document HTML avant de le sauvegarder sur le disque dur. Il ne faut pas croire au miracle et, si les mises en page simples sont généralement traduites de façon correcte, il n'en va pas de même pour celles qui témoignent d'une certaine recherche.

Tous ces logiciels ne sont pas aussi complets que ceux que nous allons décrire des Chapitres 13 à 15. A côté d'eux, il existe des logiciels de conversion dans les deux sens ainsi que des programmes dont les possibilités se limitent à la création de pages simples.

Qu'y a-t-il dans un outil Web ?

Un outil Web vous aide à créer et à éditer des documents HTML, c'est-à-dire des fichiers texte dans lesquels se trouvent des balises. Voici cinq critères qui vous aideront à trouver le meilleur outil pour vous :

- ✔ **Quel effort est-il nécessaire pour le maîtriser ?** Est-ce qu'il vous sera facile de vous familiariser avec le maniement de cet outil ? Pour en comprendre les ficelles ? Pour l'utiliser couramment ?

- ✔ **Pour quelle plate-forme ?** L'outil tourne-t-il sur votre plate-forme (Windows 3.x, 95, 98, 2000, NT, XP, Macintosh, UNIX (quelle mouture ?), Linux...) ?

- ✔ **Est-ce une simple extension ou un programme autonome ?** Est-ce que cet outil vient ajouter des fonctionnalités à un programme déjà existant ou est-ce un programme autonome ?

- ✔ **Est-il orienté HTML ou est-il WYSIWYG ?** Est-ce que cet outil vous permet de travailler directement sur les balises ou est-ce qu'il vous les cache et vous présente une interface WYSIWYG plus intuitive vous montrant la page telle qu'elle sera (ou du moins telle qu'elle devrait être) vue par un navigateur ?

- ✔ **Combien coûte-t-il ?** S'il est payant, quel est son prix ? Et alors, pouvez-vous l'essayer avant de l'acquérir ?

La Figure 12.1 situe quelques-uns des outils d'édition dont nous parlerons dans cette cinquième partie du livre selon les critères que nous venons de définir. Les prix ont été évalués sur la base des prix américains avec un dollar à 10 francs (1,52 €). Vous pourrez remarquer un certain degré de corrélation entre le prix, le degré de complexité et les fonctionnalités de chaque logiciel. Sauf pour les graticiels comme FrontPage Express ou Netscape Composer, bien sûr.

Les outils à prix moyen sont parfois un peu plus difficiles à manier que les logiciels gratuits, mais il faut reconnaître qu'ils sont généralement

plus efficaces. Ceux qui se trouvent au-dessus de cette limite
(FrontPage 2000, Dreamweaver, GoLive ou NetObjects Fusion, par
exemple) sont plus délicats à maîtriser, mais ils permettent d'aller plus
loin. En particulier, ils sont capables de gérer l'ensemble d'un site Web
complexe aussi bien que de créer des pages simples.

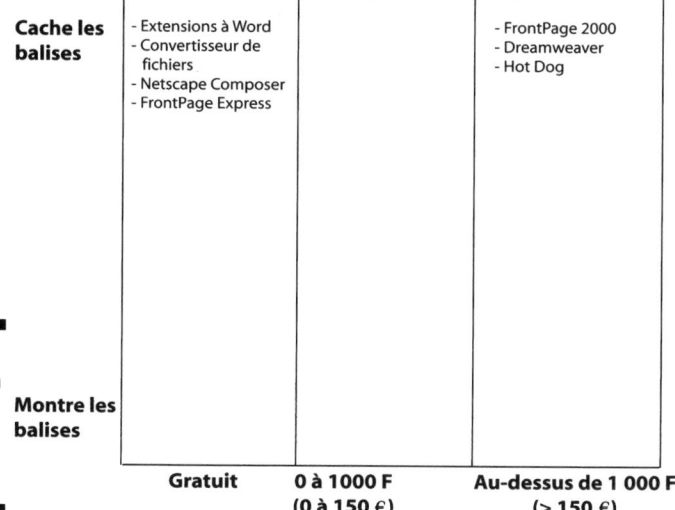

	Gratuit	**0 à 1000 F** **(0 à 150 €)**	**Au-dessus de 1 000 F** **(> 150 €)**
Cache les balises	- Extensions à Word - Convertisseur de fichiers - Netscape Composer - FrontPage Express		- FrontPage 2000 - Dreamweaver - Hot Dog
Montre les balises			

Figure 12.1 :
Comparaison
de quelques
outils
d'édition
Web.

Comment évaluer les outils

Voici quelques moyens d'évaluer les outils HTML. Chacun d'eux est
valable en soi, et en les associant vous aurez une bonne idée de
l'adéquation de l'outil à vos besoins personnels.

✔ **Lisez ce livre.** Lisez la description de l'outil et la façon de
l'utiliser que vous allez trouver dans les chapitres suivants.
Regardez les copies d'écran et vous pourrez vous faire une idée
de ce que donnerait l'outil entre vos mains.

✔ **Essayez les outils.** Le CD-ROM qu'on trouve dans presque tous
les numéros des revues d'informatique contient souvent des
versions d'essai d'outils d'édition. Vous pouvez les installer
rapidement et les tester selon vos goûts et vos besoins. Essayez-
en plusieurs, il y a en a sans doute un qui vous plaira davantage
que les autres.

✔ **Réfléchissez à ce que vous voulez en faire.** Est-ce que vous préférez un outil simple, facile à prendre en main, ou un outil perfectionné mais dont le maniement correct sera plus long à apprendre ?

✔ **Demandez à vos amis et collègues ce qu'ils en pensent.** Le bouche à oreille est souvent la meilleure source d'informations qui soit sur les produits informatiques. Néanmoins, ne prenez pas tout ce que vous entendrez pour argent comptant. Les gens ont tendance à rester sur leur première impression et à conserver un outil au maniement duquel ils se sont habitués, même lorsqu'il est techniquement dépassé.

✔ **Lisez ce qui se dit sur les forums des news.** C'est un bon moyen de savoir ce qui se dit sur tel ou tel outil. Vous trouverez dans la section suivante une liste de sources d'informations.

Où trouver des informations sur les outils Web ?

Voilà une brève liste de quelques sites Web riches d'informations sur les outils d'édition pour le Web. Ceux qui, aujourd'hui, sont limités à une seule plate-forme peuvent très bien, demain, devenir multiplates-formes.

✔ **CWSAPPS (Stroud's Consummate Winsock Apps List).** C'est l'une des meilleures sources d'analyses critiques d'outils logiciels pour Windows. Son URL est :

```
http://cws.internet.com
```

✔ **TUCOWS (The Ultimate Collection of Winsock Software).** Ce serveur de fichiers héberge des logiciels pour plusieurs plates-formes. La qualité des logiciels y est évaluée en vaches[1], le top niveau étant cinq vaches. La Figure 12.2 vous montre le haut de la page d'accueil de l'un de ses miroirs français, à l'URL :

```
http://tucows.ciril.fr
```

✔ **Service de recherche de Deja News.** Ce site associe les analyses d'utilisateurs à un moteur de recherche pour explorer les *posts* de Usenet dans lesquels les utilisateurs disent ce qu'ils pensent

---

[1]   *TUCOWS* se prononce comme *two cows*, ce qui, en anglais, signifie "deux vaches". *(N.d.T.)*

Figure 12.2 :
La page
d'accueil du
TUCOWS.

des outils d'édition Web. Commencez votre recherche à l'URL
http://www.deja.com.

Faites une recherche sur le nom du logiciel qui vous intéresse.
Comme dans d'autres domaines, les éloges y sont plus rares que
les critiques, aussi faut-il en prendre et en laisser.

✔ **AltaVista.** L'un des deux auteurs de ce livre travaille pour ce
moteur de recherche très apprécié. Vous pouvez utiliser
AltaVista pour de simples recherches ou des recherches plus
fines. Son URL est www.altavista.com (antenne française à
l'URL www.altavista.fr).

✔ **Groupes de news de Usenet.** Le principal groupe qui parle (en
français) d'édition Web est
fr.comp.infosystemes.www.pages-perso. Si vous
cherchez une information sur un point particulier, consultez les
FAQ (*Foires Aux Questions*), et si vous n'y trouvez rien qui vous
intéresse, postez votre question sur le forum.

Le site de Carl Davis à l'URL http://webcommando.com est parfois
signalé dans certaines publications. Certes, il a eu son heure de gloire
mais ses plus récentes évaluations de logiciels remontent à 1997, ce
qui lui ôte absolument tout intérêt.

Convertisseurs et assimilés ou véritables outils d'édition Web ?

Beaucoup de traitements de texte et de logiciels de bureautique comme les tableurs ont une option "sauvegarde en HTML" qui vous permet de sauvegarder le résultat de votre travail dans ce format. D'un autre côté, il existe des convertisseurs capables de transformer n'importe quel fichier en un document HTML tout prêt. Malheureusement, le résultat que vous allez obtenir ne ressemblera que rarement à ce que vous espériez. Lors de la conversion, une grande partie du formatage est laissée de côté pour ne retenir que ce qu'il y a de plus élémentaire.

Lorsque vous constatez de telles difficultés, votre réaction naturelle est de tenter de les corriger mais, pour cela, vous devez bien connaître HTML et y passer beaucoup de temps, deux conditions qui ne sont pas souvent remplies.

Alors, mieux vaut ne pas perdre votre temps avec les convertisseurs et autres gadgets des traitements de texte.

Outils Web multiplates-formes

Vous trouverez au Chapitre 14 une description de Netscape Composer, dont il existe des versions pour Windows 16 ou 32 bits, Macintosh et dix moutures d'UNIX. Son utilisation est simple, mais il est un peu à la traîne en ce qui concerne ses fonctionnalités.

La plupart des outils et presque tous ceux qui sortent maintenant se limitent au présent, c'est-à-dire à Windows 32 bits et aux Macintosh fabriqués après 1996. Les *add-ons* (assistants) proposés par leurs éditeurs ne conviennent généralement qu'aux versions les plus récentes des logiciels. Vous devez donc soigneusement vérifier leurs conditions d'utilisation avant de les acquérir.

Outils Web haut de gamme

Ce livre est plutôt orienté vers des outils destinés aux débutants. Aussi ne dirons-nous pas grand-chose des outils dont la clientèle se recrute principalement parmi les spécialistes et dont le prix se situe nettement au-dessus de la barre des 1 000 francs (environ 152 €). On y trouve essentiellement trois produits : FrontPage 2002 de Microsoft,

NetObjects Fusion et Dreamweaver. Nous allons en donner une rapide description.

FrontPage de Microsoft

Il s'agit d'un outil très puissant, non seulement pour l'écriture de pages Web mais aussi pour la gestion complète d'un site. Les versions actuelles sont connues sous les noms de FrontPage 2002 (Windows 32 bits) et de FrontPage 1.0 (Macintosh). C'est le grand frère de FrontPage Express, le logiciel gratuit qui accompagne Internet Explorer et dont nous décrirons l'usage au Chapitre 13.

Outre ses possibilités natives d'édition, FrontPage dispose d'un puissant éditeur d'images et assure le support d'Active-X (dont nous avons dit quelques mots au Chapitre 9)[2]. Le revers de la médaille, c'est qu'il est nécessaire que sur le serveur qui hébergera vos pages soient installées ce que Microsoft appelle les "extensions FrontPage". Pour diverses raisons, certains prestataires de services s'y refusent.

NetObjects Fusion

Il s'agit d'un outil de création globale de site Web qui, comme FrontPage, permet une gestion à distance de son site. Il en existe des versions pour Windows et pour Macintosh. Aux Etats-Unis, son prix de vente se situe aux alentours de 300 dollars (ce qui le met nettement hors de portée d'une utilisation personnelle). Les deux caractéristiques exceptionnelles de ce logiciel sont de partir d'une vue globale du site à créer et d'assurer une mise en page précise. Notez qu'il supporte les applications interactives à base de Java.

Dreamweaver

La version complète de Dreamweaver est certainement un peu chère pour ce que nous nous proposons de réaliser (480 €), mais la revue *PC Magazine* lui a décerné le titre de "meilleur logiciel d'édition Web". Il est réputé pour le support de gadgets tels que Flash et Shockwave qui sont deux produits (comme Dreamweaver lui-même) de Macromedia. Il assure aussi le support de Java et d'Active-X. Il vous permet d'apporter à la main des modifications au code HTML qu'il a généré. A vous de voir si ces avantages méritent d'être payés leur prix.

_____

[2] N'oubliez pas que Netscape Navigator ne reconnaît pas Active-X.

Outils d'édition spécifiques pour Windows

Voici ceux que nous estimons être les meilleurs d'entre eux :

- ✔ **Outils d'édition complets.** Il existe beaucoup d'outils d'édition complets en plus de Netscape Composer, FrontPage Express (pour Windows seulement) et HotDog Pro. Citons, par exemple, InContext Spider.

- ✔ **Extensions diverses.** Pour la plupart des traitements de texte et des logiciels de PAO, il existe des extensions ou des programmes additionnels qui leur confèrent des possibilités d'édition HTML à différents niveaux. Consultez l'éditeur de votre traitement de texte habituel pour savoir ce qu'il peut vous proposer.

- ✔ **Outils d'édition à usage limité.** Un certain nombre d'outils d'édition n'ont qu'un nombre réduit de fonctionnalités parce qu'ils sont conçus pour des usages spécifiques. Parmi ceux qui ont reçu le meilleur accueil, citons Web Wizard qui permet de créer presque automatiquement une première page Web élémentaire.

- ✔ **Autres outils.** Il existe des douzaines d'autres outils, tant pour éditer du texte que pour manipuler les autres composants d'une page Web : édition et retouche d'images, écriture de scripts CGI, gestion de sites Web, etc. Il faudrait leur consacrer un livre entier pour les étudier sérieusement.

InContext Spider

InContext Spider[3] est un outil d'édition HTML complet édité par InContext. Il n'a pas été maintenu et perfectionné au cours du temps comme l'ont été d'autres outils HTML, mais il est intéressant de voir son approche unique de l'ensemble d'un site Web. L'*éditeur logique* permet d'avoir une vue d'ensemble de l'arborescence d'un site Web. Malheureusement, une grande partie de son interface est confuse pour les débutants, précisément en raison de sa puissance d'édition.

A quoi ressemble-t-il ?

La version de démonstration d'InContext Spider est certainement l'une des plus sérieuses que nous ayons jamais vue, ne serait-ce qu'en raison de sa taille (un peu plus de 9 mégaoctets). Son installation

---

[3] *Spider* signifie "araignée". *(N.d.T.)*

demande plusieurs minutes et sa durée de validité est limitée à 30 jours.

Lorsque vous lancez InContext Spider, un choix de modèles vous est proposé. Une fois que vous avez choisi celui qui vous convient, le programme démarre pour de bon. Sa fenêtre est partagée entre une représentation en forme d'arborescence de votre document et une fenêtre d'édition plus classique. Il faut être bien familiarisé avec ce type de représentation avant de se sentir à l'aise dans l'utilisation d'InContext Spider. Lorsque vous commencerez à être un peu habitué à ce programme, vous apprécierez sa puissance. Le module Logical Editor (l'éditeur logique) vous permet d'aller et venir rapidement tout au long de documents de grande taille.

Où le trouver ?

Pour savoir quelle est la dernière version de ce logiciel ou pour l'acheter, consultez le site Web de l'éditeur à l'URL :

```
http://www.incontext.com/
```

La Figure 12.3 vous présente sa page d'accueil. Vous y trouverez des informations sur les autres logiciels du catalogue, les outils SGML, en particulier.

Les principaux commentaires qu'on trouve sur les news concernent plutôt la santé financière de l'entreprise que les mérites de ses produits. Pour le logiciel lui-même, les gens ne sont pas certains d'avoir bien compris comment on l'utilisait, et pensent qu'il faut passer trop de temps pour s'en faire une idée exacte et pouvoir le comparer avec ses concurrents. En bon français, nous dirions que c'est une usine à gaz !

En résumé, InContext Spider est probablement plusieurs crans au-dessus de ce qu'il vous faut si vous êtes inexpérimenté, mais souvenez-vous de ses possibilités lorsque vous aurez avancé dans votre carrière d'auteur Web.

Web Wizard

Web Wizard est un constructeur de pages Web très facile à utiliser, mais ce n'est pas un éditeur à proprement parler. Grâce à lui, vous pouvez créer une page Web très simple sans voir une seule balise. Il ressemble aux outils de création que nous avons étudiés aux Chapitres 4, 5 et 6, mais avec une plus grande simplicité d'utilisation. Il crée

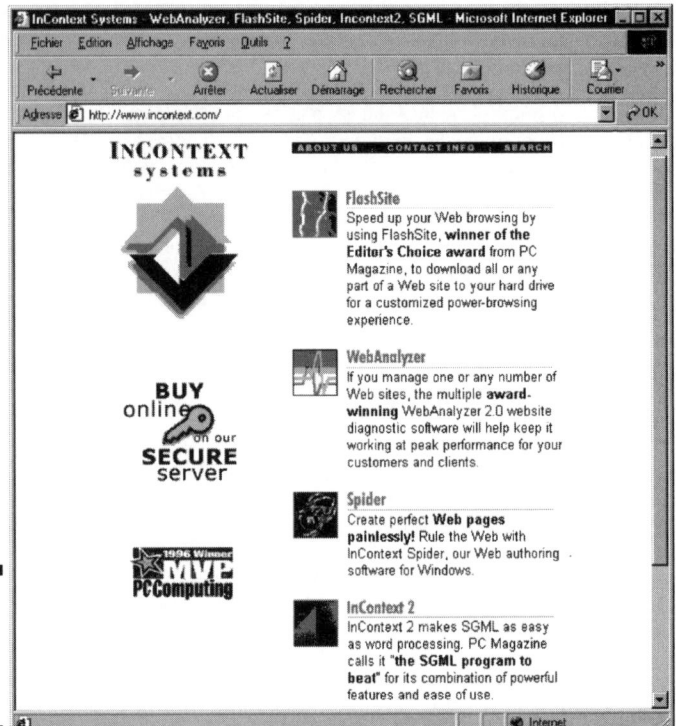

Figure 12.3 :
Page
d'accueil du
site Web
d'InContext.

un fichier HTML dans le répertoire de votre choix, fichier que vous
pouvez reprendre avec un éditeur de texte si vous connaissez un peu
HTML et que vous souhaitiez y apporter quelques corrections. Il
faudra ensuite que vous transfériez ce fichier (en compagnie d'éventuels fichiers d'images) sur le serveur de votre choix par un client FTP
quelconque, car Web Wizard ne contient aucun outil de publication.
Vous trouverez la version Windows de Web Wizard sur le site Web de
son éditeur, à l'URL `http://www.arta.com/halcyon/webwizard`.

Son utilisation est d'une grande simplicité. Il suffit à chaque fois de
renseigner des boîtes de saisie et éventuellement de faire son choix
dans une boîte de sélection de fichier. Le mieux est encore de l'essayer : vous serez vite convaincu de sa simplicité et de son efficacité.
La Figure 12.4 montre comment se présente une page générée par Web
Wizard. (En Suisse, on appelle "flûte" un pain mince et long.)

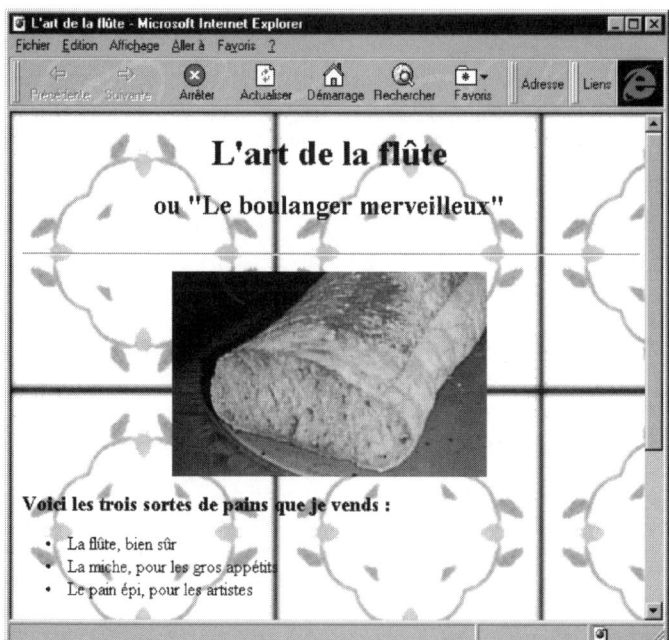

L'art de la flûte

ou "Le boulanger merveilleux"

Voici les trois sortes de pains que je vends :

Figure 12.4 :
Page
générée par
Web Wizard.

- La flûte, bien sûr
- La miche, pour les gros appétits
- Le pain épi, pour les artistes

En résumé, Web Wizard est un bon moyen d'initiation à la publication d'une page Web, mais vous devrez ensuite recourir à un outil plus complet.

Outils d'édition spécifiques pour Macintosh

Nous allons rapidement passer en revue les plus intéressants.

- ✔ **Outils d'édition complets.** Les plus populaires sont Netscape Composer, qui existe aussi pour Windows et pour UNIX (voir le Chapitre 14), et BBEdit avec HTML Tools dont nous allons parler dans la section suivante. On peut y ajouter NetObjects Fusion 5.0, FrontPage et Dreamweaver, Flash, Fireworks dont nous parlerons au Chapitre 15.

- ✔ **Extensions diverses.** Comme pour Windows, la plupart des traitements de texte et logiciels de PAO disposent d'extensions ou de programmes additionnels leur conférant des possibilités d'édition HTML à différents niveaux. Consultez le site Web de l'éditeur de votre traitement de texte habituel pour savoir ce qui existe pour votre application.

✔ **Outils d'édition à usage limité.** Un certain nombre d'outils d'édition n'ont qu'un nombre réduit de possibilités parce qu'ils sont conçus pour des usages spécifiques. Certains ne sont que des piles HyperCard destinées à l'édition HTML. Pour savoir où en trouver, consultez les sources d'informations citées au début de ce chapitre.

✔ **Autres outils.** Il existe des douzaines d'autres outils, tant pour éditer du texte que pour manipuler les autres composants d'une page Web : édition et retouche d'images, écriture de scripts CGI, gestion de sites Web et d'autres encore.

BBEdit et HTML Tools

BBEdit est un éditeur de texte shareware très populaire dans le monde Macintosh. Cette popularité s'est encore accrue depuis qu'il existe des extensions pour l'écriture de pages Web : BBEdit HTML Tools de Lindsay Davies et HTML Extensions de Carle Bellver qui font maintenant partie intégrante de BBEdit.

C'est un outil assez rustique qui travaille directement sur le texte et les balises et qui ne vous propose pas de prévisualisation de vos pages. Pour cela, vous devez recourir à votre navigateur habituel. Beaucoup d'auteurs Web écrivent leurs pages avec un outil plus élaboré et font leurs dernières retouches avec BBEdit.

La dernière version porte le numéro 6.0.1. Vous pouvez la télécharger à partir de l'URL `http://www.barebones.com`.

TextToHTML

Ce programme travaille sur des fichiers de type texte ou RTF (format universel que tous les traitements de texte reconnaissent) pour les convertir en un document HTML. Après avoir lancé le programme, il suffit de faire glisser votre document RTF sur son icône et il est automatiquement converti.

Vous trouverez à l'usage que TextToHTML est simple à utiliser, mais qu'il a tous les défauts du freeware : si vous éprouvez des difficultés à l'utiliser, ne comptez pas sur une aide quelconque. Pour tout détail, vous pouvez consulter le site Web `http://www.rorohiko.com/texttohtml.html`.

HTML TableTool

Il s'agit d'une petite pile HyperCard qui permet de créer facilement des tableaux ; vous pourrez la télécharger à partir de l'URL `http://www.ncl.ac.uk/wwwtools/htmltoolseditorsfilter_479.html`.

L'archive que vous trouverez à cette URL se décompresse automatiquement et fournit un fichier explicatif qui explique comment utiliser l'outil. Son emploi est très simple :

1. **Commencez par créer votre tableau dans une feuille de calcul de tableur ou une base de données.**

2. **Sauvegardez le tableau sous forme de fichier texte délimité par des tabulations.**

3. **Lancez TableTool en double-cliquant sur son icône.**

4. **Cliquez sur le bouton Open pour ouvrir le fichier texte.** Ce fichier texte est alors automatiquement converti en un tableau et affiché dans une fenêtre qu'il est facile d'éditer à l'intérieur du programme.

En résumé

Les outils que nous venons de vous présenter dans ce chapitre ne sont qu'une faible partie des ressources que vous offre le Web dans le domaine du shareware et du freeware pour des plates-formes telles que Windows, le Macintosh et UNIX/Linux. Vous en trouverez d'autres en consultant les adresses données en tête du chapitre.

Chapitre 13

FrontPage Express

Dans ce chapitre :

- A la découverte de FrontPage Express.
- Comment se procurer FrontPage Express.
- Mise en œuvre de FrontPage Express.
- Au-delà de FrontPage Express.

*M*icrosoft a créé son *Developer Network* pour assister (de façon non désintéressée) les créateurs de pages Web. Ce site s'adresse plutôt aux professionnels de la création de sites Web qu'aux "amateurs" pour lesquels deux ou trois pages représentent déjà un effort important mais qui constituent l'essentiel du lectorat de ce livre. Vous pouvez visiter ce site à l'URL :

```
http://msdn.microsoft.com
```

Vous y trouverez des informations intéressantes sur les dernières versions d'Internet Explorer dont toutes les versions contiennent l'éditeur FrontPage Express qui est une version dépouillée de l'éditeur haut de gamme FrontPage 2000.

A la découverte de FrontPage Express

Bien que ses fonctionnalités soient en retrait par rapport à celles de ses grands frères, FrontPage Express permet néanmoins d'utiliser le glisser/déposer et travaille en WYSIWYG. Il supporte Java, Active-X et DHTML.

FrontPage Express ne tourne que sous Windows 32 bits. Aucune version n'existe pour Windows 3.1 (si vous l'utilisez encore), le Mac, UNIX ou Linux.

Rappelons que, pour bénéficier de toutes les possibilités de FrontPage, les extensions FrontPage de Microsoft doivent être installées sur le serveur Web qui hébergera vos pages.

Bien que FrontPage Express vous dissimule le code HTML généré, vous pouvez facilement en prendre connaissance à tout moment au moyen d'une commande de menu. Vous serez souvent horrifié de voir en quoi il consiste, mais pour peu que vous ayez une bonne connaissance des balises HTML, vous pourrez corriger ainsi certains bugs de l'éditeur. Rappelons que le Chapitre 7 renferme une introduction à HTML.

FrontPage Express ou Netscape Composer ?

En tant que futur auteur Web, vous pouvez vous demander lequel de ces deux éditeurs vous devez choisir. Tous deux ont été écrits par des entreprises qui dominent le marché des navigateurs. Voici quelques points de comparaison vus sous l'angle de FrontPage Express et qui pourront vous aider dans votre choix. Vous trouverez leur pendant dans le Chapitre 14 consacré à Netscape Composer mais, cette fois, du point de vue de ce dernier.

✔ Totalement gratuit. Les deux logiciels sont gratuits. Cependant, FrontPage Express est souvent préinstallé lorsque vous achetez une machine, ce qui n'est pas le cas de Netscape Composer.

✔ Extensions possibles. Sans problème vers FrontPage 2000 alors que Netscape ne propose rien de comparable.

✔ Possibilités de contrôles programmés. Vous pouvez incorporer des applets Java avec les deux, mais les contrôles ActiveX ne sont utilisables qu'avec FrontPage Express.

✔ DHTML. Les approches de Microsoft et de Netscape sont radicalement différentes, donc incompatibles, mais ce n'est pas un réel inconvénient car, en dehors d'un intranet où on maîtrise complètement les logiciels en service, mieux vaut actuellement se dispenser de ces gadgets si on veut être vu dans de bonnes conditions par le plus grand nombre de visiteurs possible.

Les bases de FrontPage

Voici quelles sont les principales fonctionnalités de FrontPage Express :

✔ Création et édition de pages sans voir l'ombre d'une balise.

✔ Pose de liens par un glisser/déposer sans avoir à saisir ni URL ni chemin d'accès.

✔ Couper/coller d'images dans la page en cours de création. Possibilité de redimensionner les images et de leur adjoindre un texte de remplacement.

✔ Création et édition de tableaux et de formulaires.

Vous pouvez également insérer des fichiers multimédias et des programmes exécutables dans votre page Web. Mais tous vos visiteurs ne seront pas à même de les utiliser s'il leur manque le ou les indispensables plugins.

FrontPage Express ne vous propose rien pour l'écriture des scripts CGI devant servir à dépouiller les formulaires. Si vos connaissances en programmation sont insuffisantes, le mieux est sans doute de tenter d'en trouver de tout faits sur le Web. Et, bien entendu, avant d'en arriver là, de vous assurer auprès de votre hébergeur que vous êtes autorisé à les y installer.

FrontPage Express ne reconnaît pas les cadres (*frames*). Mais comme l'utilisation de cet artifice de mise en page ne sera pas abordée dans ce livre, ce n'est pas un réel inconvénient. Et si vous y tenez réellement, rien ne vous empêche de les coder à la main, dans le code HTML généré.

Bilan final

Si vous travaillez sous Windows 32 bits et que votre navigateur habituel est Internet Explorer, FrontPage Express est un bon éditeur pour commencer à créer des pages Web. Si c'est Netscape Navigator que vous préférez, allez plutôt au Chapitre 14 qui est consacré à Netscape Composer, l'outil d'édition gratuit de Netscape.

Comment se procurer FrontPage Express

On ne peut pas se procurer FrontPage Express tout seul. En compagnie d'Outlook Express, il accompagne Internet Explorer, indissociable de Windows. Vous trouverez la dernière version de ce package sur le CD-ROM encarté dans la plupart des revues consacrées à l'informatique.

Installation de FrontPage Express

Nous supposerons donc que vous êtes en possession d'un CD-ROM renfermant une version récente d'Internet Explorer. Ce qui va suivre s'applique à la version 5.0, mais le processus est presque le même pour les versions 4.x, à quelques détails près (par exemple, les boîtes de dialogue se présentent de façon un peu différente).

Cliquez sur le bouton Démarrer puis sur Rechercher/fichiers, et cherchez sur votre lecteur de CD-ROM le fichier qui a pour nom **ie5setup.exe**. Quand il sera affiché dans la fenêtre des fichiers trouvés, double-cliquez sur son nom, ce qui aura pour effet de lancer le processus d'installation. Exécutez alors les étapes suivantes :

1. **Cliquez sur le bouton radio placé devant la mention *J'accepte le contrat* (dans le premier écran) qui vous rappelle les conditions de licence imposées par Microsoft, puis sur le bouton Suivant.**

2. **Dans la deuxième fenêtre, cliquez sur le bouton radio placé devant Personnaliser votre installation, puis sur le bouton Suivant.**

3. **Dans la liste des composants qui s'affiche alors (Figure 13.1), vous allez choisir les modules que vous voulez installer.** Si vous n'avez pas encore installé Outlook Express, profitez-en pour le faire. Dans ce qui suit, nous supposerons que c'est déjà fait et que vous voulez seulement installer FrontPage Express. Cliquez ensuite sur le bouton Suivant.

4. **Une fenêtre s'affiche, vous informant du début de l'installation.** Celle-ci va demander plusieurs minutes. A la fin, une fenêtre vous informera qu'il faut redémarrer l'ordinateur. Cliquez alors sur le bouton Terminer.

5. **Une fois redémarré, l'ordinateur va terminer l'installation.**

FrontPage Express sera d'autorité installé dans le répertoire \Program Files\FrontPage Express\Bin sous le nom de **fpxpress.exe**.

Mise en œuvre de FrontPage Express

Au fur et à mesure que vous allez découvrir FrontPage Express, vous vous apercevrez que vous pouvez faire avec lui à peu près tout ce que vous avez admiré sur d'autres sites. Le mieux est probablement d'expérimenter çà et là au hasard des rubriques de menus pour vous en rendre compte.

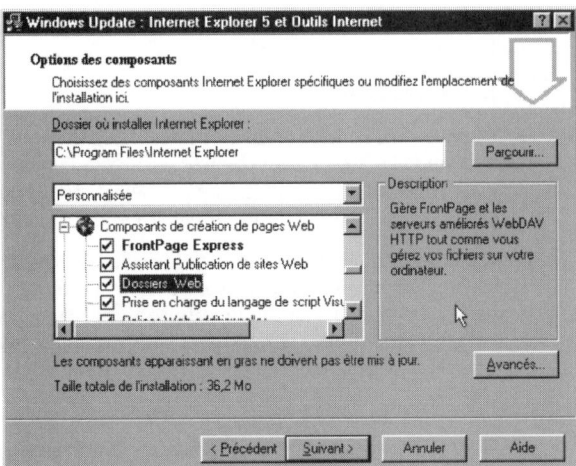

Figure 13.1 :
Choix des
modules à
installer.

Voici quelques-unes des tâches principales que vous pourrez accomplir sans difficulté :

- ✔ Créer un titre pour votre page.

- ✔ Saisir du texte et le mettre en forme.

- ✔ Ajouter un ou plusieurs appels de liens.

- ✔ Ajouter une ou plusieurs images.

- ✔ Explorer le code HTML généré.

- ✔ Publier la page Web que vous venez de composer.

Dans la suite de ce chapitre, nous allons voir en détail comment réaliser ces tâches avec FrontPage Express. Nous vous présentons d'autres outils Web aux Chapitres 14 et 15. Vous aurez ainsi l'occasion de comparer la somme de travail nécessaire pour créer une page avec trois outils différents.

Commençons par le titre

Bien que ce titre (au sens de la balise <TITLE>) n'apparaisse pas dans la fenêtre du navigateur mais seulement dans la barre de titre de celle-ci, il est très important, car c'est sur le texte qu'il renferme que la plupart des moteurs de recherche vont s'appuyer pour indexer votre page. A vous de choisir quelque chose d'évocateur tout en restant suffisamment bref. Voici les étapes à suivre pour créer un document, lui donner un titre et le sauvegarder :

1. **Lancez FrontPage Express.**

2. **Cliquez sur Fichier/Enregistrer sous...** Comme vous pouvez le voir sur la Figure 13.2, une boîte de dialogue s'ouvre dont la ligne supérieure contient le titre par défaut : "Page normale sans titre". Nous allons le remplacer par "L'escargot (Jules Renard)".

3. **Cliquez sur le bouton Comme fichier.** La boîte de dialogue de sélection de fichier s'affiche, vous proposant de sauvegarder cette page blanche dans le répertoire Mes Documents et sous le nom **lescargo.htm**. Créez un répertoire spécifique plus approprié : **Mes pages**, par exemple, et cliquez sur le bouton Enregistrer.

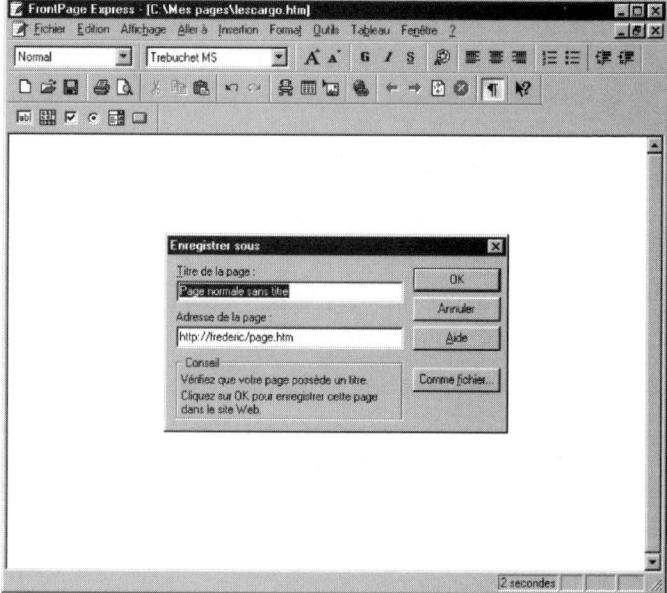

Figure 13.2 :
La fenêtre de FrontPage Express avec la boîte de dialogue de sauvegarde de fichier.

Saisie et mise en forme de texte

Nous allons emprunter le texte qui suit à Jules Renard pour notre page consacrée à ce modeste gastéropode. Avant de passer à la saisie proprement dite, voici les étapes à parcourir :

1. **Tapez le titre que vous souhaitez voir affiché dans la fenêtre du navigateur.** Par exemple : *L'escargot, d'après Jules Renard*. Ne terminez pas par <Entrée>.

2. **Cliquez sur la petite flèche à droite de la boîte à liste déroulante la plus à gauche et sélectionnez Titre 1.** Les mots que vous venez de saisir grossissent instantanément et prennent l'aspect d'un titre. Vous pouvez centrer le titre en cliquant sur l'outil approprié (le sixième de la barre d'outils en partant de la droite).

3. **Le pointeur se trouvant à l'extrémité de la ligne du titre, appuyez sur <Entrée>.** Le curseur se place alors au début d'une nouvelle ligne et la boîte à liste déroulante affiche Normal.

4. **Saisissez le texte qui suit :**

   Casanier dans la saison des rhumes, son cou de girafe rentré, l'escargot bout comme un nez plein. Il se promène dès les beaux jours mais il ne sait marcher que sur la langue.

   Mon petit camarade Abel jouait avec ses escargots. Il en élève une pleine boîte et il a soin, pour les reconnaître, de numéroter au crayon la coquille.

   S'il fait trop sec, les escargots dorment dans la boîte. Dès que la pluie menace, Abel les aligne dehors, et si la pluie tarde à tomber, il les réveille en versant dessus un pot d'eau. Et tous, sauf les mères qui couvent, dit-il, au fond de la boîte, se promènent sous la garde d'un chien appelé Barbare et qui est une lame de plomb qu'Abel pousse du doigt.

   Comme je causais avec lui du mal que donne leur dressage, je m'aperçus qu'il me faisait signe que non, même quand il me répondait oui.

   Abel, lui dis-je, pourquoi ta tête remue-t-elle ainsi de droite et de gauche ?

   C'est mon sucre, dit Abel.

   Quel sucre ?

   Tiens, là.

5. **Sélectionnez à l'aide du pointeur de la souris le texte que vous voulez mettre en forme.** Ici, ce sera le simple mot "non", au milieu du quatrième paragraphe (Figure 13.3).

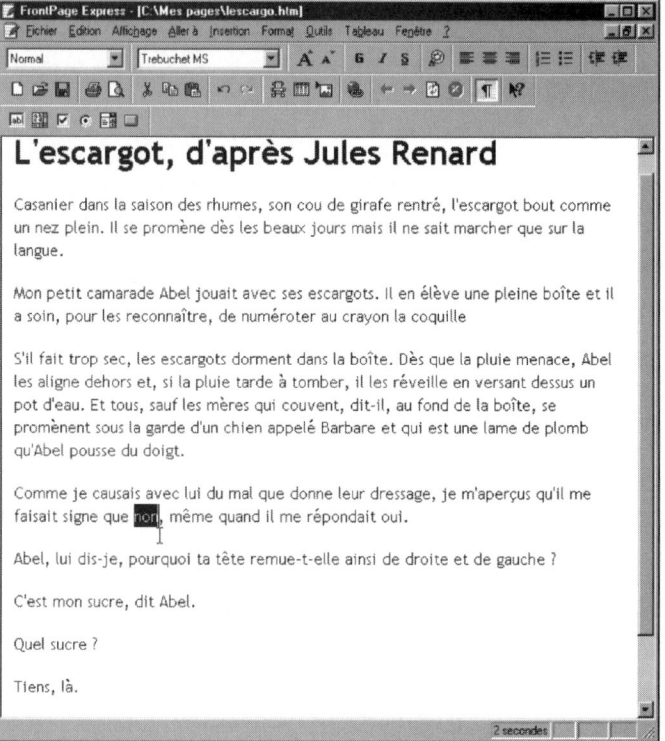

Figure 13.3 :
Sélection du
mot à
afficher en
italique.

6. **Cliquez sur l'outil de mise en italique, le "I" penché situé entre les mots Outils et Tableau de la barre de menus de FrontPage Express.** Le mot s'affiche immédiatement en italique.

7. **Pour que le dialogue apparaisse comme tel, nous allons faire une liste des quatre derniers paragraphes (Figure 13.4).** Pour cela, sélectionnez-les à l'aide de votre souris.

8. **Dans la boîte à liste des formats, choisissez Liste à puces.** Le texte se présente maintenant comme le montre la copie d'écran de la Figure 13.5.

Ajoutons un lien

Voici comment procéder pour insérer un lien avec FrontPage Express :

Figure 13.4 :
Sélection des
lignes à
présenter
sous forme
de liste.

1. **Saisissez le texte suivant :**

   Pour en savoir davantage sur la vie de Jules Renard, vous pouvez visiter la page que lui a consacrée Anatole Nouriçon, intitulée "Un Renard dans le poulailler littéraire du XIXe siècle".

2. **Sélectionnez le texte entre guillemets qui va servir d'appel de lien.**

3. **Cliquez sur Insertion/Lien (Figure 13.6).** Vous pouvez aussi cliquer sur Edition/Lien ou, plus simplement, taper <Ctrl>+<K>. La boîte de dialogue reproduite sur la Figure 13.7 s'affiche.

4. **Dans la boîte à liste déroulante Type de lien, conservez "http://".**

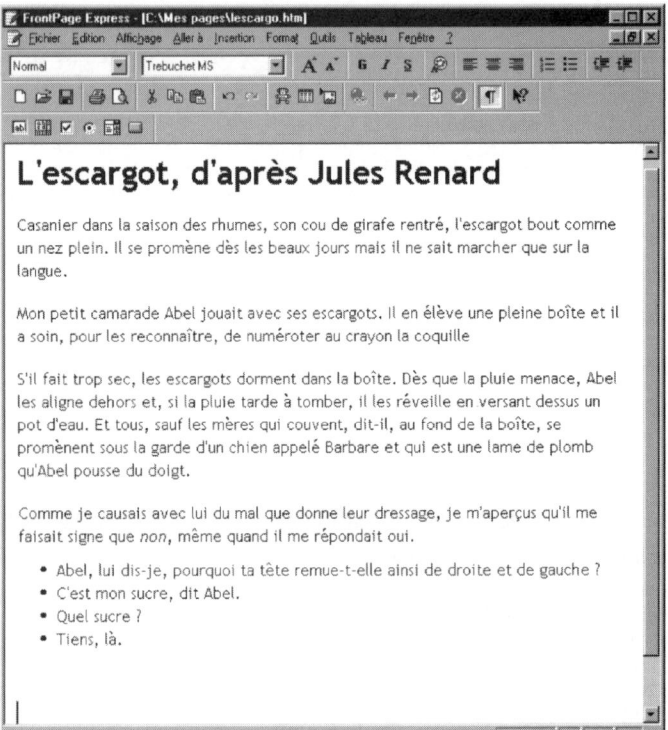

Figure 13.5 :
Quatre
paragraphes
transformés
en liste à
puces.

5. **Dans la boîte de saisie URL, au-dessous, saisissez l'URL de la page vers laquelle doit pointer le lien.** Nous supposerons que c'est la suivante :

```
http://www.littera.com/anatole/renard
```

6. **Cliquez sur le bouton OK.** La boîte de dialogue disparaît et le texte qui était sélectionné apparaît maintenant sous forme de lien, c'est-à-dire souligné et affiché en bleu

Ajoutons une image

Nous allons illustrer notre page au premier degré par l'insertion d'une image que nous possédons déjà : **escargot.gif**.

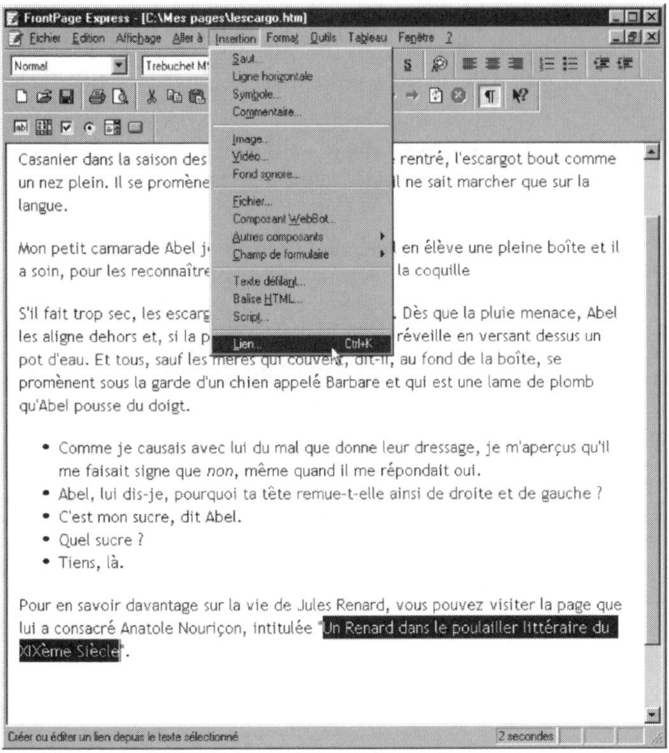

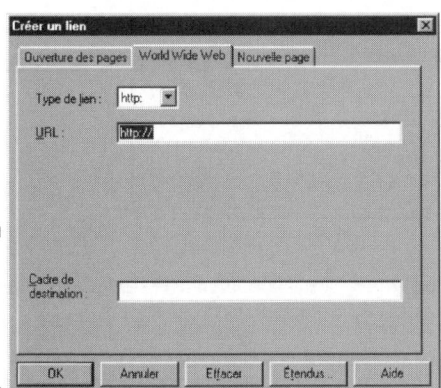

Figure 13.6 :
Création d'un
appel de lien.

Figure 13.7 :
Boîte de
dialogue de
définition du
type de lien.

1. **Placez le pointeur de la souris dans votre page, là où vous voulez qu'apparaisse l'image.**

2. **Cliquez sur Insertion/Image.** La boîte de dialogue Image s'affiche.

3. **Après avoir cliqué sur le bouton Parcourir, choisissez l'image que vous voulez insérer.** Seuls les noms des images de type GIF ou JPEG seront affichés.

4. **Double-cliquez sur le nom du fichier de l'image que vous avez choisie.** Elle apparaît immédiatement dans la page, à l'endroit où se trouvait précédemment le pointeur de la souris. Restent à définir quelques options de présentation.

5. **Double-cliquez sur l'image elle-même.** La boîte de dialogue à trois volets Propriétés de l'image s'affiche.

   Volet Général. Dans la zone Représentation de remplacement, saisissez un texte qui sera affiché par les visiteurs ayant désactivé le chargement des images (Figure 13.8). Ici, nous avons choisi : "Un escargot de Bourgogne".

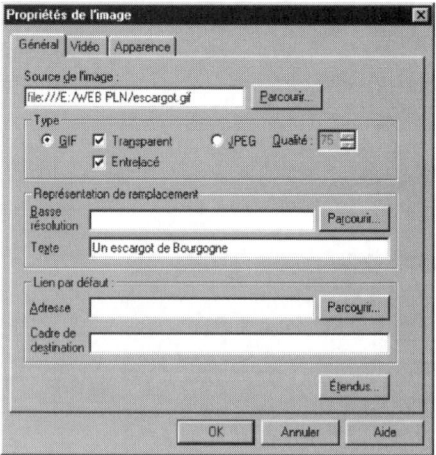

Figure 13.8 :
Saisie d'un
texte de
remplace-
ment.

   Volet Apparence. Dans la boîte à liste déroulante repérée par Alignement, sélectionnez Gauche.

6. **Terminez en cliquant sur le bouton OK pour valider ces options.** La Figure 13.9 montre comment l'image est maintenant affichée, partiellement entourée par le texte.

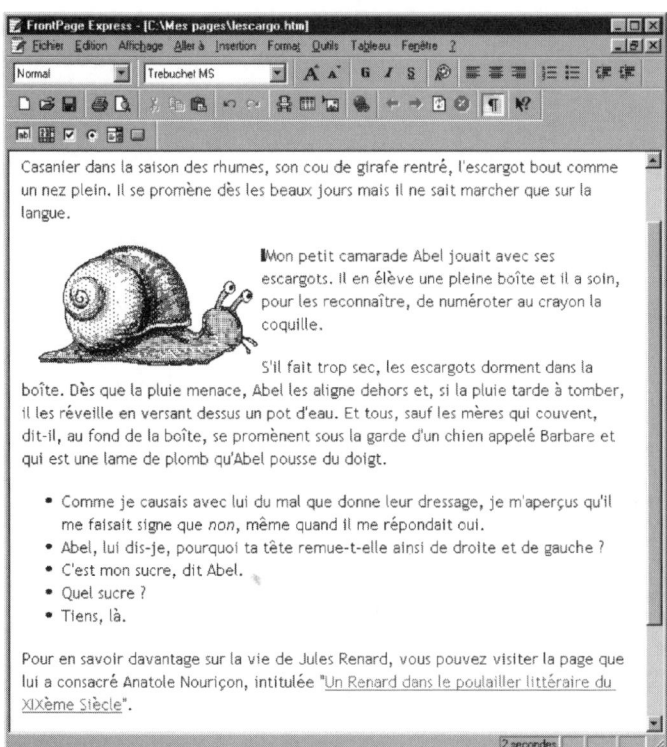

Figure 13.9 :
Aspect de la
page
terminée.

Le code HTML généré

Pour voir le code HTML que FrontPage Express a généré, cliquez sur
Affichage/HTML (ou tapez <Alt>+<H> suivi de <H>). Une grande fenêtre
s'ouvre, à l'intérieur de laquelle se trouve le contenu réel du document
HTML (Figure 13.10). Vous pouvez (avec prudence !) y apporter des
modifications. Si vous refermez la fenêtre en cliquant sur le bouton
OK, ces modifications seront validées, mais pour les enregistrer vous
devrez ensuite cliquer sur Fichier/Enregistrer ou taper <Ctrl>+<S>.

Publication de la page Web créée

Nous vous suggérons de ne pas utiliser la fonction proposée par
FrontPage Express, mais de lui préférer l'un des logiciels spécialisés,
comme cela a été expliqué au Chapitre 11.

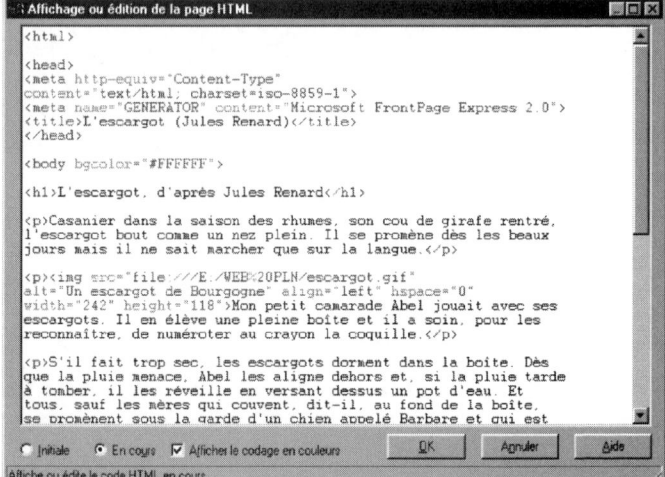

Figure 13.10 : Le code HTML généré par FrontPage Express.

Au-delà de FrontPage Express

Lorsque votre site atteindra une dizaine de pages, vous constaterez que sa maintenance peut s'avérer délicate. Non pas que la gestion des liens pose de réels problèmes, pour peu que vous n'ayez pas dispersé vos documents HTML dans plusieurs répertoires, mais parce qu'il devient difficile de se rappeler quelle page appelle telle ou telle autre page.

FrontPage facilite dans une certaine mesure le suivi des liens mais il est payant. Pour une suite de pages personnelles, le jeu n'en vaut généralement pas la chandelle. Pour un site professionnel, dans la mesure où ce n'est pas vous qui financerez cette acquisition, cela peut être envisagé.

Chapitre 14

Netscape Composer

- -

Dans ce chapitre :

▶ A la découverte de Netscape Composer.

▶ Comment se procurer Netscape Communicator et Netscape Composer.

▶ Mise en œuvre de Netscape Composer.

▶ Au-delà de Netscape Composer.

- -

*L*a version de Netscape Communicator la plus couramment disponible en France est la 4.75. Une nouvelle version, la 6.0, est sortie courant novembre 2000. La presse américaine a généralement souligné son manque de maturité et les nombreux bogues – cependant signalés par les *bêta testeurs* – qui subsistent. Nous resterons donc fidèles à la 4.75.

A la découverte de Netscape Composer

Netscape Composer (le logiciel d'écriture des pages Web) et Netscape Messenger (le mailer de Netscape) sont étroitement intégrés à Netscape Communicator. Lorsqu'on installe le package Netscape Communicator, on installe en même temps les trois modules. Il existe des versions de Netscape Communicator pour de nombreuses plates-formes (Windows, Macintosh, une dizaine d'avatars d'UNIX et de Linux) et en plusieurs langues.

C'est un éditeur WYSIWYG admettant le couper/coller entre sa propre fenêtre et celle du navigateur. Une rubrique de menu permet d'accéder au code HTML généré en cas de besoin. Cet éditeur comporte à peu près toutes les fonctionnalités désirables.

FrontPage Express ou Netscape Composer ?

Voici quelques points de comparaison, vus à partir de Netscape Composer, qui pourront vous aider dans votre choix. Vous trouverez leur pendant dans le Chapitre 13 consacré à FrontPage Express, mais cette fois du point de vue du logiciel de Microsoft.

- Totalement gratuit. Les deux logiciels sont gratuits.

- Extensions possibles. Aucune, du côté de Netscape. Vers FrontPage 2000 pour son concurrent.

- Plates-formes supportées. Toutes les variétés de Windows et du Macintosh ainsi qu'un bon nombre de variétés d'UNIX. Pour sa part, FrontPage Express est limité à la famille Windows 32 bits.

- Intégration avec le module de navigation. Netscape Composer est probablement mieux intégré à Netscape Communicator que FrontPage Express ne l'est à Internet Explorer[1].

- Possibilité de contrôles programmés. Alors que FrontPage Express permet d'incorporer des applets Java ou des contrôles Active-X, Netscape Composer n'offre rien de comparable.

- Assistants et modèles de pages. Il existe des plugins pour réaliser des liens avec des images réactives, pour convertir des fichiers et assurer le support des caractères spéciaux. Vous pouvez les télécharger à partir de l'URL :

    http://developer.netscape.com/docs/examples/plugins/composer

    Sans ces plugins, Netscape Composer est plus limité que FrontPage Express mais, lorsqu'ils sont installés, ils apportent des moyens supplémentaires, comparables à ceux qu'offrent d'autres éditeurs HTML et qui n'existent pas avec le logiciel de Microsoft.

- DHTML. Les approches de Microsoft et de Netscape sont incompatibles, mais ce n'est pas un réel inconvénient, car, en dehors d'un intranet où on maîtrise complètement les logiciels en service, mieux vaut actuellement se dispenser de ces gadgets si on veut être vu dans de bonnes conditions par le plus de visiteurs possible.

- Vérificateur d'orthographe. Ici, Netscape Composer marque un point, car sa version française est pourvue d'un vérificateur, totalement absent chez l'enfant de Microsoft.

---

[1] Nous nous demandons ce que les auteurs veulent dire par là. S'il s'agit de la possibilité d'appeler le module de courrier électronique depuis celui de navigation, nous n'avons constaté aucune différence entre les logiciels de Netscape et ceux de Microsoft. *(N.d.T.)*

> ✔ Dans l'ensemble. Les revues d'informatique classent généralement Netscape Composer avant FrontPage Express.
>
> Si on pèse ce qui manque à chacun des deux logiciels, on s'aperçoit qu'il est difficile d'aboutir à une conclusion objective. A vous de juger en fonction de vos goûts, de vos besoins et de vos habitudes. Et si vous avez un Mac, vous n'avez pas le choix : c'est Netscape Composer ou rien.

Les bases de Netscape Composer

Netscape Composer contient la plupart des fonctionnalités qu'on peut souhaiter trouver dans un éditeur HTML :

- ✔ Création et édition de pages Web sans voir les balises HTML.

- ✔ Création de liens vers d'autres pages de votre site Web sans avoir à saisir leur URL ou leur chemin d'accès.

- ✔ Insertion d'images par glisser/déposer dans la page.

- ✔ Modification des dimensions des images.

- ✔ Création et édition des tableaux de façon très souple.

Il manque à Netscape Composer certaines fonctionnalités parmi lesquelles :

- ✔ Edition directe du code HTML généré. Pour cela, il faut recourir à un éditeur externe (le Bloc-notes de Windows ou SimpleText sur le Macintosh, par exemple).

- ✔ Support des formulaires et des frames (cadres) qui sont pourtant une extension d'origine Netscape et sont maintenant courants dans tous les sites Web, ce qui le classe d'office très en deçà des outils d'édition de qualité.

Pour nous résumer

Netscape Composer est un outil pratique pour commencer à écrire des pages Web et son apprentissage n'est pas difficile. L'absence de deux fonctionnalités importantes (les formulaires et les frames) serait plutôt un avantage pour les débutants qui pourront toujours, après avoir acquis quelque expérience, se procurer un outil d'édition plus complet.

Comment se procurer Netscape Communicator

De même que pour FrontPage Express, il ne serait pas raisonnable de recourir au téléchargement pour se procurer le package Netscape Communicator, car la taille de ce module dépasse les 15 Mo. C'est donc au CD-ROM accompagnant régulièrement les revues d'informatique, et plus spécialement celles qui se consacrent à l'Internet, qu'on aura recours de préférence. Le nom du module correspondant à la version 4.75 est **cb32e47.exe** (ou **cc32e47.exe**).

L'installation se borne à lancer l'exécution de ce fichier et à choisir éventuellement quelques-unes des options ainsi que le répertoire de destination. Répétons qu'on installera nécessairement tous les composants du package, puisqu'on ne peut pas, comme pour FrontPage Express, exclure ceux dont on ne veut pas.

Mise en œuvre de Netscape Composer

Netscape Composer associe les fonctionnalités d'un traitement de texte à celles d'un navigateur, et vous n'êtes pas limité par votre manque de connaissance de HTML. Voici quelques-unes des tâches que vous allez accomplir :

- ✔ Mettre un titre au début de la page.

- ✔ Saisir et mettre en forme du texte.

- ✔ Ajouter un lien.

- ✔ Ajouter une image.

- ✔ Voir quel est le code HTML généré.

- ✔ Publier la page ainsi réalisée.

Nous allons reprendre le même essai que celui que nous avons réalisé pour FrontPage Express au Chapitre 13, ce qui vous permettra de mieux comparer les deux logiciels.

Commencez par un titre

Commencez par ouvrir un nouveau document et dotez-le d'un titre.

1. **Lancez Netscape Composer.**

2. **Cliquez sur Format/Propriétés et couleur de la page**. Une boîte de dialogue s'affiche. Dans la boîte de saisie placée à droite de Titre, saisissez le titre que vous voulez donner à la page. Pour notre exemple, ce sera : "L'escargot (Jules Renard)".

3. **Dans la boîte de saisie placée à droite de Mots clés, tapez quelques mots clés en rapport avec le sujet de la page**. Ici, nous avons choisi : "Escargot", "Jules Renard" et "Histoires naturelles".

4. **Cliquez sur le bouton OK pour valider les informations que vous venez de saisir.** La Figure 14.1 vous montre comment se présente la boîte de dialogue que vous venez de renseigner.

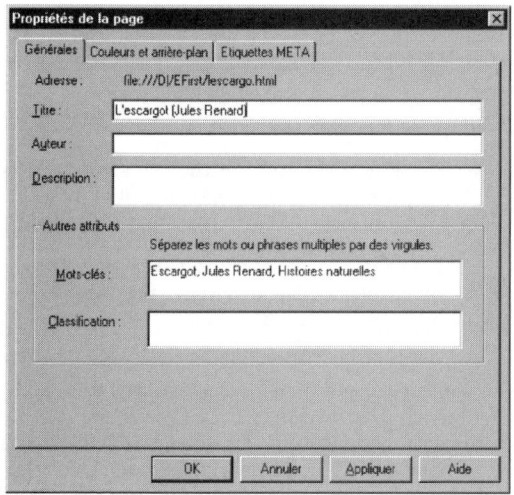

Figure 14.1 :
La boîte de
dialogue des
Propriétés de
la page.

5. **Cliquez sur Fichier/Enregistrer sous...** Dans la boîte de sélection de fichier qui apparaît, choisissez un répertoire et un nom pour le fichier. Par défaut, son extension sera **.htm**.

Saisie et mise en forme de texte

Nous allons suivre la même démarche qu'au chapitre précédent pour FrontPage Express, en empruntant le texte qui suit à Jules Renard pour notre page consacrée à ce modeste gastéropode. Avant de passer à la saisie proprement dite, voici les étapes à parcourir :

1. **Tapez le titre que vous souhaitez voir affiché dans la fenêtre du navigateur.** Ce sera: *L'escargot, d'après Jules Renard*. Ce sont les mots que vous allez donc saisir à l'endroit où se trouve le pointeur d'insertion, dans le coin supérieur gauche de la fenêtre de Netscape Composer. Ne terminez pas par <Entrée>.

2. **Cliquez sur la petite flèche à droite de la boîte à liste déroulante la plus à gauche et sélectionnez En-tête 1.** Les mots que vous venez de saisir grossissent instantanément et prennent l'aspect d'un titre.

3. **Le pointeur se trouvant à l'extrémité de la ligne du titre, appuyez sur <Entrée>.** Le curseur se place alors au début d'une nouvelle ligne et la boîte à liste déroulante affiche Normal.

Le curseur se trouvant toujours sur la ligne du titre, pour centrer celui-ci, cliquez sur Format/Aligner/Centre ou tapez <Ctrl>+<E>.

4. **Saisissez le texte qui suit :**

> Casanier dans la saison des rhumes, son cou de girafe rentré, l'escargot bout comme un nez plein. Il se promène dès les beaux jours mais il ne sait marcher que sur la langue.

> Mon petit camarade Abel jouait avec ses escargots. Il en élève une pleine boîte et il a soin, pour les reconnaître, de numéroter au crayon la coquille.

> S'il fait trop sec, les escargots dorment dans la boîte. Dès que la pluie menace, Abel les aligne dehors et, si la pluie tarde à tomber, il les réveille en versant dessus un pot d'eau. Et tous, sauf les mères qui couvent, dit-il, au fond de la boîte, se promènent sous la garde d'un chien appelé Barbare et qui est une lame de plomb qu'Abel pousse du doigt.

> Comme je causais avec lui du mal que donne leur dressage, je m'aperçus qu'il me faisait signe que non, même quand il me répondait oui.

> Abel, lui dis-je, pourquoi ta tête remue-t-elle ainsi de droite et de gauche ?

> C'est mon sucre, dit Abel.

> Quel sucre ?

> Tiens, là.

5. **Sélectionnez à l'aide du pointeur de la souris le texte que vous voulez mettre en forme.** Ici, ce sera le simple mot "non", au milieu du quatrième paragraphe (Figure 14.2).

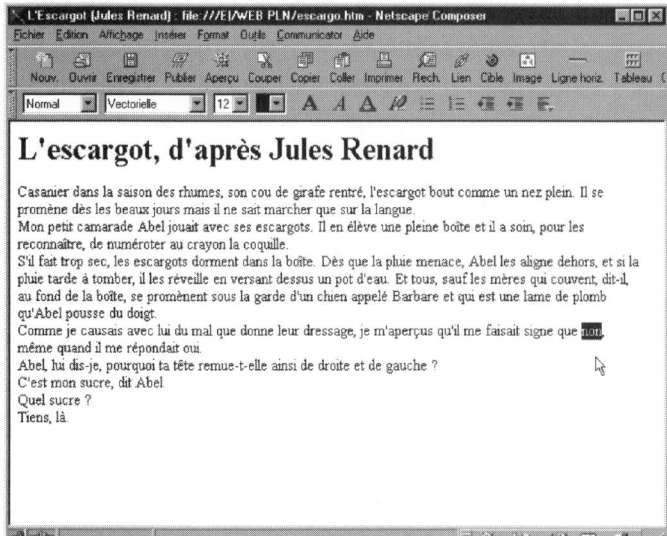

Figure 14.2 : Sélection du mot à afficher en italique.

6. **Cliquez sur l'outil de mise en italique, le "A" penché, situé un peu au-dessous de l'outil Recherche, dans la barre d'outils de Netscape Composer.** Le mot s'affiche immédiatement en italique.

7. **Pour que le dialogue apparaisse comme tel, nous allons faire une liste des quatre derniers paragraphes (Figure 14.3).** Pour cela, sélectionnez-les à l'aide de votre souris.

8. **Cliquez sur l'outil "Liste à puces" qui se trouve dans la seconde barre d'outils et dont on voit l'infobulle sur la Figure 14.3.** Le texte se présente maintenant comme le montre la copie d'écran de la Figure 14.4.

Ajoutons un lien

Voici comment vous devez procéder :

1. **Saisissez le texte suivant :**

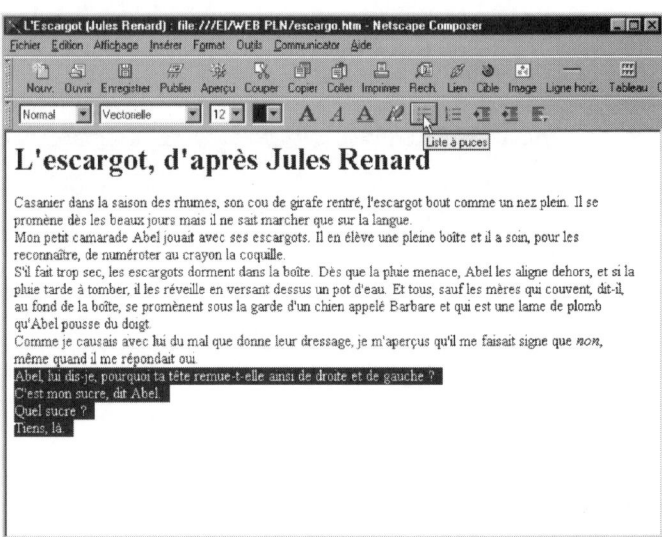

Figure 14.3 :
Sélection des
lignes à
présenter
sous forme
de liste.

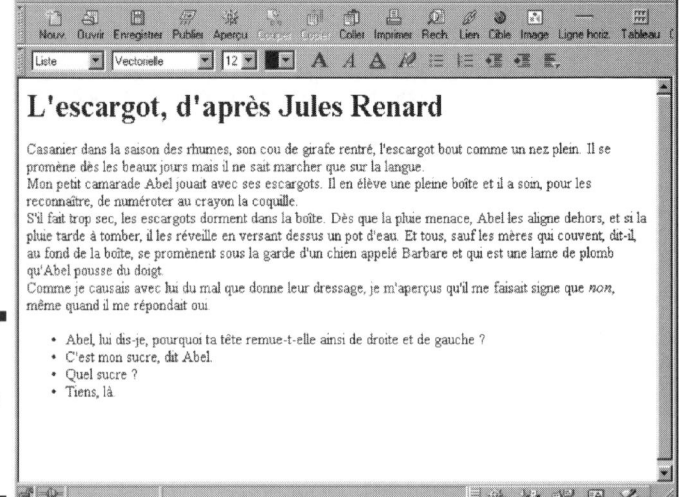

Figure 14.4 :
Quatre
paragraphes
transformés
en liste à
puces.

Pour en savoir davantage sur la vie de Jules Renard, vous pouvez visiter la page que lui a consacrée Anatole Nouriçon, intitulée "Un Renard dans le poulailler littéraire du XIXe siècle".

2. **Sélectionnez le texte entre guillemets qui va servir d'appel de lien.**

3. **Cliquez sur Insérer/Lien.** Vous pouvez aussi cliquer sur Insérer/ Lien ou, plus simplement, taper <Ctrl>+<Maj>+<L>. Ou encore cliquer sur l'outil Lien, celui qui ressemble à un maillon, dans la première barre d'outils (Figure 14.5). La boîte de dialogue reproduite sur la Figure 14.6 s'affiche.

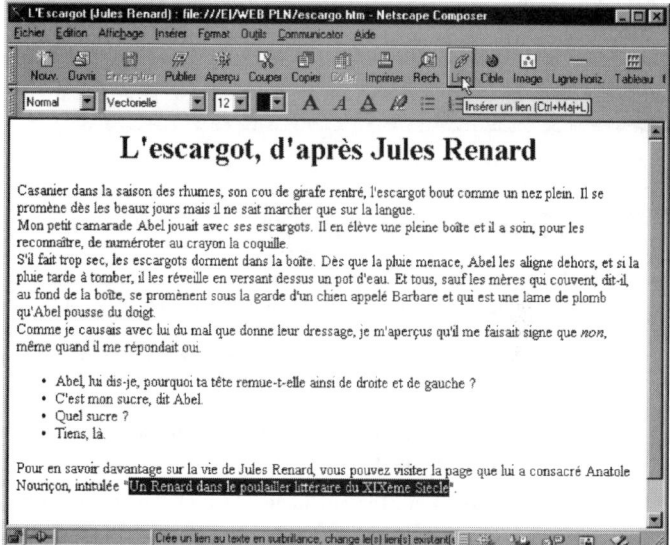

Figure 14.5 : Création d'un appel de lien.

4. **Dans la première boîte de saisie, tapez l'URL de la page vers laquelle doit pointer le lien.** Nous supposerons que c'est la suivante :

```
http://www.littera.com/anatole/renard
```

5. **Cliquez sur le bouton OK.** La boîte de dialogue disparaît et le texte qui était sélectionné apparaît maintenant sous forme de lien, c'est-à-dire souligné et affiché en bleu.

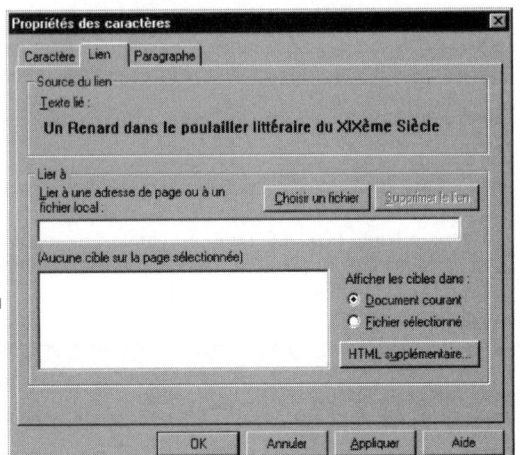

Figure 14.6 :
Boîte de
dialogue de
définition du
type de lien.

Ajoutons une image

Pour insérer une image, vous pouvez la faire glisser dans la fenêtre de
Netscape Composer à partir d'une autre fenêtre ou ouvrir un fichier.
La marche à suivre ressemble à l'insertion d'un lien. Nous allons
illustrer notre page au premier degré par l'insertion d'une image que
nous possédons déjà : **escargot.gif**.

1. **Placez le pointeur de la souris dans la page, là où vous voulez
   qu'apparaisse l'image.**

2. **Cliquez sur Insérer/Image.** La boîte de dialogue Image s'affiche.

3. **Après avoir cliqué sur le bouton Choisir le fichier, sélectionnez l'image que vous voulez insérer.** Ne seront affichés que les
   noms des images dont le type est GIF, JPEG ou BMP.

   Si vous choisissez une image au format BMP, une boîte de
   dialogue va vous proposer de la convertir en image de type
   JPEG. Après votre acceptation, une seconde boîte de dialogue
   vous donnera le choix entre trois qualités : élevée, moyenne
   (option par défaut) et faible.

4. **Double-cliquez sur le nom du fichier de l'image que vous avez
   choisie.**

5. **Vous devez maintenant définir sa position en cliquant sur l'une des icônes placées dans la zone Alignement du texte ou rebouclage autour de l'image.** Pour qu'elle se situe à gauche et soit entourée par le texte, nous choisirons l'avant-dernière, comme vous pouvez le voir sur la Figure 14.7.

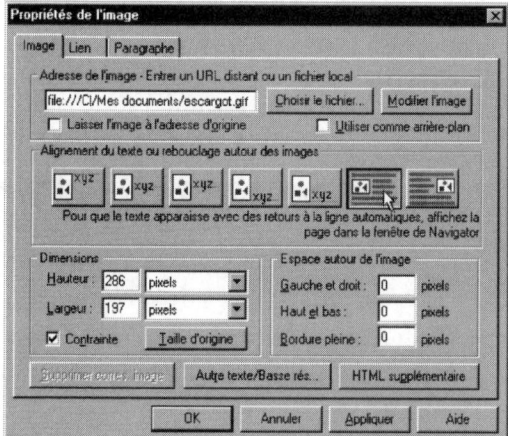

Figure 14.7 :
Choix de la position de l'image dans la page.

6. **Cliquez sur le bouton Aut**re **texte/Basse rés...** Dans la première boîte de saisie, tapez le texte qui sera affiché par les visiteurs ayant désactivé le chargement des images (voir la Figure 14.8). Par exemple : "Un escargot de Bourgogne". Ignorez l'autre boîte de saisie.

7. **Cliquez ensuite sur le bouton OK des deux boîtes de dialogue.**

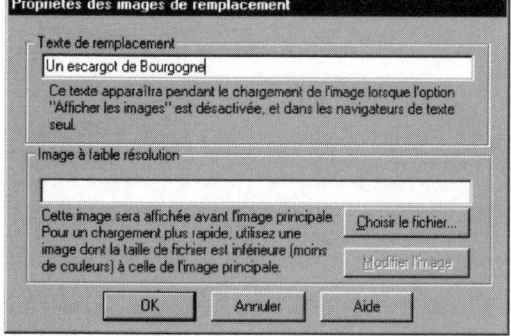

Figure 14.8 :
Texte de remplacement.

8. **L'image apparaît immédiatement dans la page.** A l'endroit où se trouvait précédemment le pointeur de la souris, mais pas de la façon dont vous l'aviez prévue car elle n'est pas entourée par le texte. Il ne s'agit là que d'un bug de prévisualisation de Netscape Composer.

9. **Pour vérifier la présentation de la page, cliquez sur l'outil Aperçu de la première barre d'outils.** Netscape Navigator est appelé et charge automatiquement la page. Si vous n'aviez pas sauvegardé votre page, une boîte de message vous demande de le faire. La Figure 14.9 vous montre la page terminée. Sa présentation est heureusement bien conforme à ce que nous désirions.

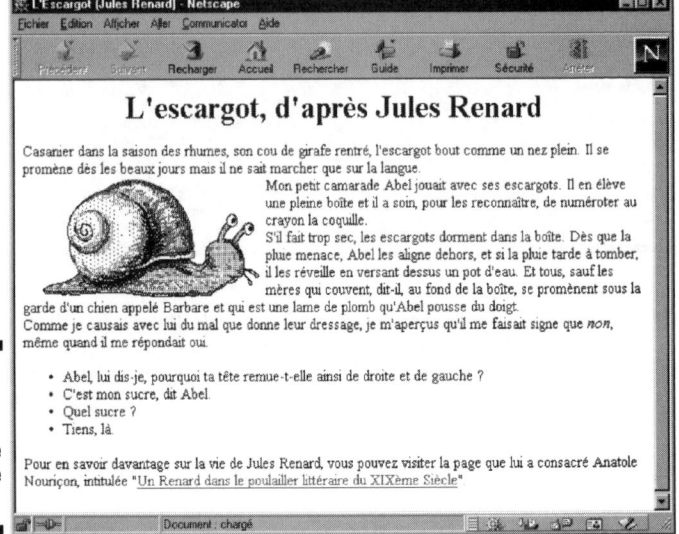

Figure 14.9 :
Aspect de la
page
terminée, vue
par Netscape
Navigator.

Le code HTML généré

Pour voir ce qui a été généré par Netscape Composer, il suffit de cliquer sur Affichage/Source de la page. Contrairement à ce qui se passe avec FrontPage Express, vous remarquerez que les caractères accentués ont bien été traduits par Netscape Composer en entités de caractères.

Dans cette vue, il n'est pas possible de modifier le code. Si vous voulez procéder à quelques ajustements, vous devrez utiliser un éditeur externe que vous choisirez à votre convenance. Pour cela, cliquez sur Édition/Source H<u>T</u>ML et, dans la boîte de sélection de fichier, sur Sélectionner l'éditeur HTML qui s'ouvre, choisissez votre éditeur (éditeur de texte ou éditeur spécialisé HTML) puis double-cliquez sur son nom.

Ce choix est fait une fois pour toutes et ne vous sera plus proposé dans les sessions suivantes.

L'éditeur que vous venez de choisir est alors appelé et le contenu du fichier HTML que vous venez de créer y est chargé. Il ne vous reste plus qu'à effectuer vos retouches, à sauvegarder le résultat et à refermer l'éditeur que vous venez d'utiliser. Vous revenez alors à Netscape Composer.

Publication de votre page Web

Les fichiers HTML créés par Netscape Composer sont directement publiables. Pour cela :

1. **Cliquez sur l'icône Publier dans la barre d'outils supérieure de Netscape Composer.**

2. **Dans la boîte de dialogue Publier, renseignez les boîtes de saisie Adresse HTTP ou FTP de publication, nom d'utilisateur et mot de passe.** Ces informations peuvent être obtenues auprès de votre hébergeur. Par prudence, ne cochez pas la case placée en face d'Enregistrer le mot de passe.

3. **Cliquez sur OK.**

Au-delà de Netscape Composer

Comme nous l'avons signalé, Netscape ne propose pas d'autre éditeur de documents HTML. Si vous voulez aller plus loin, vous serez donc obligé d'acquérir un autre éditeur.

Chapitre 15
La famille Macromedia

*L*oin de vouloir faire de la publicité pour un éditeur de produits dévolus à la création web, il n'en reste pas moins que Macromedia est le premier à avoir lancé sur le marché une suite logicielle complète permettant de créer assez facilement des sites dynamiques faisant la part belle aux animations vectorielles.

La gamme Macromedia propose :

- Flash : Un programme très puissant de création d'animations vectorielles, et de conception d'interfaces web dynamiques.

- Fireworks : Un programme d'édition graphique plus spécialement orienté vers l'optimisation des images destinées au web, la création de "rollovers" à distance, de zones actives, etc.

- Dreamweaver : Un programme de mise en page web WYSIWYG qui gère le code HTML avec une précision sans équivalent.

Si vous ne comprenez rien aux termes *animations vectorielles*, *interface web dynamique*, *optimisation des images*, *rollovers à distance* (*ou non*), *mise en page web*, ne vous inquiétez pas. Toutes ces notions sont expliquées dans les différentes sections où nous les abordons.

Maintenant que les présentations sont faites, essayons de mieux comprendre le fonctionnement de ces logiciels, leurs forces et leurs faiblesses, ainsi que leur intégration dans une suite logicielle cohérente dévolue à la création web.

Flash : quand les sites s'animent

Flash est le logiciel qui a modifié notre approche du Web en permettant de créer des zones animées dont le poids (la taille) ne pénalisait nullement le temps de téléchargement des sites. Sonnant le glas des interfaces web statiques, Flash ouvrait la porte à une créativité tout azimut sans que l'utilisateur soit obligé de saisir des lignes interminables de code HTML ou DHTML, d'appliquettes Java, et autres systèmes de programmations exotiques pour le profane qui ne veut qu'une chose : voir ce qu'il fait, et le tester quasiment en temps réel, hors connexion au Web.

Aujourd'hui, il est rare de tomber sur un site web qui n'affiche pas au moins une animation Flash. Je suis même certain que vous visitez des sites entièrement conçus avec Flash sans vous en rendre compte. C'est à la fois l'avantage et l'inconvénient de Flash. Il est capable de créer des sites web entiers, mais ne dispose pas de tous les atouts d'un programme comme Dreamweaver en la matière. Nous en reparlerons en temps utile.

Dans ce chapitre, nous allons mettre en évidence la philosophie de Flash, et dans les chapitres suivants, nous montrerons comment créer quelques effets sympathiques, à la fois pour vous meqj e l'eau à la bouche, mais aussi pour comparer Flash avec d'autres programmes œuvrant dans le même sens.

Pour tout savoir ou presque sur Flash, lisez *Flash MX pour les Nuls* paru aux éditions First Interactive.

Ce que Flash sait faire

Flash est un outil merveilleux qui permet aussi bien de créer une animation que la totalité d'une page web. Vous disposez alors d'un site complet qui s'anime en permanence au passage de la souris sur des boutons (survol, rollover, transformation par souris), et qui permet de renvoyer vers d'autres pages web entièrement conçues ou non dans Flash.

Flash génère un code HTML chaque fois que vous créez une animation. Ce code fait référence au fichier Flash lui-même. On peut dire ici que HTML sert uniquement à indiquer au navigateur web où il peut trouver l'animation Flash pour l'afficher sous les yeux ébahis de l'internaute.

Le cadre de cet ouvrage ne permet pas d'étudier Flash dans son intégralité. Ses fonctions, multiples et puissantes, sont à découvrir dans des ouvrages spécialisés sur ce logiciel. Malgré la restriction qu'impose le sujet de cet ouvrage, voici ce que vous pouvez faire avec Flash :

✔ **Créer du texte fixe ou animé qui prend place sur vos pages web.** Ce texte peut être une bande-annonce, un message de bienvenue ou toute prose qui vous passe par la tête. Par exemple, plutôt que d'afficher une page web avec le simple mot BIENVENUE, animez-le ! Une fois la page chargée, le texte apparaîtra en fondu, lettre après lettre, en se déplaçant sur une trajectoire, en effectuant un zoom vers l'avant, et bien d'autres choses encore que vous découvrirez dans les nombreuses fonctionnalités de Flash.

✔ **Utiliser Flash comme simple outil de dessin.** Flash est un outil de dessin vectoriel. C'est pour cela qu'il sait aussi bien les animer. Il est donc possible de concevoir un graphique vectoriel dans Flash et de le placer ensuite dans une page web à l'aide d'un logiciel comme Dreamweaver (pur produit de mise en page HTML). Par exemple, vous dessinez un bouton dans Flash que vous importez dans Dreamweaver. Ce bouton sera statique (simple ornementation) ou dynamique (exécutant une action quand on clique dessus).

✔ **Animer graphiques et objets.** Les objets peuvent changer de taille, pivoter, se déplacer en suivant une trajectoire, et même changer de forme. Ils peuvent également disparaître grâce aux fonctions de transparence et de luminosité de Flash.

✔ **Remplir et animer des formes et du texte avec des dégradés.** Il est possible de remplir des formes avec des images bitmaps importées dans Flash. Par exemple, vous pouvez remplir les lettres d'un mot avec une texture.

✔ **Créer des boutons qui changent de forme et de couleur.** Nec plus ultra de la conception web ! Créez des boutons dynamiques qui vivent, attirent l'attention de l'internaute, tout en exécutant des tâches aussi simples que renvoyer à une autre page web classique, et aussi impressionnantes que déclencher une musique et/ou une animation.

✔ **Ajouter des sons ou de la musique à vos animations.** Flash donne un contrôle absolu sur la lecture des fichiers audio. Le son est lu une ou plusieurs fois, en boucle, ou quelques secondes après l'affichage de la page web.

✔ **Créer des menus qui transforment votre page web en une véritable interface logicielle.** Ici, les menus peuvent renvoyer à d'autres pages web ou contenir des éléments qui lancent des animations.

✔ **Créer un préchargeur qui fait patienter l'internaute pendant le chargement d'une animation ou d'un site Flash.**

Flash paraît sans limite. Même si ce logiciel n'est pas facile à maîtriser, les premiers éléments que l'on y crée apportent une satisfaction et un plaisir incommensurable à leurs auteurs.

La puissance de Flash est telle que la plupart des jeux que vous rencontrez sur les sites web ont été créés avec Flash.

La Figure 15.1 montre l'interface de Flash organisée autour de palettes d'outils et de fonctions.

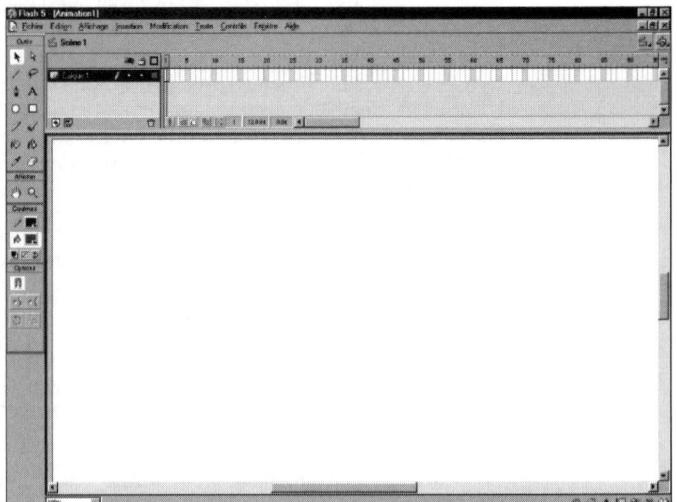

Figure 15.1 :
L'interface
déconcer-
tante de
Flash 5.

Philosophie du travail dans Flash

Flash existe, c'est bien. Mais il faut s'en servir, et pour s'en servir, il faut bien saisir sa philosophie de travail. Eh oui, travailler encore et toujours ! Non, Mesdames et Messieurs, Flash, aussi génial soit-il, ne fait pas tout le travail à votre place.

Le maître mot du travail dans Flash est "animation". Alors, envisagez ce logiciel comme un gigantesque studio d'animation vectorielle dont les sections suivantes décrivent les différents secteurs.

La Scène

Représentée sur la Figure 15.2, c'est le lieu où tout se passe. Vous y créez vos formes et autres graphiques, que vous animez grâce à diverses techniques telles que l'interpolation de forme ou de mouvement, voire la création d'animations image par image comme au bon vieux temps.

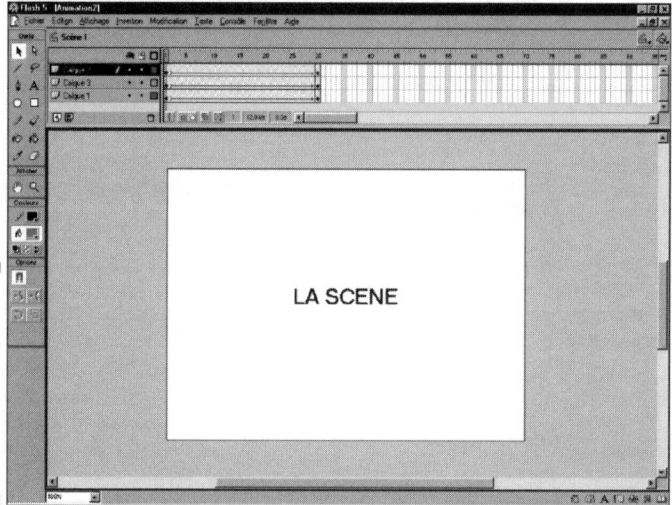

Figure 15.2 :
La Scène,
emplacement
de prédilec-
tion pour la
création des
divers objets
à animer.

L'interpolation est une technique d'animation *automatique*. Vous définissez une image de début, par exemple un cercle, et une image de fin, comme un carré. Ces deux images sont des images clés qui vont servir de référence à Flash pour créer une animation. Afin que le cercle se transforme en carré, il suffit d'éloigner ces deux images clés dans le temps. Par exemple, vous placez l'image clé du cercle sur l'image 1 du Scénario de Flash, et l'image clé du carré sur l'image 15 du Scénario de Flash. En utilisant la fonction Interpolation de forme de Flash, la transformation progressive du cercle en carré est calculée par Flash. En d'autres termes, Flash crée les images 2 à 14. Cette technique peut être utilisée pour des mouvements (interpolation de mouvement), ce qui permet de créer plus rapidement de véritables dessins animés.

Grâce à la lecture d'une succession d'images, vous donnez l'illusion d'un mouvement. C'est le principe même du cinématographe en général, et du cinéma d'animation en particulier.

Le Scénario

Cette partie de l'interface de Flash gère les calques et les images de l'animation. Le résultat est affiché sur la Scène. Comme vous le constatez sur la Figure 15.3, le Scénario est composé de petites cases représentant chacune une image de l'animation. C'est la lecture successive de ces images qui va créer un effet animé.

Figure 15.3 :
Le Scénario
gère les
différentes
images de
l'animation
composée de
calques.

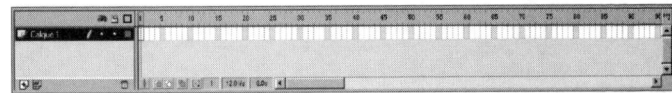

Les calques

A gauche du Scénario, se trouve la palette des *calques*. Toute nouvelle animation est dotée d'un seul calque appelé calque 1 (voir la Figure 15.4). Le calque équivaut à un film transparent contenant un dessin. La superposition des calques permet d'obtenir des animations complexes car chaque calque s'anime indépendamment des autres. Dans Flash, toute l'organisation des animations repose sur celle des calques. Ainsi, il est facile de placer un décor statique sur un calque. Les autres calques de l'animation contiendront diverses formes, objets et personnages animés. C'est le principe du dessin animé !

Les symboles

Flash tire sa puissance des *symboles*. N'importe quelle image importée ou créée dans Flash peut être convertie en symbole. Cela signifie deux choses :

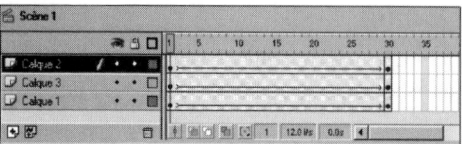

Figure 15.4 :
La palette
des calques
de Flash.

✔ L'élément (texte, image, forme) apparaît dans la Bibliothèque des symboles représentée sur la Figure 15.5.

✔ Le symbole d'un élément peut être utilisé plusieurs fois dans une animation sans en pénaliser la taille. Chaque "copie" d'un symbole ainsi placée sur un calque se nomme une *occurrence*.

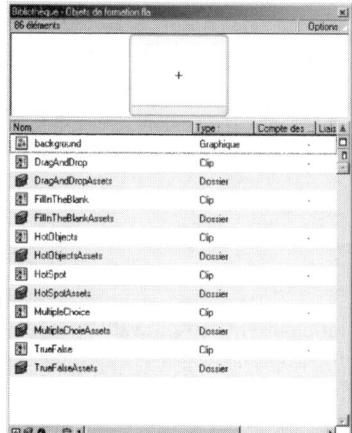

Figure 15.5 :
La Biblio-
thèque des
symboles.

La notion de symbole est fondamentale dans Flash. Imaginons que vous désiriez animer l'apparition des puces d'une liste. Vous créez une puce carrée de couleur grise. Il suffit de convertir cette puce en symbole, puis de la faire glisser de la Bibliothèque sur la Scène chaque fois que vous désirez utiliser une nouvelle puce. Un même symbole peut être utilisé à l'infini dans Flash.

Le symbole permet donc de créer des animations sophistiquées sans pénaliser le temps de téléchargement de l'animation Flash.

La boîte à outils

Flash dispose d'une boîte à outils complète pour créer des formes et du texte. Appréciez-en la diversité sur la Figure 15.6.

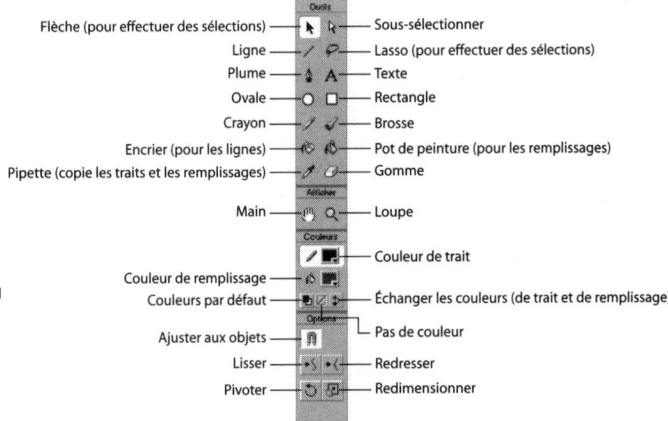

Flèche (pour effectuer des sélections) ——— Sous-sélectionner
Ligne ——— Lasso (pour effectuer des sélections)
Plume ——— Texte
Ovale ——— Rectangle
Crayon ——— Brosse
Encrier (pour les lignes) ——— Pot de peinture (pour les remplissages)
Pipette (copie les traits et les remplissages) ——— Gomme
Main ——— Loupe
——— Couleur de trait
Couleur de remplissage ———
Couleurs par défaut ——— Échanger les couleurs (de trait et de remplissage)
Ajuster aux objets ——— Pas de couleur
Lisser ——— Redresser
Pivoter ——— Redimensionner

Figure 15.6 :
La boîte à
outils de
Flash.

Les panneaux

Les panneaux de Flash rationalisent votre travail. Vous les organisez en fonction de vos habitudes de travail. Les sections qui suivent décrivent et illustrent les divers panneaux de Flash.

Info

Grâce à ce panneau, Flash donne des informations sur la position et la taille d'un objet. Tous les symboles peuvent être repositionnés et redimensionnés en saisissant directement des valeurs dans les champs X, Y, L et H du panneau Info. Sur la Figure 15.7, vous savez que l'objet sélectionné sur la Scène à une Largeur de 120 et une Hauteur de 60, et sa position est de 240 sur l'axe X et 100 sur l'axe Y.

Remplir

Avec le panneau Remplir, Flash donne la possibilité de remplir les objets avec des couleurs, des dégradés et des images bitmaps (des textures par exemple), comme le montre la Figure 15.8.

Figure 15.7 :
Le panneau
Info permet
entre autres
choses de
connaître
instantané-
ment la taille
et la position
d'un objet sur
la Scène.

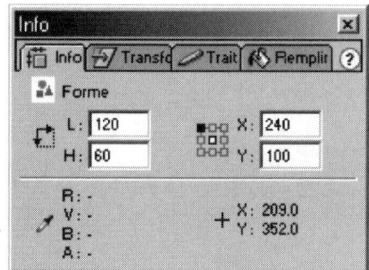

Figure 15.8 :
Le panneau
Remplir
applique des
couleurs, des
dégradés,
des bitmaps
aux objets.

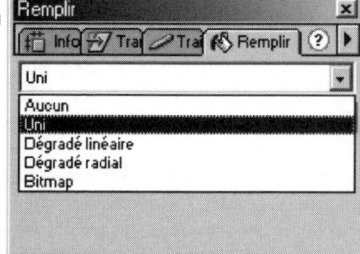

Trait

Avec ce panneau, Flash laisse l'utilisateur définir l'épaisseur des lignes
et des contours des objets, comme le montre la Figure 15.9.

Figure 15.9 :
Utilisez le
panneau
Trait pour
définir la
couleur et
l'épaisseur
des lignes et
des contours.

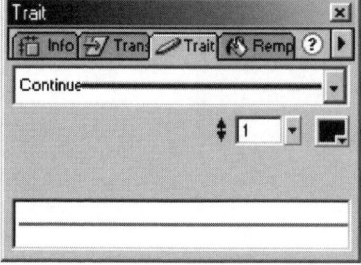

Transformer

Comme son nom l'indique, les options de ce panneau permettent de modifier la taille des objets, de les incliner et de les faire pivoter. Ce panneau est illustré sur la Figure 15.10.

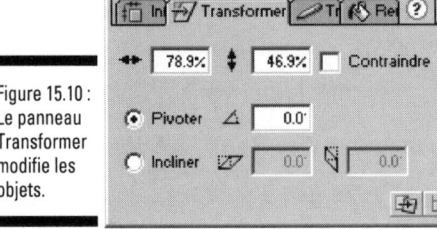

Figure 15.10 : Le panneau Transformer modifie les objets.

Aligner

Pour faciliter la disposition et l'alignement des objets sur la Scène, Flash met à votre disposition la palette Aligner représentée sur la Figure 15.11. Il suffit de sélectionner un objet. Il sert de référence à l'alignement des autres objets. Il devient facile de placer, par exemple, toutes les formes verticalement en les alignant sur le bord gauche de l'une d'elles.

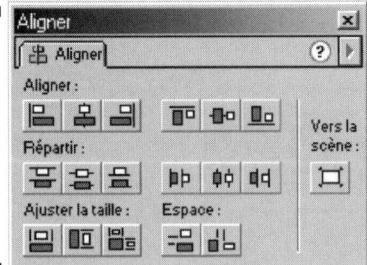

Figure 15.11 : L'alignement et la disposition des objets sont facilités par les options du panneau Aligner.

Mixeur

Comme en témoigne la Figure 15.12, Flash dispose d'un mélangeur de couleurs, sorte de nuancier géant qui rappelle le Sélecteur de couleur de Windows. La variété de ses options permet de sélectionner des couleurs qui s'afficheront identiquement sous environnement Windows et Mac OS, et de définir un niveau d'opacité (alpha).

Figure 15.12 :
Le panneau
Mixeur
permet de
sélectionner
des couleurs
de trait et de
remplissage
sans
contrainte de
système
d'exploita-
tion.

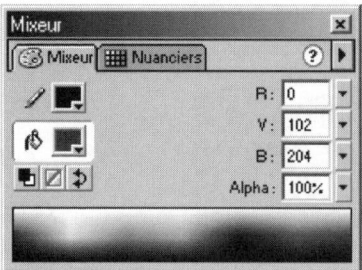

Nuanciers

Le panneau Nuanciers représenté sur la Figure 15.13 permet de créer vos propres jeux de couleurs et de définir des dégradés. Le fait de pouvoir sauvegarder un jeu de couleurs personnalisées assure une cohérence colorimétrique de vos animations Flash sur un site spécifique. Par exemple, vous retrouvez immédiatement telle nuance bleue que vous avez appliquée à un bouton.

Figure 15.13 :
Le panneau
Nuanciers
permet de
définir des
modèles de
couleurs et
des
dégradés.

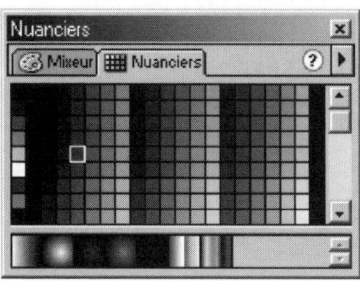

Caractère

La gestion des polices se fait dans le panneau Caractère de Flash (voir la Figure 15.14). Vous y choisissez le type de police, la taille, le style, le crénage et la couleur.

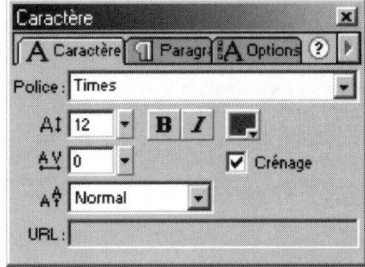

Figure 15.14 :
La gestion
des polices
d'un texte se
fait dans le
panneau
Caractère.

Le champ URL de ce panneau permet d'indiquer une adresse Internet pour télécharger la police utilisée. Cela est important quand vous utilisez des polices non conventionnelles, car vous courez le risque que l'internaute n'ait pas la police en question installée sur son ordinateur. Avec cette URL, il n'y a plus d'excuse à un mauvais affichage du texte.

Paragraphe

Bien que Flash ne soit pas un programme de traitement de texte, il dispose d'un panneau Paragraphe pour mettre en forme le texte. Vous définissez l'alignement et l'espacement du texte des paragraphes, son retrait et la ligne de base, comme le montre la Figure 15.15.

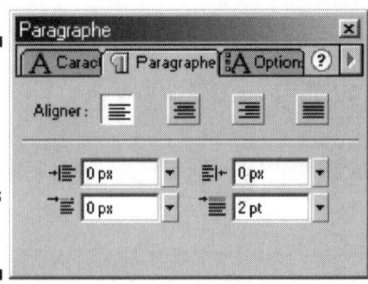

Figure 15.15 :
Les options
de mise en
forme du
texte se
trouvent dans
le panneau
Paragraphe.

Options de texte

La Figure 15.16 montre un panneau aux paramètres très avancés. Il permet de définir des textes dynamiques, statiques et de saisie. Le texte statique n'est pas modifiable, et ne génère aucune action. En revanche, les options Texte dynamique et Texte de saisie sont associées au paramètre Variable qui donne une fonction particulière au texte ou au champ. Pour bien appréhender les possibilités offertes par ce panneau, consultez un ouvrage consacré à Flash.

Figure 15.16 : Le fonctionnement des champs de texte est défini par les paramètres du panneau Options de texte.

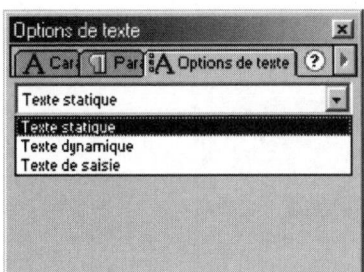

Occurrence

Flash dédie un panneau à la gestion des occurrences des symboles comme le montre la Figure 15.17. Dans Flash, un symbole est un objet graphique, une animation (clip) ou un bouton. Chaque type de symbole a un comportement spécifique, c'est-à-dire qu'un symbole Bouton ne peut pas être programmé comme un symbole Clip. Les symboles sont stockés dans la Bibliothèque. Mais, lorsque vous placez un symbole sur la Scène, il devient une *occurrence*, c'est-à-dire une copie du symbole. Dans une animation Flash, vous pouvez placer autant de copies (occurrences) que vous désirez.

Les occurrences n'alourdissent pas une animation Flash. Cela explique en grande partie pourquoi les animations Flash se téléchargent très rapidement malgré leur esthétisme et leur interactivité sophistiqués.

Effet

Voici un des panneaux essentiels de Flash (voir la Figure 15.18). Il gère des paramètres qui peuvent être animés par interpolation, comme la luminosité, la teinte et la transparence.

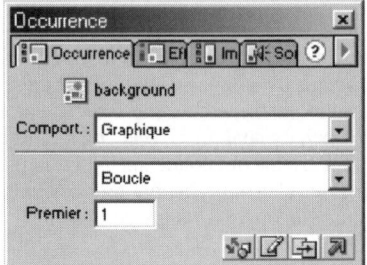

Figure 15.17 : La définition des occurrences des symboles est gérée dans le panneau Occurrence de Flash.

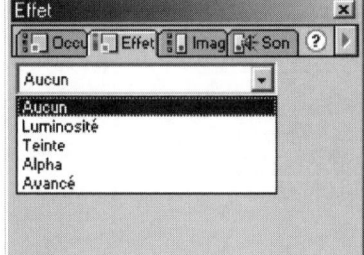

Figure 15.18 : Avec le panneau Effet, Flash permet d'animer les caractéristiques des occurrences des symboles.

L'interpolation est une technique permettant de créer une animation en définissant une image de départ et une image d'arrivée (des images clés). Flash calcule les images intermédiaires de l'animation. Ainsi, le paramètre Transparence du panneau Effet permet de faire apparaître ou disparaître l'occurrence d'un symbole en fondu. Cette technique, bien utilisée, donne des animations remarquables qui procurent aux sites web leur véritable titre de noblesse.

Image

Avec ce panneau représenté sur la Figure 15.19, Flash permet de contrôler les interpolations (animations automatiques entre deux images clés), et d'assigner des commentaires et des étiquettes aux images.

Figure 15.19 :
Le panneau
Image de
Flash.

Son

La gestion des éléments sonores est un gage de qualité dans les sites web modernes. Flash met à votre disposition le panneau Son pour gérer l'audio d'une animation. Cela entend la synchronisation avec un événement, l'application d'effets, et le bouclage. (Voir la Figure 15.20.)

Figure 15.20 :
La gestion
des para-
mètres audio
d'une ani-
mation passe
en partie par
le panneau
Son.

Une des grandes forces de Flash est la gestion du format de compression MP3 qui permet de disposer d'un médium audio de qualité tout en préservant largement la bande passante, c'est-à-dire en privilégiant le temps de téléchargement. Le format MP3 est idéal pour des sites de promotion musicale.

Aller plus loin

Il existe d'autres panneaux qui s'apparentent plus à des fenêtres de gestion d'événements spécifiques, comme l'Explorateur d'animations qui donne une vue globale de tous les éléments constituant une animation. Quand vous ne savez plus où se trouve un objet particulier ou un script spécifique, ouvrez cette fenêtre. Vous découvrirez une organisation hiérarchique des symboles, des occurrences et des scripts constituant l'animation en cours.

Fireworks

Fireworks est le complément graphique logique de Flash et de Dreamweaver (décrit plus loin). Il s'inscrit dans la lignée des logiciels qui donnent la part belle à la création, laissant la programmation à ceux qui en ont fait un sacerdoce. Fireworks optimise les images destinées aux sites web, et permet de créer des rollovers (transformation par souris, ou survol) infernaux avec une étonnante facilitée. Même si certaines fonctions sont redondantes avec Flash, notamment en ce qui concerne les rollovers, vous constatez qu'elles s'intègrent chacune dans une logique de création. La force de ces deux logiciels est d'autoriser la mise en œuvre de technologies identiques sans quitter le logiciel dans lequel l'utilisateur est en train de travailler. Si une interface web peut être créée dans Flash, vous verrez qu'il en est de même dans Fireworks. La cerise sur le gâteau : Fireworks génère le code HTML nécessaire à l'implémentation des objets dans une page web. En d'autres termes, Fireworks crée aussi des pages web.

Les "rollovers" sont des modifications de l'état d'un objet quand le pointeur de la souris passe dessus. Par exemple, un bouton carré devient rond indiquant que si l'on clique dessus on va déclencher non pas une guerre nucléaire totale, mais une action.

Présentation de Fireworks

La différence entre Flash et Fireworks est que le second nommé est un programme graphique. Vous l'utilisez pour créer des images destinées au Web. Comme la programmation HTML n'est pas votre souci premier, Fireworks vous libère de cette préoccupation. Il ne vous reste plus qu'à créer des graphiques dans une interface représentée sur la Figure 15.21, graphiques dont l'organisation sera exportée sous forme de page web. Étonnant, non ?

Créer une image simple ou complexe est une chose, mais l'afficher le plus rapidement possible dans un navigateur web en est une autre. Sans sortir de Fireworks, vous pourrez optimiser vos images. Cela signifie que Fireworks dispose de fonctions pour trouver le bon compromis entre qualité de l'image et vitesse d'affichage. Cette vitesse est essentielle à l'heure où la plupart des internautes se connectent

Figure 15.21 :
L'interface
de Fireworks.

toujours au Web avec des lignes téléphoniques classiques. Le "surfeur fou" n'attend pas indéfiniment l'affichage des graphiques d'une page. Au bout de 20 secondes, il décroche et va voir ailleurs si les choses vont plus vite. Fireworks permet d'optimiser les images pour un affichage rapide de la page sans détériorer outre mesure la qualité de vos graphiques.

Philosophie du travail dans Fireworks

La philosophie de Fireworks est de mettre à la disposition de l'utilisateur tous les outils et fonctions lui permettant de préparer des images pour le Web et de les mettre en page. Même s'il n'a pas la puissance de Flash, Fireworks autorise la création d'animations sommaires.

Vos travaux réalisés dans Fireworks peuvent être exportés sous forme d'un document HTML. Il regroupe alors tous les éléments définis dans l'espace de travail de Fireworks pour les afficher impeccablement dans un navigateur web.

Voici, en bref, le déroulement d'une session de travail dans Fireworks.

✔ **Le projet :** Dans Fireworks, comme dans tout logiciel graphique, le projet prend la forme d'un document qui se constitue dans une zone de travail. Cette zone équivaut à la toile d'un peintre.

Vous exprimez tout ce sens artistique qui vous démarque des simples contemplatifs d'une vie morose où chacun cherche à survivre comme il le peut. (Yeh ! Quelle phrase !) Le devoir de l'artiste est de faire rêver, d'émouvoir, avec les outils de Fireworks.

✔ **Bitmaps contre images vectorielles.** Tous les éléments graphiques d'un site web peuvent être créés dans Fireworks. Leur nature est soit bitmap, soit vectorielle :

- Les *bitmaps* sont des images réalistes, comme des photographies ou des compositions d'infographistes avancés. Vous pouvez les importer dans Fireworks, les modifier et les optimiser pour une utilisation sur le Web. Comme nous l'avons déjà dit dans cet ouvrage (mais je pense à ceux qui sautent directement à cette section de l'ouvrage), le terme *bitmap* désigne des images constituées de points (pixels). Les *pixels* sont de petits points juxtaposés qui forment une image. Puisque la qualité d'une image bitmap est étroitement liée à sa résolution, plus vous augmentez sa taille, plus vous la détériorez.

- Les *images vectorielles* sont des graphiques créés avec les outils de Fireworks. Elles sont recommandées pour les boutons, les textes et les logos. Il est possible d'importer des images vectorielles créées dans d'autres programmes. Puisque la structure des images vectorielles repose sur des formules mathématiques, vous pouvez les redimensionner sans en altérer la qualité. Les images vectorielles n'ont pas la qualité de représentation des photographies. Elles se rapprochent davantage du dessin.

✔ **Modifier une œuvre :** Toute image créée ou importée dans Fireworks doit être positionnée sur l'espace de travail. Il est très rare que tous les éléments d'une page web soient exactement comme on le souhaiterait. Cela induit qu'il faut les redimensionner et les modifier afin d'obtenir des éléments présentables pour le Web. La modification d'une image se fait avec les outils de la boîte à outils et les commandes des menus.

✔ **Organiser vos créations :** La multiplication des objets créés dans l'espace de travail peut rapidement tourner au cauchemar. Les éléments deviennent très difficiles à sélectionner. Fireworks dispose d'outils d'organisation des objets. Vous pouvez grouper les objets en un seul élément, les répartir sur des calques, et combiner des groupements d'objets et des calques quand de nombreux éléments sont présents dans l'espace de travail.

✔ **Créer du texte :** L'image est essentielle dans les sites web, mais le texte est parfois incontournable. Fireworks propose un outil Texte dont les paramètres sont semblables à ceux d'un éditeur de texte standard.

✔ **Utiliser des symboles et des occurrences :** Nous retrouvons ici la même philosophie que celle développée par Flash. Les *symboles* sont des éléments que vous pouvez réutiliser à volonté. Un symbole est stocké dans la Bibliothèque d'un document. Chaque fois que vous prenez un symbole de la Bibliothèque pour le placer sur l'espace de travail, vous créez une *occurrence*. Il s'agit simplement d'une copie du symbole original.

✔ **Dynamiser vos travaux :** Fireworks améliore considérablement l'aspect de votre page web en appliquant des effets aux divers éléments créés. Des boutons peuvent être biseautés pour simuler un relief, le texte s'illumine, ou encore les objets sont dotés d'une ombre portée.

✔ **Animation :** Fireworks permet de modifier les caractéristiques d'un objet sur plusieurs images. La lecture successive des images donne l'illusion d'un mouvement. En d'autres termes, vous obtenez une animation.

✔ **Interactivité :** Le Web ne parle plus que d'*interactivité*. C'est-à-dire qu'il faut systématiquement placer des éléments qui réagissent au passage du pointeur de la souris et/ou qui exécutent une action quand vous cliquez dessus. L'internaute doit se retrouver dans un site dont le système de navigation lui fait penser à l'interface d'un logiciel avec des menus, des commandes et des boutons. Tous ces éléments interactifs peuvent être créés dans Fireworks sans aucune connaissance du langage JavaScript.

✔ **Optimiser vos créations :** La création, l'importation et la modification d'une image terminent généralement la phase de développement d'un projet. Il ne reste plus qu'une chose à faire : *optimiser*. Ce verbe signifie que vous devez choisir un format d'image qui permettra à votre page de charger des images aussi vite que possible dans un navigateur web. Fireworks est un maître en matière d'optimisation des images comme nous le verrons dans le prochain chapitre. Son panneau Optimiser permet de préparer soigneusement votre travail.

✔ **Exportation sur le Web :** Par définition, et à l'inverse d'un programme comme Photoshop, tout dans Fireworks est orienté vers le Web. Votre œuvre, aussi magnifique soit-elle, est destinée à être placée sur un serveur web qui permettra à tous les internautes de la planète de l'ouvrir dans leur navigateur. Autrefois, sans connaissance du langage HTML, il était impossible d'afficher ses œuvres sur le Web. Fireworks prend en charge cette tâche considérée comme ingrate par les créateurs web en herbe et les artistes qui se consacrent davantage à la création qu'à la programmation. Fireworks génère donc le code HTML nécessaire à une bonne présentation de vos images sur le Web. Cette "perfection" vous ferait presque passer pour un génie de l'HTML.

La Figure 15.22 montre une page web créée et optimisée dans Fireworks en moins de 15 minutes.

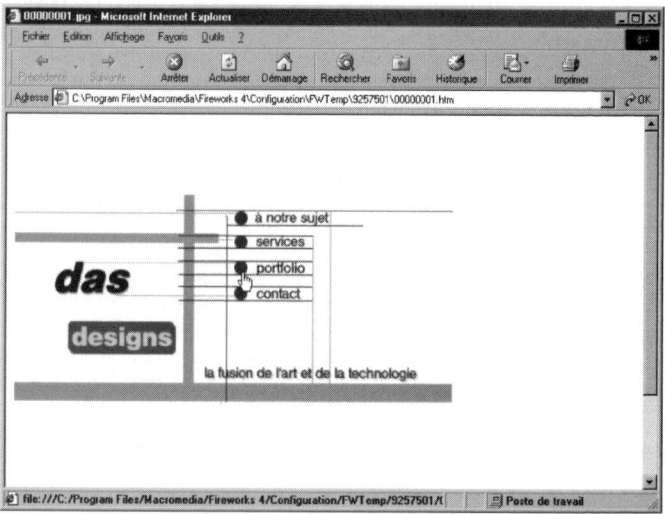

Figure 15.22 :
Fireworks
permet la
création
d'une page
web de A à Z.

Aller plus loin

Pour maîtriser ce logiciel complexe, vous devez lire un ouvrage qui lui est entièrement consacré. La meilleure des prises en main passe par un livre comme *Fireworks pour les Nuls*. Vous y découvrirez toute la richesse des techniques de Fireworks.

À la différence d'un logiciel graphique comme Photoshop, Fireworks est vraiment conçu pour le Web. Dans ce cas, une question légitime vous brûle les lèvres : "Pourquoi utiliser Flash et Fireworks, puisque les deux sont capables de créer des interfaces web dynamiques et des animations ?" La réponse est donnée dans la section suivante.

Différences entre Flash et Fireworks

Il serait imprudent de penser que Flash peut se substituer à Fireworks et inversement. Même si certaines fonctions sont similaires, il n'en existe pas moins des différences fondamentales entre les deux. D'une manière générale, et avant d'entrer un peu plus dans le détail, je dirais que tout ce que vous ne pouvez pas faire dans Fireworks, vous pouvez le faire dans Flash, et réciproquement, preuve que ces deux applications sont complémentaires.

L'autre preuve est que Macromedia, éditeur de ces deux applications, les a parfaitement interfacées. Vous pouvez passer de l'une à l'autre sans être perdu car l'interface est identique. Elle repose sur une boîte à outils et des panneaux. Votre travail et votre apprentissage sont donc largement facilités par ce parti pris que nous louons.

Voici une liste des différences essentielles existantes entre Flash et Fireworks :

- ✔ Flash ne sait pas optimiser les images bitmaps avec autant de précision que Fireworks. Si Flash dispose de fonctions d'optimisation globale d'une animation qui peut, bien évidemment, contenir des bitmaps, il ne permet pas de les afficher dans une fenêtre spécifique pour en apprécier les déperditions.

- ✔ Fireworks est conçu pour optimiser les images bitmaps intégrées ou non à un projet.

- ✔ Si Fireworks crée des animations, elles n'ont pas la qualité et la pertinence des animations Flash. Flash permet de créer de véritables bandes-annonces. Les animations de Fireworks prendront souvent la forme de simples bannières affichant des animations GIF.

- ✔ Vous pouvez exporter une animation Fireworks au format SWF de Flash. Une telle exportation ne se fait pas sans dommage. Voici les attributs de mise en forme que vous perdez à l'exportation :

  - Les effets applicables en direct.

  - L'opacité et les modes de fondu (les objets avec opacité sont convertis en symboles avec un canal alpha).

  - Les masques.

- Les objets découpe, les cartes-images et les comportements (par exemple, les survols sont perdus).

- Certaines options de formatage de texte, telles que le crénage et les traits bitmaps.

- La diffusion des bords.

- Les calques.

- L'anticrénelage appliqué aux objets. (Le lecteur Flash applique l'anticrénelage au niveau du document. Par conséquent, l'anticrénelage est appliqué au document pendant l'exportation.)

✔ Flash ne permet pas de créer des images bitmaps. Même si Fireworks n'est pas aussi puissant que Photoshop en la matière, il dispose de quelques filtres pour appliquer des effets spéciaux, et de quelques outils pour modifier l'image.

✔ Fireworks permet de numériser des images avec sa commande Scanner.

Voilà, nous en avons terminé avec un bref aperçu des deux programmes de créations d'animations et d'images vectorielles et bitmaps de la famille web Macromedia.

Au regard de ce que nous y avons expliqué, le lecteur peut légitimement penser qu'un des deux programmes suffira à créer des sites web complets, générant automatiquement le code HTML faisant référence à la mise en page et aux fichiers d'animation SWF (format des fichiers d'animation Flash). Cette déduction, si elle repose sur une certaine logique et une certaine vérité, n'en comporte pas moins une vision marginalisée et restrictive de l'Internet. En effet, un site ne va pas comporter que des animations, des images statiques et dynamiques, et du texte qui font davantage ressembler vos pages web à une enseigne de fête foraine qu'à une structure dévolue à l'affichage d'informations.

J'ai envie de dire qu'un site web s'articule aujourd'hui autour de plusieurs choses : l'interactivité et les informations, mais le tout mis en page dans une structure dynamique qui ne doit pas se contenter d'en mettre techniquement plein la vue aux internautes. Un site, aussi joli soit-il, n'est pas fait pour une élite esthétique et artistique. Il doit promettre quelque chose et s'y tenir. C'est dans ce domaine particulier de la gestion de divers éléments statiques et dynamiques qu'intervient le troisième membre de la famille web Macromedia, j'ai nommé Dreamweaver.

Dreamweaver

Voici le logiciel WYSIWYG par excellence qui ne ferme pas la porte à la saisie de code HTML pour les créateurs avancés de sites web. La grande force de Dreamweaver est d'attirer l'attention des débutants par sa facilité d'emploi, et de retenir l'intérêt des professionnels par la mise en œuvre de technologies web avancées.

Les meilleures fonctions de Dreamweaver sont l'édition d'un code HTML exemplaire, capable de supporter les dernières évolutions HTML, DHTML, et les feuilles de styles en cascade, c'est-à-dire des technologies qui intéressent des personnes déjà aguerries à la conception web. Les autres ne se soucieront de ces possibilités qu'après quelques semaines d'utilisation de ce logiciel.

Dreamweaver intègre également des fonctions de développement, comme un éditeur intégré et un débogueur JavaScript.

Et pour rassurer les utilisateurs en herbe, souvent lecteurs de la collection *Pour les Nuls*, je dirais que Dreamweaver permet de travailler dans un environnement WYSIWYG qui vous débarrasse de la saisie des lignes de code quel qu'il soit.

L'autre avantage de Dreamweaver est la cohérence de son interface. Macromedia a encore joué la carte de l'intégration de ses produits inhérents à la gamme web, pour que l'utilisateur ne soit jamais dépaysé quand il passe d'un logiciel à un autre. Vous vous reposerez sur un environnement de travail composé de fenêtres et de palettes pour créer des sites web haut de gamme incluant des fonctions d'animations, des formulaires interactifs, et des solutions pour l'e-commerce, un domaine où Flash et Fireworks sont complètement dépassés.

Voyez dans Dreamweaver une sorte de logiciel de mise en page de vos différents éléments web, qu'il s'agisse d'animations Flash (animations vectorielles, boutons dynamiques, etc.), d'images bitmaps et vectorielles créées dans Fireworks, tout en ajoutant des fonctions de gestion et de maintien des sites propres à Dreamweaver.

Les fonctions les plus importantes de Dreamweaver

Voici une liste des fonctions les plus importantes disponibles dans Dreamweaver :

✔ Dreamweaver a étendu les fonctionnalités du panneau Actifs, c'est-à-dire d'un panneau qui donne directement accès aux Bibliothèques et aux modèles. Vous disposez d'un panneau qui concentre les éléments actifs de votre site. Cela comprend les images, les couleurs, les URL externes, les scripts et les fichiers Flash (ou Schockwave). La simplicité de mise en œuvre étant le maître mot de la gamme des produits Macromedia, utilisez le contenu du panneau Actifs en le faisant glisser directement dans vos documents HTML.

✔ Une fenêtre Site permet de centraliser les notes de conception (Design Notes). Ces notes sont essentielles quand plusieurs personnes travaillent successivement sur la création d'un site web. Dreamweaver, grâce à des fonctionnalités poussées, considère la création web comme une œuvre souvent collégiale. Son parti pris est donc d'en faciliter le fonctionnement.

✔ Dreamweaver permet de créer et d'utiliser des modèles.

✔ Dreamweaver dispose d'un éditeur de texte sophistiqué pour créer des fichiers JavaScript, XML, et d'autres fichiers texte en mode code. Il inclut un système de syntaxe coloré, fonction particulièrement appréciée des programmeurs expérimentés.

✔ Dreamweaver n'est pas un environnement cloisonné. Grâce à Extension Manager, des objets, des commandes, des commandes de menus, des panneaux, des traducteurs de données, des inspecteurs de propriétés, des rapports et des comportements que vous créez à l'aide de l'API (interface de programme d'application) augmentent les possibilités intrinsèques de Dreamweaver.

✔ Dreamweaver est parfaitement intégré à Flash grâce aux fonctions Objets bouton Flash et Objets texte Flash, le programme d'animation vectorielle de Macromedia (voir la section "Flash : quand les sites s'animent" au début de ce chapitre). Il devient possible de choisir des styles Flash prédéfinis ou bien d'ajouter vos boutons et textes personnels. Ils s'intègrent facilement à n'importe quelle page de votre site.

✔ Dreamweaver implémente des liens de messagerie électronique. Les développeurs de sites peuvent associer leurs adresses e-mail à leurs noms. Le contact est immédiat et sans faille avec tous les collaborateurs à un même site.

✔ Dreamweaver dispose d'un éditeur HTML de haute volée. Il procède automatiquement à la mise en retrait des lignes de code, surveille la ponctuation, et peut sélectionner plusieurs lignes qu'il placera en retrait en une seule opération.

✔ Dreamweaver gère les tableaux avec une précision diabolique. Vous pouvez dessiner directement les cellules d'un tableau sur une page, le déplacer, et grouper les cellules.

✔ Les développeurs de sites peuvent garder constamment un œil sur le code HTML généré. Dreamweaver dispose d'un affichage mixte qui conjugue un mode création et un mode code. L'un travaille en WYSIWYG, l'autre en affichage et manipulation du code source. Toute modification réalisée dans un mode se répercute dans l'autre.

✔ Dreamweaver propose une fonction Rapports pour localiser les problèmes comme les documents sans titre, et les balises Alt manquantes.

✔ Dreamweaver est désormais paramétré pour s'intégrer facile- ment à Microsoft Visual SourceSafe et WabDAV.

Au regard de ces quelques fonctionnalités, vous comprenez immédia- tement que Dreamweaver n'a rien à voir avec Flash ou Fireworks. Il ne saurait faire double emploi avec ces deux autres programmes. Pour simplifier, nous dirons que Dreamweaver permet de mettre en page d'une manière précise, et au milieu d'autres éléments et fonctions d'un site, des animations créées avec Flash et des graphiques optimisés avec Fireworks.

La force de Dreamweaver

Dreamweaver a été l'objet de toutes les attentions en réussissant là où les autres ont souvent échoué. La plupart des développeurs se plaignent des outils de création web WYSIWYG. Ils considèrent, à raison, que le code HTML généré n'est pas brillant, et surtout qu'ils altèrent le code existant. Cela rend l'édition manuelle des pages très complexe. La plupart de ces problèmes tiennent au fait que les programmeurs HTML qui savent saisir des lignes de code au kilomètre entendent garder un total contrôle sur les pages HTML.

Dreamweaver sait combiner les deux approches de la conception web, reposant aussi bien sur l'édition pure et dure d'un code HTML, que sur l'aspect intuitif et convivial d'une création WYSIWYG. Avec Dreamweaver, vous disposez d'un éditeur HTML puissant et d'une interface WYSIWYG remarquable. Dreamweaver va encore plus loin avec une fonction propre à Macromedia qui se nomme Roundtrip HTML. Grâce à elle, vous pouvez créer des pages HTML dans n'im- porte quel programme. Ouvrez-les ensuite dans Dreamweaver, et vous n'avez pas à vous soucier de votre code original car il ne subira aucune altération.

Dreamweaver est respectueux de votre code HTML. Il n'altère jamais vos balises comme le font des programmes de moins bonne facture. Une application comme Microsoft FrontPage risque de modifier votre code pour qu'il respecte ses propres limitations. Si chacun a ses règles HTML, comment le développeur expérimenté peut-il être en accord avec un principe calamiteux !

Comme Dreamweaver n'altère pas le code, il est devenu un ami reconnu et respecté des concepteurs professionnels. Ils se réjouissent des facilités d'utilisation WYSIWYG, et ajoutent leurs touches HTML personnelles sans se préoccuper de savoir si Dreamweaver va les respecter.

Le défi à relever était de savoir comment afficher le code HTML créé dans un éditeur de texte tout en conservant une approche WYSIWYG qui ne dénature pas le code quand on procède à des modifications intuitives. Cette notion est d'autant plus facile quand Dreamweaver ne connaît pas le code HTML initial. Le fait d'avoir su résoudre ces problèmes a fait de Dreamweaver le logiciel de création web le plus plébiscité, même par les fervents défenseurs d'une édition HTML austère dans un simple éditeur de texte.

Interface et fonctions de Dreamweaver

Difficile de cacher que le premier contact avec Dreamweaver est déconcertant. Toutes les fonctions se cachent dans des panneaux, des barres d'outils et des boîtes de dialogue. En revanche, cela affirme son intégration avec Flash et Fireworks. Les quelques sections suivantes présentent succinctement l'environnement de travail de Dreamweaver.

L'espace de travail

Il est très facile de créer une page web dans Dreamweaver. Au démarrage de l'application, une page vide apparaît. On l'appelle l'*espace de travail.* Vous pouvez y saisir directement du texte, et appliquer des mises en forme rudimentaires comme le gras et l'italique.

Cet espace consiste en une fenêtre principale qui affiche la page HTML, et en une série de panneaux flottants et de fenêtres qui vous procurent tous les outils nécessaires à vos créations (voir la Figure 15.23).

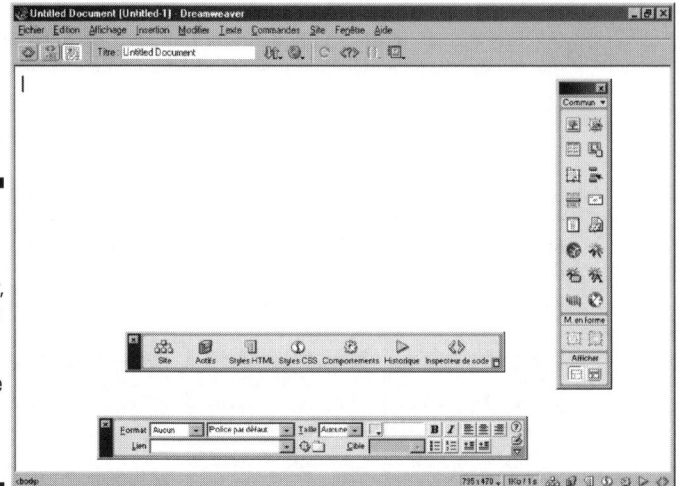

La fenêtre Document

C'est l'espace de travail. C'est une page vierge dont le code HTML est rudimentaire. C'est ici que vous modifiez et concevez votre page Web. C'est également dans cette zone que vous affichez les images, les textes, et tous les éléments qui s'affichent simultanément dans les navigateurs web de vos visiteurs.

Les panneaux flottants

Les panneaux flottants donnent un accès rapide aux diverses fonctions de Dreamweaver. Vous pouvez les déplacer sur l'espace de travail par simple glisser-déposer. Leur maniabilité permet de définir un environnement de travail qui sied à vos besoins personnels.

Les panneaux sont des éléments essentiels de l'interface de Dreamweaver. Ils permettent l'insertion des images et des liens, de tableaux, de plug-ins, de formulaires HTML, etc.

Le panneau Objets

Le panneau Objets contient des boutons pour créer des éléments HTML comme des tableaux et des calques, pour insérer des images, des fichiers plug-in, et bien d'autres objets encore. Dreamweaver utilise le terme `objet` afin d'identifier tout élément que l'on peut placer sur une page HTML, du tableau à l'image, en passant par un fichier multimédia.

Le panneau Objets a six aspects. Il change de nom en fonction de l'aspect sélectionné : Cadres, Caractères, Commun, En-tête, Formulaires, et Invisibles. On constate qu'un seul panneau les contient tous. Il suffit de cliquer sur la petite flèche située dans le coin supérieur droit du panneau. Vous accédez à un menu qui contient l'ensemble des dénominations des panneaux. La Figure 15.24 montre les six panneaux accessibles via le panneau Objets.

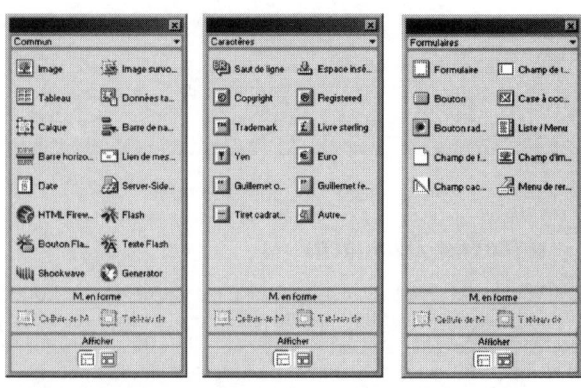

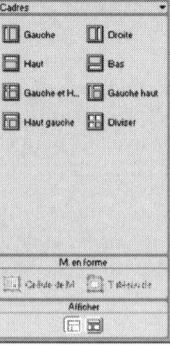

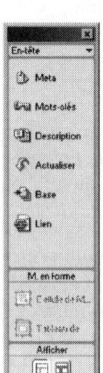

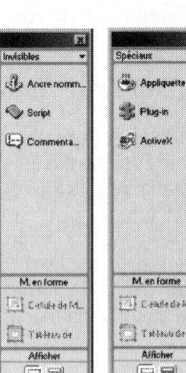

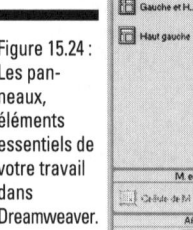

Figure 15.24 : Les panneaux, éléments essentiels de votre travail dans Dreamweaver.

L'Inspecteur de propriétés

Le contenu de l'Inspecteur de propriétés change en fonction des éléments sélectionnés. Une *propriété* est une caractéristique HTML comme l'alignement d'une image ou la taille d'une cellule d'un tableau que vous pouvez assigner à un élément de votre page web. Vous pouvez laisser le panneau Inspecteur ouvert pendant toute la durée de votre travail. Dès que vous sélectionnez un élément, l'Inspecteur affiche les paramètres que vous pouvez modifier. Il s'agira de la hauteur et de la largeur d'un élément, de son alignement, et des liens.

La barre Lanceur

La barre Lanceur, illustrée sur la Figure 15.25, est un autre panneau flottant qui dispose d'icônes pour ouvrir rapidement des boîtes de dialogue. Vous y trouverez les fonctions Sites, Actifs, Styles HTML, Styles CSS (feuilles de style en cascade), Comportements, Historique, et Inspecteur de code.

Figure 15.25 :
La barre
Lanceur
donne un
accès facile
aux diverses
fonctions de
Dreamweaver.

Voici un bref aperçu des possibilités de la barre Lanceur :

- ✔ **Boîte de dialogue Site :** Elle liste les dossiers et les fichiers d'un site web. Dreamweaver facilite ainsi l'organisation et la gestion de vos sites. C'est l'ultime étape avant publication sur le Web. Cette boîte de dialogue donne un accès FTP. Vous pouvez cliquer le bouton Connecter à un hôte distant pour communi-quer en toute simplicité avec votre serveur. Les boutons Acquérir et Placer vous permettent de transférer vos pages vers les serveurs ou de les rapatrier sur votre ordinateur.

- ✔ **Le panneau Actifs :** Le panneau Actifs de Dreamweaver inclut la Bibliothèque et le panneau Référence. C'est le lieu de stockage des éléments de votre site. Il est alors facile de les placer sur plusieurs pages. Dès qu'un élément se trouve dans la Bibliothèque, vous pouvez le faire glisser jusqu'à vos nouvelles pages, comme dans les Bibliothèques de Flash et de Fireworks. La Bibliothèque est idéale pour les éléments qui se répètent sur un site web, et qui nécessitent ainsi une mise à jour fréquente.

✔ **Panneau Styles HTML :** Dreamweaver dispose d'un panneau Styles HTML pour stocker des styles communément utilisés. Les styles HTML n'affectent qu'une seule occurrence de style : l'emplacement où vous appliquez le style. Si vous voulez modifier un style tout en actualisant ses occurrences, vous devez utiliser des feuilles de style en cascade. L'avantage des styles HTML est qu'ils sont supportés par la majorité des navigateurs, y compris les plus anciennes versions.

✔ **Le panneau Styles CCS :** Le panneau de Dreamweaver qui définit des feuilles de style en cascade (CSS).

✔ **Le panneau Comportements :** Dans Dreamweaver, les *comportements* sont des scripts (généralement écrits en JavaScript). Vous pouvez les appliquer à vos objets pour ajouter de l'interactivité à la page web. Un comportement est défini en fonction d'un ou plusieurs événements. Cet événement est déclenché par une action de l'utilisateur. Par exemple, un événement est un visiteur qui clique sur une image ou une partie d'un texte. Le résultat de cette action peut être l'émission d'un son.

✔ **Le panneau Historique :** Le panneau Historique de Dreamweaver enregistre toutes vos actions. Utilisez-le pour annuler plusieurs étapes en même temps, pour répéter des étapes déjà exécutées, et pour automatiser certaines tâches.

✔ **Inspecteur de code :** L'Inspecteur de code de Dreamweaver est le meilleur éditeur de texte HTML jamais intégré dans un programme de conception web. Toute modification apportée dans un mode se répercute instantanément dans l'autre. Cela permet de basculer en toute sécurité du mode création WYSIWYG au mode d'édition HTML. L'Inspecteur de code ravit tous les créateurs web expérimentés qui reprochent aux logiciels de ce type de négliger l'édition du code source HTML. Regardez la Figure 15.26 pour mieux comprendre de quoi il retourne.

La barre de menus

Malgré la préciosité des panneaux, certaines commandes de Dreamweaver ne sont accessibles que par les menus.

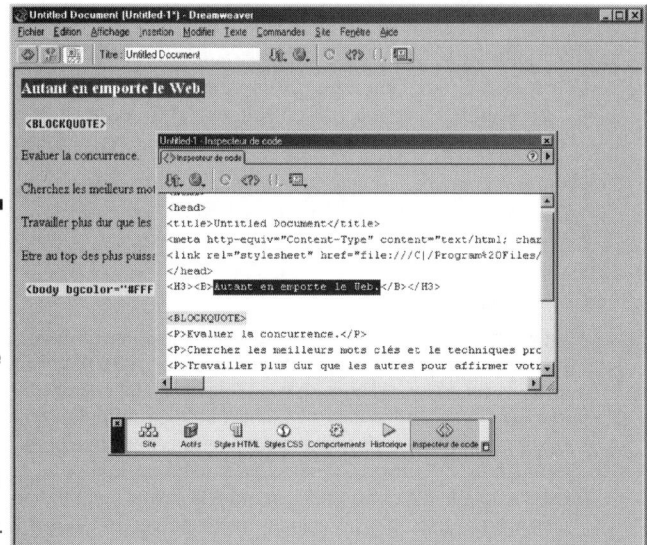

Figure 15.26 :
L'Inspecteur
de code
permet
d'afficher et
de modifier le
code de
n'importe
quelle page
en cours
d'élaboration
dans
Dreamweaver.

Le menu Fichier

Comme toute application, Dreamweaver propose un menu Fichier.
Vous y trouvez des options traditionnelles comme Nouveau, Ouvrir, et
Enregistrer. Vous y verrez également une option Rétablir qui est une
commande d'annulation sophistiquée rétablissant la dernière version
enregistrée de votre page. Ce menu dispose aussi d'une option Design
Notes, fonction unique qui associe des notes personnelles à vos
fichiers HTML ou autres.

Toujours dans le menu Fichier, vous trouverez une fonction qui
permet de vérifier la bonne tenue de votre travail dans un navigateur
web. Il est légitime, en tant que concepteur web, de s'assurer que les
éléments mis en place dans Dreamweaver ont le même comportement
dans un navigateur. Je dirais, sans exagération, que cette
prévisualisation est indispensable. Mais, comme à son habitude,
Dreamweaver pousse encore plus loin une fonction que l'on rencontre
dans la plupart des éditeurs Web. Vous pouvez tester la compatibilité
de vos pages avec différentes versions de navigateurs.

Le menu Édition

Il contient des fonctions aussi traditionnelles que Couper, Copier, et Coller. La grande nouveauté ici est la commande Modifier avec Editeur externe qui permet d'ouvrir un éditeur HTML comme BBEdit ou HomeSite, que vous utiliserez conjointement à Dreamweaver.

Vous y trouvez aussi l'option Préférences qui permet de paramétrer Dreamweaver en fonction de vos habitudes de travail.

Le menu Affichage

Ce menu donne accès à des fonctions qui facilitent la conception d'une page web, comme l'affichage de grilles et de règles. Il permet d'activer et désactiver les contours de vos tableaux HTML, des cadres et des calques. Cette option est essentielle car vous souhaitez généralement que ces éléments n'affichent aucun contour pour une présentation moins académique de vos sites. Mais, pendant la mise en place des divers objets de vos pages, il est utile de savoir où commence et s'arrête, par exemple, les cellules de vos tableaux. Utiliser les Assistances visuelles du menu Affichage permet de distinguer les bordures même si elles ne sont pas visibles dans le navigateur des internautes.

Le menu Insertion

Comme le montre la Figure 15.27, le menu Insertion donne accès à des fonctions propres à la conception web. D'ici, vous pouvez insérer des éléments tels qu'une règle horizontale, une appliquette Java, un formulaire ou un plug-in.

Dreamweaver offre des supports supplémentaires pour insérer Flash ou Shockwave, deux produits de l'éditeur Macromedia.

Le menu Modifier

Voici un autre emplacement où vous pouvez afficher et modifier les propriétés des objets, comme les attributs des tableaux, tel que vous le montre la Figure 15.28. Les propriétés (généralement appelées des *attributs* dans le langage HTML) définissent des paramètres tels que l'alignement des éléments d'une page, leur hauteur, leur largeur, et d'autres spécificités.

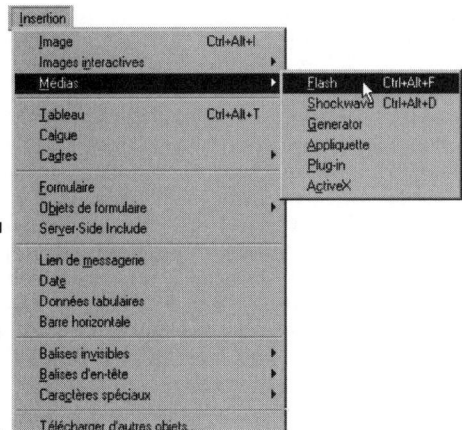

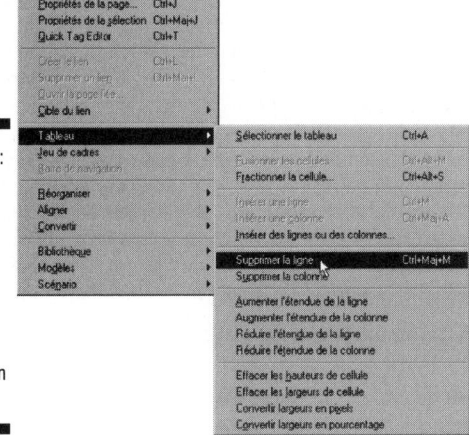

Le menu Texte

Dreamweaver dispose d'un menu pour mettre en forme le texte avec une facilité déconcertante. Vous y trouverez des options comme l'enrichissement des caractères (gras, italique), ou des fonctions plus

complexes, comme les styles de police et les feuilles de style personnalisées. Vous avez entre les mains des outils qui donnent un contrôle
puissant sur l'aspect de vos pages.

Par exemple, si vous choisissez une police particulière pour votre
texte, elle doit être présente sur la machine de l'utilisateur afin
d'afficher convenablement votre page dans son navigateur. A cause de
cette restriction, HTML permet d'indiquer plusieurs possibilités
d'affichage de votre police. Le navigateur recherche dans l'ordinateur
de l'utilisateur une police qui se rapproche le plus de celle qui est
utilisée, ou de celles que vous "recommandez" de substituer en cas
d'absence de ladite police. Dreamweaver reconnaît l'importance de
ces substitutions, et l'intérêt qu'il y a de mettre en œuvre des polices
communément admises.

Le menu Commandes

Le menu Commandes, représenté sur la Figure 15.29, accueille des
options liées à l'enregistrement (Démarrage et Reproduction), et
permet de mémoriser rapidement une série d'étapes que vous
reproduirez en un clic de souris. Pour utiliser l'enregistrement dans
Dreamweaver, il suffit de choisir Commandes/Démarrer l'enregistrement. Exécutez ensuite les actions qui doivent être enregistrées,
comme l'ajout d'un tableau composé de trois lignes et de deux
colonnes, puis choisissez Arrêter l'enregistrement. Ensuite, pour que
ces actions soient exécutées sans intervention supplémentaire de
votre part, choisissez Reproduire la commande enregistrée. Afin de
bénéficier de commandes prédéfinies, choisissez Commandes/
Télécharger d'autres commandes. Cette fonction lance automatiquement votre navigateur qui se connecte au site Macromedia. Une fois
que vous y êtes, vous pouvez télécharger de nouvelles commandes
pour ajouter des fonctions à Dreamweaver.

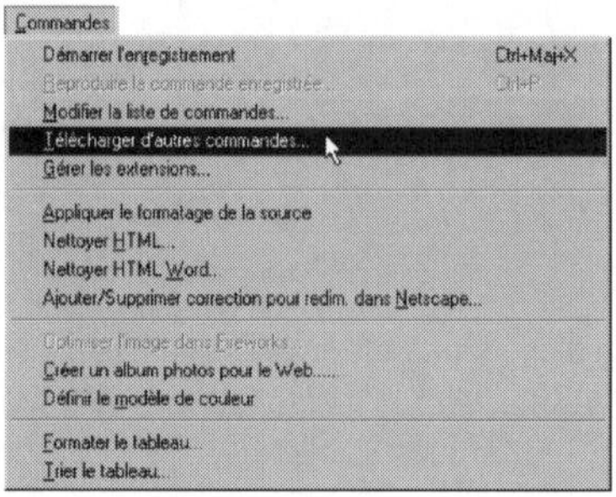

Figure 15.29 :
Le menu
Commandes
propose des
fonctions
avancées de
Dreamweaver.

Une autre grande fonction du menu Commandes est Définir le modèle de couleur. Cette option propose une liste de couleurs d'arrière-plan et de texte spécialement conçues pour fonctionner correctement sur le Web.

Le menu Site

Avec ce menu, Dreamweaver propose des options de paramétrage de votre site. Cette procédure est indispensable pour bénéficier des autres fonctions de Dreamweaver. Vous vérifiez ainsi le travail de chaque intervenant sur le site.

Le menu Fenêtre

Dans Dreamweaver, le menu Fenêtre contrôle l'affichage des panneaux et des boîtes de dialogue. Une coche devant le nom de chaque option indique cet état. Pour désactiver ces panneaux, cliquez de nouveau sur leur nom. D'autres panneaux et boîtes de dialogue, comme les Styles CSS et HTML, l'Inspecteur de code, sont présents dans ce menu.

Le menu Aide

Le menu Aide donne accès à un certain nombre d'assistants qui vous permettent de trouver des solutions sur des sujets qui vous posent problème. Vous y trouvez également des leçons qui expliquent les bases de la conception HTML, envisageant les tableaux et les cadres. Ces assistants donnent une vision globale de sites complexes, mais distillent aussi des idées qui permettent de concevoir des mises en page complexes sans grands efforts de votre part.

La barre d'état

La barre d'état apparaît en bas de la fenêtre principale de Dreamweaver. Dans le coin droit de la barre d'état, vous voyez les icônes de la barre Lanceur. Dans le coin gauche, vous découvrez les codes HTML qui indiquent comment les éléments de la page sont mis en forme. Cette fonction constitue une double vérification du forma-tage des éléments de votre page.

Conclusion

L'objectif de cette partie n'est pas d'entrer dans le détail du fonction-nement des logiciels de création web reposant sur le principe du

WYSIWYG. Ce chapitre a présenté les trois logiciels composant la suite "logique" de création web développée par l'éditeur Macromedia. En lisant ces diverses sections, vous avez eu une idée générale du rôle tenu par chacun. Notre objectif a été de montrer qu'il ne faisait aucunement double emploi. Chacun intègre un système de création des éléments constitutifs d'un site dynamique et interactif tel que les restrictions actuelles du web les imposent. Flash se spécialise dans l'animation vectorielle et la conception d'interface dynamique, et s'avère incapable d'optimiser des images bitmaps au format JPEG, GIF ou PNG. De son côté, Fireworks permet de créer des pages web complètes, mais ne crée que de petites animations. En revanche, il est idéal pour optimiser les graphiques qui prendront place dans une page web. Enfin arrive Dreamweaver, sorte d'application qui va assurer la mise en page de divers éléments conçus dans Flash et Fireworks, tout en proposant des fonctions spécifiques à la conception et la gestion des sites comme les CSS, les tableaux, les formulaires, la publication des sites, j'en passe et des meilleurs. Chacun des programmes évoqués ici ne pourra être maîtrisé qu'après avoir consulté des ouvrages qui leur sont entièrement consacrés.

Sixième partie

Les dix commandements

Dans cette partie...

Nos dix commandements vous seront présentés en deux
parties : dix conseils à suivre et dix erreurs à éviter si vous
voulez devenir un "bon" auteur Web.

Chapitre 16
Dix conseils à suivre

. . . .

Dans ce chapitre :
- ▶ Pensez à l'auditoire que vous visez.
- ▶ Prenez modèle sur de bons sites.
- ▶ Demandez l'autorisation avant de faire des emprunts à d'autres présentations.
- ▶ Insérez des liens vers d'autres sites externes.
- ▶ Ajoutez des images et du multimédia.
- ▶ Réfléchissez avant de créer.
- ▶ Demandez à vos visiteurs ce qu'ils pensent de vos pages.
- ▶ Testez soigneusement vos pages.
- ▶ Faites connaître votre site.
- ▶ Mettez fréquemment à jour votre site.

. . . .

Pensez à l'auditoire que vous visez

Avant de commencer à créer votre site Web, trouvez le *look and feel* qui lui conviendra le mieux et le style de présentation approprié aux goûts de votre auditoire. Insérez des liens susceptibles de l'intéresser et non pas simplement ceux que vous trouvez vous-même intéressants.

Prenez modèle sur de bons sites

Il y a çà et là beaucoup de bons sites. Regardez autour de vous et retenez ceux qui vous semblent bons. Il n'y a rien de répréhensible à exploiter des idées répandues dans la communauté du Web. Inspirez-vous des conventions observées dans la présentation des informations et auxquelles se sont habitués les familiers du Web.

Demandez l'autorisation avant de faire des emprunts à d'autres présentations

Il n'est pas bien difficile de demander à l'auteur d'une présentation qui vous a plu l'autorisation de la reproduire partiellement. Si rien dans une page ne dit que son contenu peut être réutilisé librement, vous devez supposer qu'il est implicitement protégé par un copyright quelconque. Donc, vous ne pouvez pas y faire d'emprunt sans l'autorisation explicite de son auteur.

Sachez cependant qu'en règle générale, les auteurs seront très heureux de vous accorder cette permission pour peu que vous citiez votre source et que vous insériez éventuellement un lien vers la présentation originale.

Insérez des liens vers d'autres sites externes

Quel que soit le sujet que vous traitez, vous trouverez toujours d'autres sites qui en parlent déjà. Les citer dans vos pages est un signe de courtoisie vis-à-vis de vos visiteurs. Donnez-leur l'occasion de faire des découvertes en leur ouvrant une fenêtre de plus sur le vaste monde.

Ajoutez des images et du multimédia

Allez de l'avant ! Essayez des images GIF transparentes et entrelacées ! Tentez le multimédia : un ou deux fichiers audio, une animation QuickTime ou même une simple image GIF animée peuvent donner de la vie à un site et le rendre bien plus intéressant que s'il ne contenait que du texte.

Réfléchissez avant de créer

Se précipiter sur son éditeur HTML sans trop savoir ce qu'on va mettre dans sa page peut suffire pour une page personnelle rudimentaire à ceux qui ne cherchent qu'à s'amuser. Mais si vous voulez réellement faire bonne impression sur le Web, commencez par réfléchir à ce que vous allez dire et à la façon de l'exprimer. Notez vos idées sur papier. Soumettez-les à vos amis ou à vos collègues en leur demandant ce qu'ils en pensent. Cette façon de faire vous obligera à prendre en compte des choses auxquelles vous n'aviez même pas pensé : mise en page, conception graphique, relations entre pages et autres sujets qui, une fois correctement traités, feront de votre page un modèle dans son genre.

Demandez à vos visiteurs ce qu'ils pensent de vos pages

Vous serez très étonné d'apprendre ce que vos visiteurs pensent de vos pages. Ceux qui n'ont jamais vu votre site auront sur lui un œil neuf et pourront vous signaler des défauts ou des améliorations auxquelles vous n'aviez même pas songé. Non seulement la critique faite par votre auditoire est utile, mais surtout elle enrichira votre expérience. Une critique ne peut blesser que votre orgueil et elle sera toujours susceptible d'améliorer votre site.

Testez soigneusement vos pages

Vous n'envoyez probablement pas de courrier sans l'avoir relu. Ne mettez pas en circulation des pages Web sans les avoir scrupuleusement examinées. Commencez par les regarder sur votre machine, en local, avant de les présenter sur le Web. Suivez les liens, observez les images et voyez si elles se placent correctement au milieu du texte, etc. Dans la mesure du possible, testez vos pages avec d'autres navigateurs et sur d'autres plates-formes. Et surtout, vérifiez l'orthographe de vos textes !

Faites connaître votre site

Rien n'est plus frustrant que d'avoir créé un site que personne ne vient visiter. Il ne suffit pas de réaliser un site pour que tout le monde s'y précipite. C'est à vous de faire connaître son existence. Heureusement, il existe beaucoup de moyens de faire connaître son existence, parmi lesquels l'un des plus simples est sans doute de poster une annonce sur les news. En France, les deux forums publics recommandés pour annoncer un site sont :

```
fr.comp.infosystemes.www.annonces
fr.comp.infosystemes.www.annonces.d
```

Mettez fréquemment à jour votre site

Un site statique est un site ennuyeux. Si vous voulez que les gens y reviennent, vous devez leur proposer des nouveautés. Les meilleurs sites sont ceux qui savent se renouveler. Vous pouvez y incorporer des rubriques comme "La pensée du jour", "Liens vers des sites originaux"... Signalez les nouveautés. L'icône "New" ("Nouveau" si vous êtes un francophone convaincu) a été faite pour cela.

Chapitre 17

Dix erreurs à éviter

. . . .

Dans ce chapitre :

▶ Ne limitez pas involontairement votre auditoire.

▶ Ne violez pas la netiquette.

▶ N'"empruntez" rien sans demander la permission.

▶ Images et multimédia : ni trop, ni trop peu.

▶ Utilisez l'attribut ALT à bon escient.

▶ N'oubliez pas les bases.

▶ Ne commencez pas en créant votre propre serveur Web.

▶ Ne rendez pas la navigation dans votre site trop ardue.

▶ N'oubliez pas que, dans World Wide Web, "World" signifie "monde".

▶ N'ayez pas peur d'en apprendre davantage.

. . . .

Ne limitez pas involontairement votre auditoire

Lorsque vous concevez vos pages Web, évitez d'utiliser des balises HTML trop récentes ou de nature propriétaire que seuls les utilisateurs possédant un navigateur particulier pourraient voir dans de bonnes conditions. Restez-en à un bon vieil HTML de base, version 3.2. Réfléchissez-y à deux fois avant d'utiliser des cadres (*frames*), des applets Java ou des présentations Active-X. Si vous décidez de passer outre ces recommandations, avertissez vos visiteurs des particularités que vous avez mises en œuvre et du type de navigateur qu'ils doivent utiliser pour les afficher correctement. Ou alors, prévoyez un autre jeu de pages, moins spécifiques. Si vous utilisez des médias peu courants (RealAudio ou ShockWave, par exemple), prévoyez des liens vers les sites de diffusion des plugins nécessaires.

Ne violez pas la netiquette

La "netiquette", c'est l'ensemble des règles – généralement non écrites – de l'Internet. La violer vous conduirait à subir certaines formes d'opprobre. A la limite, votre service d'hébergement pourrait supprimer votre présentation Web. Sur le Web, certains sujets (révisionnisme, néonazisme, pornographie, pédophilie...), qui ne relèvent pas directement de la netiquette mais sont contraires aux bonnes mœurs, aux lois ou aux usages, vous exposeraient à ce type de sanctions, sans préjudices d'éventuelles poursuites en justice.

N'"empruntez" rien sans demander la permission

Violer un copyright est puni par la loi. Demandez **toujours** la permission au légitime propriétaire avant de réutiliser ce qui lui appartient (texte, image, multimédia...). Ou abstenez-vous de reproduire des œuvres (littéraires, musicales, graphiques...) qui ne sont pas tombées dans le domaine public.

Images et multimédia : ni trop, ni trop peu

Le gros défaut des débutants (et même parfois des auteurs confirmés) est de ne pas savoir résister à la tentation d'illustrer leurs pages avec des images trop nombreuses et/ou de trop grande taille. Idéalement, la taille d'une page, texte et images compris, ne devrait pas dépasser 100 Ko. Voici quelques moyens d'atteindre cet objectif :

- ✔ Convertissez toutes vos images photographiques au format JPEG.

- ✔ Utilisez des icônes et des bannières simples, sans trop de couleurs ni de textures élaborées, et au format GIF.

- ✔ Utilisez des vignettes pour laisser au visiteur le soin de décider s'il affiche ou non certaines images en vraie grandeur.

Utilisez l'attribut ALT à bon escient

Pour diverses raisons, certains utilisateurs du Web désactivent le chargement des images. Pensez donc à inclure systématiquement l'attribut ALT et à le renseigner dans vos marqueurs <IMG> de façon qu'il y ait quelque chose d'affiché dans tous les cas.

N'oubliez pas les bases

Votre site est certainement ce qu'il y a de plus génial depuis l'invention de l'eau tiède, mais si vous oubliez d'y placer des informations permettant de vous contacter, comment voulez-vous savoir ce qu'en pensent vos visiteurs ? Pour cela, pensez à la balise `mailto:` suivie de votre adresse *e-mail*. Trois autres conseils :

- ✔ Citez vos sources (textes, images...).

- ✔ Mettez les informations importantes en évidence.

- ✔ "Vingt fois sur le métier remettez votre ouvrage." Et tenez compte des remarques de vos visiteurs chaque fois que vous pratiquez une mise à jour.

Ne commencez pas en créant votre propre serveur Web

Il existe plusieurs packages de logiciels serveur soi-disant prêts à l'emploi. Mais même avec leur aide, sachez que créer et maintenir un serveur Web peut devenir la partie la plus onéreuse, la plus compliquée et la plus frustrante de toute publication Web. Donc, si vous n'êtes pas du métier, ne vous y risquez pas.

Ne rendez pas la navigation dans votre site trop ardue

C'est un défaut classique chez les débutants d'organiser leur site de manière si confuse qu'eux-mêmes ont souvent du mal à s'y retrouver. Si votre site a plus de deux niveaux, réfléchissez-y un peu avant de vous lancer, car personne n'aime errer de lien en lien en cherchant désespérément la page attendue.

Dans World Wide Web, "World" signifie "monde"

Devez-vous prévoir plusieurs versions dans des langues étrangères ? Utilisez-vous des expressions familières ou des termes techniques trop ciblés ou que des visiteurs d'autres pays que le vôtre seront incapables de comprendre ? Lorsque vous coiffez la casquette d'auteur Web, vous devenez un citoyen du monde et vous devez vous souvenir que vous jouez sur la scène mondiale.

N'ayez pas peur d'en apprendre davantage

N'ayez pas peur d'expérimenter et de faire des essais. Ne vous laissez pas effrayer par les nouveautés. Le Web est un monde en perpétuelle évolution où des nouveautés apparaissent à tout moment : Java, JavaScript VRML, RealAudio, HTML 4.0, feuilles de style, DHTML, XML, jeux en réseau... Ne vous laissez pas intimider. Si vous êtes arrivé ici, c'est sans doute que vous n'êtes pas aussi Nul que vous le croyez !

Septième partie
Annexes

"Chérie, notre navigateur Web est sorti la nuit dernière et il a déversé un tas d'ordures dans la page d'accueil de M. Durand."

Dans cette partie...

*V*ous trouverez dans cette septième partie des annexes qui constituent un pont vers une large gamme de ressources : définitions de mots couramment employés sur le Web, fournisseurs d'accès, définition et classement des balises HTML et ressources pour les développeurs.

Annexe A

Les mots du Web qu'il faut connaître

accueil (page d') Premier écran affiché par un serveur Web lorsque l'on s'y connecte. En anglais : *home page*.

adresse absolue Description de l'emplacement d'un fichier commençant par le nom de la machine ou du disque où il se trouve. Voir également **chemin d'accès**.

adresse relative Description de l'emplacement d'un fichier par rapport au répertoire courant. Voir également **chemin d'accès**.

ADSL Type de liaison Internet à haut débit qui ne concerne pour le moment qu'environ 200 villes importantes de France. Elle autorise l'établissement simultané d'une connexion à l'Internet et d'une conversation téléphonique.

AltaVista Puissant moteur de recherche initialement créé et contrôlé par Digital Equipment. Son URL est http://www.altavista.com.

ancrage L'une des extrémités d'un lien entre deux fichiers. Lorsque vous regardez une page Web, un ancrage est le plus souvent matérialisé par un ou plusieurs mots soulignés et affichés avec une couleur différente (généralement le bleu). En cliquant dessus, vous provoquez le chargement d'une autre page qui est l'autre extrémité du lien.

animée (image GIF) Fichier d'image en format GIF contenant plusieurs images qui peuvent s'afficher en succession rapide, donnant ainsi l'illusion du mouvement.

AOL American On Line. Le plus important fournisseur d'accès au monde par le nombre de ses abonnés (environ 25 millions).

assistant (**helper**) Application utilisée pour voir des informations associées à une page Web, mais que le navigateur est incapable de traiter par ses propres moyens.

attribut Avec HTML, un attribut est une suite de caractères placés dans une balise et destinée à modifier ou à compléter l'objectif de celle-ci. Dans la commande HTML `<IMG SRC="monimage.gif">`, `SRC` est *l'attribut* de la balise `<IMG>`.

balise (**tag**) Elément non affiché servant au formatage d'un document HTML. Les balises sont toujours placées entre deux chevrons ("<" et ">").

baud Terme technique caractérisant la vitesse de modulation d'un signal sur une voie de transmission. A ne pas confondre avec **bps** (voir ce sigle) qui caractérise le débit efficace de la voie.

bps (bits par seconde) Unité de mesure du débit d'une voie de transmission et caractérisant ce qu'on appelle improprement la "vitesse" d'un modem. Ne pas confondre avec **baud** (voir ce mot).

câble télévision Moyen d'accès rapide à l'Internet qui ne concerne que les villes où est assurée la diffusion de la télévision par câble.

CGI (script) Programme exécuté sur un serveur et destiné à traiter des informations saisies par l'utilisateur d'une page Web dans un formulaire.

chemin d'accès Description de l'arborescence conduisant à un fichier donné. Peut être spécifié de façon absolue (par rapport à la racine de l'arbre des répertoires) ou relative (par rapport au chemin d'accès courant).

Club-Internet Fournisseur d'accès français, récemment racheté à la hauteur de 90 % par Deutsche Telekom.

CompuServe (CIS) Fournisseur d'accès à valeur ajoutée d'origine américaine également implanté en France. Propose des forums semblables aux groupes de news dont certains concernent des aspects techniques de l'utilisation des ordinateurs. A été racheté par AOL.

domaine Nom officiel d'un ordinateur sur l'Internet. C'est ce qui est écrit immédiatement à droite du caractère @ dans une adresse **e-mail**. Dans `ninternet@dummies.com`, le nom du domaine est `dummies.com`. Le suffixe peut être, aux Etats-Unis, com, org, net, us... Dans les autres pays du monde, c'est un code de deux lettres représentatif du nom du pays (**fr** : France, **uk** : Royaume-Uni (Angleterre), **ch** : Suisse, etc.).

downloading Téléchargement **à partir** d'un serveur.

e-mail Courrier électronique. Système d'acheminement de messages personnels par l'Internet.

FAQ (Frequently Asked Question) *Foire Aux Questions*. Ensemble des questions les plus fréquemment posées, regroupées avec leurs réponses dans la plupart des groupes de news.

fichier Collection d'informations considérée comme une unité de traitement par un ordinateur.

fichier (transfert de) Méthode utilisée pour échanger des fichiers d'un ordinateur vers un autre au moyen d'une ligne téléphonique ou d'un réseau selon un protocole particulier. Sur l'Internet, le moyen le plus utilisé s'appelle **FTP** (voir ce mot).

formulaire Moyen utilisé dans une page Web pour transmettre des informations au serveur au moyen de boîtes de saisie, de cases à cocher et de boutons radio. Les informations ainsi transmises sont généralement traitées sur le serveur par un **script CGI** (voir ce mot).

fournisseur d'accès Entreprise commerciale disposant d'une connexion permanente à l'Internet, et par l'intermédiaire de laquelle vous devez passer pour vous raccorder vous-même au Net lorsque vous ne disposez que d'une ligne téléphonique ordinaire.

freeware Logiciel distribué gratuitement.

FTP (File Transfer Protocol) Protocole de transfert de fichiers entre sites raccordés à l'Internet.

GIF (Graphics Interchange Format) Format d'image initialement défini par CompuServe et maintenant très largement utilisé sur l'Internet et ailleurs. Par suite de problèmes de copyright, on tente de le remplacer par un nouveau format : PNG.

gigaoctet Unité de mesure de la taille d'un fichier ou de la capacité d'un disque dur. Représente exactement 1×10^{9} octets, soit mille **mégaoctets** (voir ce mot).

hardware Littéralement : *quincaillerie*. Désigne tout ce qui fait partie du matériel dans un système informatique. Opposé à **software** (*logiciel*).

hit Littéralement : *coup au but.* C'est sous ce terme qu'on a coutume de désigner les accès à une page Web. Plus une page est fréquentée et plus elle reçoit de *hits.*

HTML (HyperText Markup Language) Langage à balises dérivé de SGML utilisé pour coder les pages Web.

HTML 3.2 Version de HTML apparue en mai 1996 et qui est reconnue par tous les navigateurs.

HTML 4.0 La plus récente version de HTML annoncée par le W3C le 8 juillet 1997 dont les balises ne sont toujours pas reconnues par tous les navigateurs.

HTTP (HyperText Transfer Protocol) Protocole de transfert des pages Web.

HTTPS Variante de HTTP utilisant une méthode de chiffrement pour sécuriser un transfert d'informations sur le Web.

hypermédia L'ensemble des types de médias autres que le texte associés à l'hypertexte (images, sons, animations).

hypertexte Système de représentation et de diffusion d'informations par lequel on peut présenter sous forme unitaire des documents éparpillés sur différents sites d'un même réseau.

image animée Voir **animée (image)**.

image en ligne Image incorporée à un document HTML.

image réactive Image dont certaines parties, appelées *zones sensibles*, provoquent le chargement d'autres pages lorsqu'on clique dessus. Souvent utilisée comme menu de navigation sur la page d'accueil.

image téléchargeable Image associée à une page Web mais qui ne sera affichée que si l'utilisateur clique sur une image plus petite appelée *vignette.*

Internet Réseau mondial interconnectant une multitude de réseaux, eux-mêmes interconnectant une multitude d'ordinateurs.

Internet Explorer Navigateur édité par Microsoft. La plus récente version stabilisée porte le numéro 6.

Internet Protocol (IP) Protocole de transport de paquets d'informations utilisé sur l'Internet.

intranet Internet limité à des réseaux locaux.

ITOO Nom donné par France Télécom à une des formes de commercialisation de son réseau numérique de transmission de données.

Java Langage de programmation inventé par Sun Microsystems et totalement portable sur toutes plates-formes car semi-compilé. Sa lenteur d'exécution et une relative insécurité en sont les principaux défauts.

JavaScript Langage de script inspiré du langage C mais dépourvu de ce qui fait toute la difficulté de ce langage. Créé par Netscape. Si Netscape Navigator et Internet Explorer (qui l'appelle *JScript*) l'interprètent à peu près correctement, il n'en va pas de même pour d'autres navigateurs.

JPEG Format d'image très utilisé sur le Web pour numériser des photos.

JScript Nom donné par Microsoft à son implémentation de JavaScript.

kilo-octet Unité de mesure de la taille d'un fichier ou de la capacité d'un disque dur. Représente 2^{10} octets, soit un peu plus de mille octets.

liaison Voir **lien**.

lien Plusieurs sens. En ce qui concerne les réseaux, synonyme de connexion. Pour le Web, lien logique entre plusieurs documents non nécessairement situés au même endroit.

LINUX UNIX gratuit tournant principalement sur des ordinateurs personnels. Voir le forum `comp.os.linux.announce`. Connaît depuis peu un regain de popularité renforcé par la position de plus en plus dominatrice de Microsoft.

liste à puces Type de liste HTML dans laquelle chaque article est précédé d'une puce (généralement un gros point). On dit aussi *liste non numérotée*.

liste de définition Type de liste HTML dans laquelle chaque terme est placé dans une colonne sur le côté gauche de l'écran, sa définition occupant une colonne plus large, en face, du côté droit.

liste numérotée Type de liste HTML dans laquelle chaque article porte un numéro croissant.

Lynx Navigateur ancien fonctionnant uniquement en mode texte.

mégaoctet Unité de mesure de la taille d'un fichier ou de la capacité d'un disque dur. Représente 2^{20} octets, soit un peu plus d'un million d'octets.

miroir Serveur FTP sur lequel on trouve les mêmes fichiers que sur un autre site, considéré comme leur distributeur principal.

modem Modulateur-démodulateur. Dispositif électronique chargé de convertir des signaux électriques entre un ordinateur et une ligne téléphonique.

MPEG Système de compression de fichiers de sons et d'images élaboré par le Motion Picture Group. Les fichiers ont l'extension .mpg.

multimédia Désigne généralement tous supports d'informations autres que le texte et l'image.

navigateur (browser, brouteur, fureteur, butineur...) Programme d'exploration du Web.

Netscape Comunicator 6 Plus récente version stabilisée du naviga-teur de Netscape (éditeur maintenant racheté par AOL).

Netscape Navigator 6.0 Toute dernière version du navigateur de Netscape, sortie le 16 novembre 2000 qui est loin d'avoir été accueillie avec enthousiasme en raison de la présence de nombreux bugs résiduels.

Net Raccourci familier désignant l'Internet.

network Réseau. En abrégé : **net** (avec un petit "n").

news Système d'échange de messages publics organisé par sujets. Son accès nécessite l'emploi d'un logiciel spécialisé.

Numéris Réseau de transmission de données numérisées. Voir **RNIS**.

octet Groupe de huit bits généralement utilisé comme unité de mesure de la capacité de mémorisation de certains organes de stockage d'un ordinateur. En anglais : *byte*.

page Unité d'information fictive utilisée sur le Web. Une page Web est censée représenter les informations pouvant être affichées sur un seul écran. Mais comme la taille d'un écran est très variable, cette notion reste très floue.

paquet Ensemble d'informations envoyées sur un réseau. Chaque paquet contient l'adresse de son destinataire.

pays (code) Suffixe de deux lettres d'une adresse Internet pour tous les pays autres que les Etats-Unis. `fr` représente la France, `ch` la Suisse, `uk` le Royaume-Uni, etc.

PDF (fichier) Système de formatage de documents créé par Adobe. Le logiciel de lecture, Acrobat, est distribué gratuitement par cet éditeur à l'URL `http://www.adobe.com/acrobat`.

plugin (assistant) Module de programme qu'on incorpore à un navigateur pour lui permettre de décoder et d'interpréter des fichiers qu'il est incapable de traiter de façon native.

présentation Web Ensemble cohérent de pages Web organisées autour d'un sujet donné et pourvues de liens entre elles. Synonyme : *site Web*.

protocole Ensemble de conventions grâce auxquelles deux ordinateurs peuvent communiquer entre eux. Il en existe de nombreux sur l'Internet.

publication (d'une page Web) Opération par laquelle on transfère l'ensemble des fichiers d'une présentation Web sur un serveur Web. Elle s'effectue le plus souvent au moyen d'un client **FTP** (voir ce mot).

QuickTime Format de fichiers vidéo multiplate-forme créé par Apple et dont il existe des versions pour Windows et d'autres systèmes. Assez largement utilisé sur l'Internet.

RealAudio Format de codification de fichier audio permettant une transmission et une audition quasi simultanées. Voir `http://www.realaudio.com`.

recherche (moteur de) Logiciel utilisé pour effectuer des recherches sur des bases de données.

répertoire Partie d'une structure arborescente gouvernant l'organisation des fichiers d'un ordinateur.

RNIS Réseau numérique à intégration de services. Réseau créé par France Télécom pour assurer des débits garantis plus élevés que le RTC.

RTC Réseau téléphonique commuté.

script CGI Voir **CGI (script)**.

sécurité Sur un réseau, la sécurité consiste essentiellement à interdire l'entrée dans une machine à ceux qui n'y sont pas autorisés par l'administrateur du système.

serveur Ordinateur destiné à fournir un service à d'autres ordinateurs d'un réseau. Un serveur se connecte à un **client** (voir ce mot).

serveur Web Ordinateur connecté à l'Internet et diffusant des présentations Web.

shareware Logiciel qu'on peut essayer avant de l'adopter. Lorsqu'on s'y décide, on est moralement obligé de verser une contribution à l'auteur.

Shockwave Standard multimédia interactif utilisé sur le Web. Voir le site http://www.macromedia.com/shockwave/.

site Web Ensemble cohérent de pages Web organisées autour d'un sujet donné et pourvues de liens entre elles. Synonyme : *présentation Web*.

software Logiciel. Tout ce qui, dans un ordinateur, ne relève pas du matériel.

SSL (Secure Socket Layer) Technique utilisée sur le Web pour sécuriser certaines connexions.

streaming (audio) Système permettant d'acheminer des fichiers audio sur le Net de telle façon qu'on commence à les entendre presque immédiatement, sans attendre que l'intégralité du fichier soit transmise. Le plus populaire est RealAudio.

surfer Se promener nonchalamment et sans but précis sur le Web.

TCP/IP (Transmission Control Protocol/Internet Protocol) Protocole de connexion utilisé sur l'Internet.

texte (fichier) Fichier ne contenant que du texte pur, sans formatage.

texte (éditeur de) Programme permettant de créer et de modifier un fichier texte sans mise en forme.

texte (traitement de) Programme permettant de créer et de modifier un fichier texte avec une mise en forme pouvant être très élaborée.

transparente (image GIF) Image qui a été traitée de façon qu'une couleur particulière ne soit pas réellement affichée, permettant ainsi de voir ce qu'il y a sur l'écran derrière elle.

UNIX Système d'exploitation soulevant les passions à défaut des montagnes. Difficile, voire impossible à utiliser par des profanes.

uploading Téléchargement *vers* un serveur.

URL (Uniform Resource Locator) Façon de désigner une ressource de l'Internet au moyen d'une adresse électronique précédée d'un préfixe dépendant du type de la ressource concernée. Les navigateurs en font un très large usage.

V90 C'est le standard de transmission le plus rapide actuellement utilisable sur une ligne du réseau téléphonique commuté (RTC) avec des modems ne faisant appel qu'aux techniques traditionnelles.

vignette Petite image sur laquelle un utilisateur peut cliquer pour afficher la même image en plus grand format.

virus Parasite logiciel destiné à perturber le fonctionnement d'un ordinateur.

visualisation (logiciel de) Programme destiné à afficher des images numérisées.

W3C Organisme chargé de coordonner, d'élaborer et de diffuser les spécifications concernant le Web.

Wanadoo Fournisseur d'accès français, filiale de France Télécom et qui compte environ deux millions d'abonnés.

WAV (fichier) Format utilisé sous Windows pour les fichiers audio.

Web Littéralement "araignée". En réalité, il s'agit du **World Wide Web** qui est un système d'informations hypertexte et hypermédia.

webmaster La personne responsable d'un site Web. On dit *webmistress* lorsque ce rôle est tenu par une femme.

Windows Système d'exploitation à fenêtrage créé par Microsoft pour les PC. Les versions les plus couramment utilisées sont Windows 98, Windows 2000, Windows Millenium, Windows NT (3.51 et 4.0), Windows XP. C'est ce qu'on appelle les *Windows 32 bits*.

World Wide Web Voir **Web**.

Yahoo! Moteur de recherche sur le Web accessible par l'URL http://www.yahoo.com. Son antenne française a pour URL http://www.yahoo.fr.

Annexe B
Quelques fournisseurs d'accès à l'Internet

Cette annexe a été totalement réécrite pour que son contenu cadre avec la situation de la fourniture d'accès qu'on rencontre dans notre pays. La multiplicité des formules proposées a de quoi laisser perplexe. Nous allons tenter d'en faire rapidement le tour.

Frais de communications téléphoniques à la charge de l'abonné

Depuis la fin du premier semestre 2000, il n'existe pratiquement plus de prestataires qui fassent payer l'abonnement à leur fourniture d'accès (généralement sans limitation de durée). C'est World Online qui, le premier, en avril 1999, a proposé un raccordement gratuit à l'Internet. Depuis, concurrence oblige, tout le monde (à de très rares exceptions près) lui a emboîté le pas.

Abonnement payant

Il doit bien exister encore quelques fournisseurs d'accès qui fassent payer leurs prestations. Dans une certaine mesure, cela peut rassurer certains esprits inquiets, croyant qu'ils obtiendront de meilleures prestations s'ils les payent. Mais c'est un leurre, car on voit mal le fournisseur d'accès faire deux poids deux mesures pour le même produit. Parmi ceux qui continuent de proposer cette formule, on trouve Wanadoo et Club-Internet.

Abonnement gratuit

Cette formule connaît maintenant une baisse certaine de popularité depuis l'arrivée des forfaits. Le principe est le suivant : on s'inscrit – la plupart du temps sur un site Web – et, dans le quart d'heure qui suit, on reçoit par e-mail son identificateur de login et son mot de passe. Ceux qui n'ont pas encore d'accès à l'Internet peuvent aussi opérer par téléphone. Ce type d'abonnement laisse à votre charge les communications téléphoniques. Voici quelques-uns des prestataires avec l'adresse Web de leur site :

- ✔ **Club-Internet** : http://www.club-internet.fr ;

- ✔ **Wanadoo** : http://www.wanadoo.fr ;

- ✔ **AOL liberté** : http://www.aol.fr.

Les forfaits

Dans cette formule, sans doute la plus intéressante pour l'internaute, les frais de communication téléphonique sont compris dans le prix de l'abonnement. Il existe plusieurs types d'offres allant de 3 à 50 heures, et même plus puisque quelques fournisseurs d'accès se sont risqués à proposer une formule dite "illimitée" qu'on pourrait croire non limitée dans le temps utilisé. Comme vous pouvez le lire dans l'encadré qui suit, ils ont dû bien vite se rendre à la dure réalité des choses.

Forfait payant

C'est la formule qui semble la plus intéressante dès l'instant où on cerne à peu près le nombre d'heures mensuelles de connexion dont on a besoin. Chez nous, des statistiques dignes de foi montrent que l'internaute moyen (qui est, bien entendu, comme la ménagère de moins de cinquante ans chère aux fanatiques de l'audimat, une vue de l'esprit enfantée par les statistiques) consomme une dizaine d'heures par mois, moins même, s'il n'utilise que le courrier électronique.

Le marché de l'offre d'accès à l'Internet est l'archétype du marché dynamique, mouvant et peu fiable. Ce qui est vrai à un instant donné risque fort d'avoir changé dans le mois qui suit. Aussi les tarifs que vous allez trouver ici ne doivent-ils être pris que comme des indications générales et non comme des valeurs sûres et précises.

Voici quelques offres représentatives du marché français. Au-delà du nombre d'heures prévu au forfait, le temps de connexion est facturé à

Le mirage du forfait illimité

World Online en premier, OneTel ensuite (disparu depuis), AOL en dernier se sont risqués à offrir un forfait proposant un nombre d'heures de connexion illimité pour une somme très raisonnable (de l'ordre de 30 euros ou moins par mois). Rapidement, les deux premiers ont jeté l'éponge, tant il est vrai que l'internaute français, ayant depuis longtemps été sévèrement rationné en ce qui concerne la durée de ses connexions en raison de leur coût, s'est jeté goulûment sur cette aubaine. Si goulûment même que les téméraires initiateurs de cette offre ont rapidement été débordés et leurs installations proprement engorgées.

AOL, dernier en date des promoteurs de ce type d'accès, a été submergé de plaintes de ses anciens abonnés se plaignant de la diminution de qualité des connexions par surcharge du système informatique. Une première mesure a consisté à interrompre d'autorité toute connexion dont la durée excédait 30 minutes en rendant inefficace toute nouvelle tentative de connexion avant que ne se soit écoulé un délai de cinq minutes. Comme cela n'a pas suffi, au bout de deux mois, cette offre a été purement et simplement retirée.

Même en l'assortissant de limitations draconiennes, telles que le volume d'octets téléchargés (dans le sens montant ou dans le sens descendant), le jour de la semaine et/ou l'heure de la journée, l'impossibilité d'utiliser des ressources comme l'ICQ ou le jeu en réseau, ce type d'offre ne semble pas – tout au moins actuellement en France – reposer sur un modèle économique fiable.

Cette situation pourrait se modifier courant 2002, date de la libéralisation effective du marché du téléphone (Europe oblige), initialement annoncée pour 2001 et que, en France, France Télécom a réussi à repousser d'un an.

la minute, selon un barème propre à chaque fournisseur mais toujours inférieur (sauf évidemment pour Wanadoo, émanation de France Télécom) au prix plafond de 4 centimes d'euro (28 centimes de franc) la minute en période normale. Souvent, le nouvel abonné peut bénéficier de conditions promotionnelles telles qu'un certain nombre d'heures gratuites pendant les premiers mois de son abonnement. Le numéro d'appel indiqué correspond au service clientèle du fournisseur d'accès. C'est lui que vous pourrez appeler si vous envisagez de vous abonner par téléphone.

- ✔ **AOL.** Forfait illimité tout compris pour 24,99 €.

- ✔ **Club-Internet.** 5 heures par mois pour 7 €, 20 heures pour 14 € ou 30 heures pour 19 €.

- **LibertySurf** 5 heures pour 5,5 €, 10 heures pour 9,5 €, 20 heures pour 14,5 € ou 30 heures pour 22,5 €.

- **Wanadoo.** 5 heures pour 8 €, 10 heures pour 10 €, 20 heures pour 15 €, 40 heures pour 20 € ou 60 heures pour 25 €.

Le principal avantage du forfait est de vous permettre de vous affranchir des tranches horaires de France Télécom (voir plus bas), puisque, dans cette formule, il n'y a pas de créneau horaire. De cette façon, vous n'êtes plus contraint d'attendre 19 heures ou 22 heures ou de vous lever tôt le matin pour accéder à l'Internet au meilleur prix.

Les fournisseurs d'accès sont-ils des philanthropes ?

La réponse est évidemment : non. Il s'agit d'un coup de poker dont l'issue est incertaine. Certains fournisseurs d'accès ont négocié avec leur opérateur téléphonique (pas nécessairement France Télécom, car, pour la clientèle commerciale, le marché du téléphone est depuis quelque temps déjà soumis à concurrence) le reversement d'un pourcentage sur les frais de connexion téléphonique, un peu comme cela se pratique avec le Minitel 3615. Tous espèrent attirer des sites commerciaux et peuvent même aller jusqu'à proposer des listes d'abonnés qui constituent une clientèle potentielle ciblée. C'est pour cette raison que certains fournisseurs d'accès demandent au futur abonné de remplir un questionnaire assez fourni – voire indiscret – sur ses passe-temps favoris et ses habitudes de consommation. Souvent, au moment de la connexion, une page d'accueil surchargée de bandeaux publicitaires est affichée. Enfin, presque tous pratiquent des tarifs d'assistance téléphonique élevés (0,34 €, soit 2,2 francs par minute, par exemple).

Actuellement, ceux qui subsistent perdent toujours de l'argent. Un peu comme le joueur qui s'obstine à miser malgré ses pertes, ils espèrent atteindre le seuil de rentabilité en deux ans, peut-être plus. D'ici là, les plus faibles (économiquement parlant) auront disparu ou auront été rachetés par ceux qui ont les reins plus solides.

Forfait gratuit

Cette formule, qui permettait un accès entièrement gratuit à l'Internet pour un total de 4 à 10 heures par mois, a progressivement disparu. Les fournisseurs d'accès espéraient des rentrées substantielles avec la publicité en ligne, mais la réalité les a cruellement déçus.

Accès sans abonnement

C'est une formule qui ne peut guère convenir qu'à ceux qui utilisent l'Internet de façon sporadique, car elle repose sur la mise en œuvre d'une ligne téléphonique à tarification spéciale (supérieure à celle d'une ligne téléphonique ordinaire). Comme pour le Minitel, une partie des sommes ainsi dépensées va à l'opérateur téléphonique (pour couvrir les frais de communication) et l'autre au fournisseur d'accès. On atteint ainsi très rapidement des sommes élevées ; aussi ce type d'accès ne convient-il à la rigueur que pour consulter épisodiquement une boîte aux lettres électronique. En France, cette formule est principalement proposée par BD Way, France Explorer et Wanadoo.

Facturation de la liaison téléphonique

En dehors des formules à forfait, lorsque l'accès proprement dit à l'Internet est gratuit, seules restent à payer les communications téléphoniques. La tarification actuelle pratiquée par France Télécom depuis le 1er octobre 1997 pour le réseau téléphonique commuté (RTC) obéit à des règles faisant intervenir la distance, la durée et le moment d'un appel. Elle a été modifiée en novembre 2000 d'une façon qui pénalise l'internaute puisque, si le coût des communications locales est resté le même, celui de l'abonnement a été fortement majoré.

 Jusqu'à fin 2000, France Télécom possédait le monopole de la *boucle locale*, c'est-à-dire du raccordement des particuliers au central téléphonique dont ils dépendent. Cette situation, qui n'aurait pas dû perdurer au-delà du 1er janvier 2001, s'est prolongée jusque fin décembre 2001. La libéralisation totale a débuté le 1er janvier 2002 ; vous pouvez donc maintenant choisir votre opérateur téléphonique pour vous raccorder au réseau. Il est trop tôt pour se prononcer sur l'intérêt économique réel de ce type de raccordement

La règle actuellement appliquée par France Télécom pour la tarification compte le temps d'utilisation d'une ligne téléphonique banalisée (RTC) selon la formule suivante :

- ✔ Un "crédit temps" non modulable, de 0,091 € (0,60 franc) par appel, qui correspond à 1 minute de connexion ;

- ✔ Un montant dépendant du nombre de secondes de connexion utilisées une fois ce crédit temps épuisé : 0,018 € (0,12 francs) la minute en tarif "heures creuses".

La journée ordinaire est divisée en deux périodes : la période normale, entre 8 h et 19 h, et la période à tarification réduite, dite "demi-tarif", de 19 h à 8 h et les samedis, dimanches et jours fériés. La Figure B.1 vous présente une copie d'écran de la page du serveur de France Télécom (http://www.francetelecom.com/vfrance/home/ pourvous/infoservices/prixcom/index.htm) qui détaille le tarif applicable.

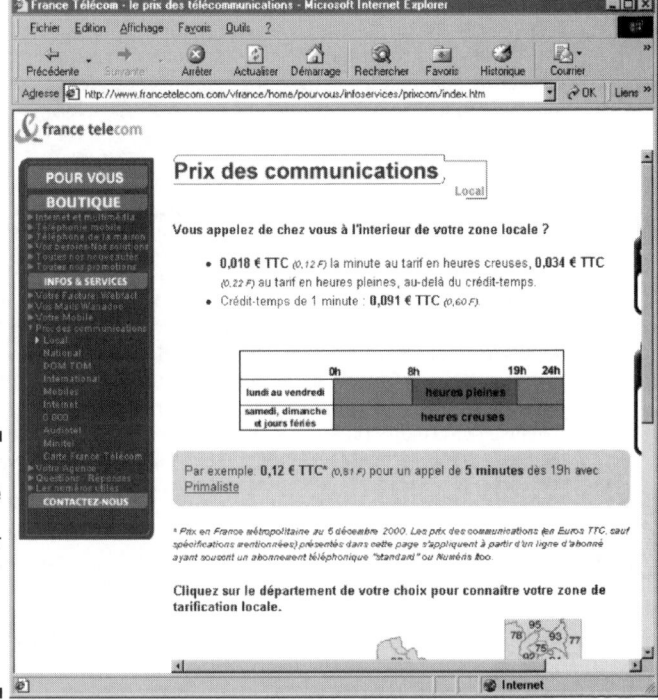

Figure B.1 :
Tarif appliqué
par France
Télécom pour
les communi-
cations
téléphoni-
ques dites
"locales".

France Télécom propose plusieurs formules d'abonnement à prix réduit (Ligne locale, Temporalis, Primaliste, Primaliste Internet, etc.). Pour simplifier, prenons la formule dite "la minute Internet" (voir la Figure B.2) qui propose, pour certains numéros d'appel, la minute de communication à 0,021 € (0,14 franc) 24 heures sur 24, sept jours sur sept. La première minute (indivisible) est facturée 0,11 € (0,70 franc).

Par comparaison, la Figure B.3 vous présente la page de Cegetel ("Le 7") qui propose, dans les mêmes conditions, la minute de communica-tion à 0,017 € (0,11 franc).

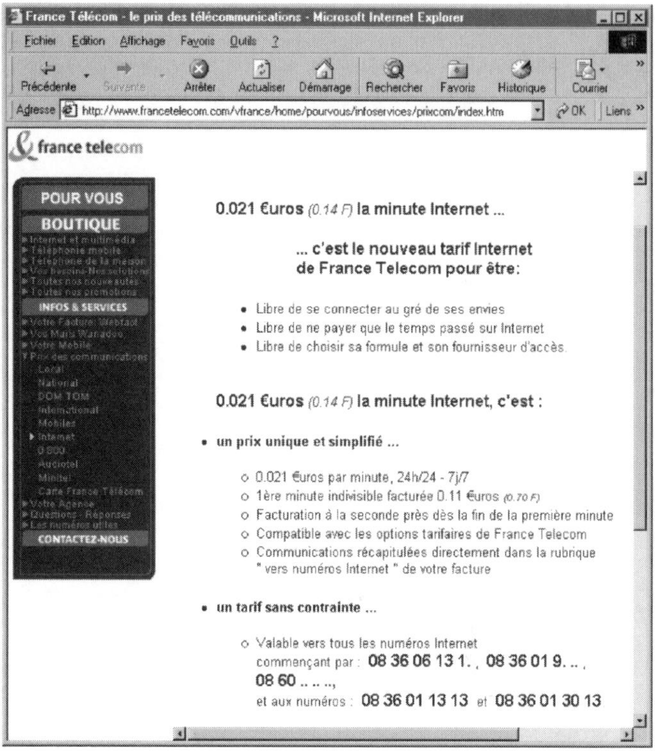

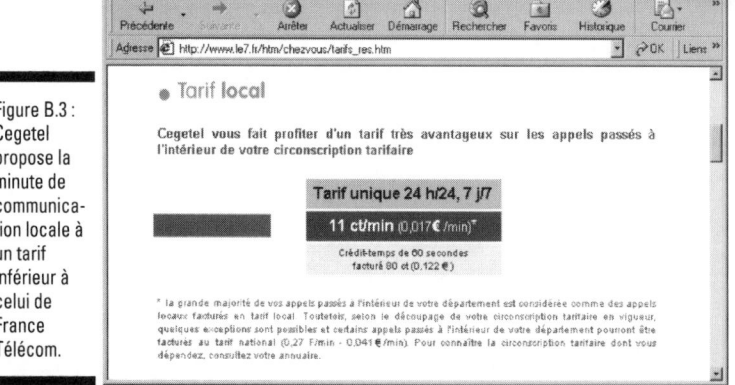

Figure B.2 :
Tarif "La minute Internet" proposé par France Télécom.

Figure B.3 :
Cegetel propose la minute de communication locale à un tarif inférieur à celui de France Télécom.

Comme on peut s'en douter, les formules tarifaires spéciales, bien adaptées à celui qui doit payer l'intégralité des communications téléphoniques correspondant à son temps de connexion, n'ont aucun intérêt pour les forfaits tout compris.

Annexe C
Petit guide
des balises HTML

*L*es balises que nous allons décrire constituent une partie de celles qui sont définies par HTML 4.0 ; elles sont reconnues par tous les navigateurs modernes.

Les différentes versions de HTML

Les versions de HTML décrites dans cette annexe sont :

- ✔ **HTML 2.0.** Tous les navigateurs existant à l'heure actuelle reconnaissent cette version de base, mais certaines balises peuvent être interprétées de façon différente.

- ✔ **HTML 3.2.** Cette version, sans doute la plus largement reconnue, date de mai 1996.

- ✔ **HTML 4.0.** C'est la version la plus récente dont les spécifications aient été agréées par le W3C[1]. Elle renferme quelques-unes des extensions proposées par Microsoft et Netscape, ainsi que certaines balises d'un usage délicat, voire difficile, toujours incomplètement (voire incorrectement) implémentées par les navigateurs même les plus récents.

---

[1] En réalité, il en existe une plus récente – la 4.01–, mais elle contient essentiellement des modifications "cosmétiques" par rapport à la 4.0. *(N.d.T.)*

Comment utiliser cette annexe

Pour bien utiliser cette annexe lorsque vous créerez vos pages Web, commencez par le premier tableau qui contient une liste des balises conformes aux spécifications HTML 2.0 et 3.2 et reconnues par à peu près tous les navigateurs. Si vous vous contentez de ces balises, vos pages pourront bénéficier de la plus large audience possible.

Dans cette annexe, vous trouverez beaucoup de balises HTML dont nous n'avons pas parlé au cours des chapitres précédents. Si vous voulez en savoir davantage à leur sujet, consultez, chez le même éditeur *HTML 4 pour les Nuls*, par Ed Tittel, Natanya Pitts et Chelsea Valentine.

L'attribut ALIGN

Il convient de noter que l'usage de l'attribut ALIGN est déconseillé d'une façon générale par la spécification officielle de HTML 4 au profit de l'emploi des feuilles de style CSS. *(N.d.T.)*

Comment exploiter les tableaux

A l'intérieur des tableaux, vous remarquerez certaines balises qui **ne sont pas** précédées d'un tiret, contrairement à leurs *attributs* qui les suivent et qui, eux, le sont. Exemple :

Texte préformaté	`<PRE> </PRE>`	Affiche les espaces, tabulations et retours chariot.
- Largeur	`<PRE WIDTH=?> </PRE>`	Largeur en caractères.

Le Tableau C.1 donne la liste des conventions typographiques utilisées dans les tableaux qui suivent.

Tableau C.1 : Conventions typographiques.

Symbole	Signification
URL	URL d'un fichier externe (ou simplement nom de fichier si le fichier se trouve dans le même répertoire).

Symbole	Signification
?	Nombre quelconque. Par exemple, ⟨H?⟩ signifie ⟨H1⟩, ⟨H2⟩ ... ⟨H6⟩.
%	Pourcentage arbitraire. Par exemple, WIDTH=% peut représenter WIDTH=40%.
***	Texte quelconque. Par exemple, ALT="***" indique que vous devez placer du texte entre les guillemets.
$$$$$$	Nombre hexadécimal quelconque. Par exemple, BGCOLOR="#$$$$$$" peut signifier BGCOLOR="#00FF1C".
:::	Date de modification.
|	Choix mutuellement exclusif entre plusieurs valeurs. Par exemple, ALIGN=LEFT|CENTER|RIGHT signifie que vous devez choisir entre ces trois valeurs possibles.
- Option	Option ou attribut d'une balise.

Balises conformes aux spécifications HTML 2.0 et HTML 3.2

Les balises des Tableaux C.2 à C.10 sont décrites dans les spécifications HTML 2.0 et 3.2 et devraient être reconnues par tous les navigateurs.

Tableau C.2 : Tout document HTML devrait, en principe, contenir toutes ces balises.

Nom de la balise	Balise	Notes
Type de document	⟨HTML⟩ ⟨/HTML⟩	Début et fin du fichier.
Titre	⟨TITLE⟩ ⟨/TITLE⟩	Doit se trouver dans la section d'en-tête.
En-tête	⟨HEAD⟩ ⟨/HEAD⟩	Informations descriptives comme le titre.
Corps	⟨BODY⟩ ⟨/BODY⟩	Contenu de la page.

Tableau C.3 : Définitions structurales : leur apparence est contrôlée par les options de configuration (Préférences) du navigateur.

Nom de la balise	Balise	Notes
Titre	⟨H?⟩ ⟨/H?⟩	HTML 2.0 reconnaît 6 niveaux.
Bloc de citation	⟨BLOCKQUOTE⟩ ⟨/BLOCKQUOTE⟩	Généralement indenté.
Mise en valeur	⟨EM⟩ ⟨/EM⟩	Généralement affiché en italique.

Nom de la balise	Balise	Notes
Forte mise en valeur	`<STRONG> </STRONG>`	Généralement affiché en gras.
Citation	`<CITE> </CITE>`	Généralement affiché en italique.
Code	`<CODE> </CODE>`	Pour les listings de code source.
Exemple	`<SAMP> </SAMP>`	
Saisie au clavier	`<KBD> </KBD>`	
Variable	`<VAR> </VAR>`	
Adresse de l'auteur	`<ADDRESS> </ADDRESS>`	

Tableau C.4 : Format de présentation ; c'est l'auteur qui spécifie l'apparence du texte.

Nom de la balise	Balise	Notes
Gras	`<B> </B>`	
Italique	`<I> </I>`	
Machine à écrire	`<TT> </TT>`	Affiché avec une police à pas fixe.
Texte préformaté	`<PRE> </PRE>`	Affiche les espaces, tabulations et retours chariot.
- Largeur	`<PRE WIDTH=?> </PRE>`	Largeur en caractères.

Tableau C.5 : Liens et images.

Nom de la balise	Balise	Notes
Lien	`<A HREF="URL"> </A>`	
Lien vers une cible	`<A HREF="URL#***"> </A>`	Si situé dans un autre document.
	`<A HREF="#***"> </A>`	Si situé dans le même document.
Définition d'une cible	`<A NAME="***"> </A>`	
Affichage d'une image	`<IMG SRC="URL">`	
- Alignement	`<IMG SRC="URL" ALIGN =TOP|BOTTOM|MIDDLE|RIGHT|LEFT>`	
- Texte de remplacement	`<IMG SRC="URL" ALT="***">`	
- Image réactive	`<IMG SRC="URL" ISMAP>`	Exige l'existence d'un script.

Tableau C.6 : Séparateurs.

Nom de la balise	Balise	Notes
Paragraphe	`<P>`	Avec insertion d'une ligne vierge.
Rupture de ligne	` `	Sans insertion de ligne vierge.
Filet horizontal	`<HR>`	A partir de HTML 3.2.

Tableau C.7 : Listes (peuvent être imbriquées).

Nom de la balise	Balise	Notes
Liste à puces	`<UL> <LI> </UL>`	`<LI>` Avant chaque article de la liste.
Liste ordonnée	`<OL> <LI> </OL>`	`<LI>` Avant chaque article de la liste.
Liste de définitions	`<DL> <DT> <DD> </DL>`	`<DT>` = terme, `<DD>` = définition.

Tableau C.8 : Caractères spéciaux (doivent être tous écrits en minuscules).

Nom de la balise	Balise	Notes
Caractère spécial	`&#?;`	? représente le code de l'un des caractères de l'alphabet ISO 8859-1.
<	`&lt;`	
>	`&gt;`	
&	`&amp;`	
"	`&quot;`	
Marque déposée	`&#reg;`	
Copyright	`&#copy;`	

Vous trouverez une liste complète des caractères spéciaux à l'URL :

```
http://www.bbsinc.com/symbol.html
```

Tableau C.9 : Formulaires (nécessitent généralement l'existence d'un script CGI sur le serveur).

Nom de la balise	Balise	Notes
Définition d'un formulaire	`<FORM ACTION="URL" METHOD=GET|POST> </FORM>`	
Champ de saisie	`<INPUT TYPE="TEXT|PASSWORD|CHECKBOX|RADIO|IMAGE|HIDDEN|SUBMIT|RESET">`	
- Nom du champ	`<INPUT NAME="***">`	
- Valeur du champ	`<INPUT VALUE="***">`	
- Coché ?	`<INPUT CHECKED>`	Cases à cocher et boutons radio.
- Taille du champ	`<INPUT SIZE=?>`	En nombre de caractères.
- Longueur maximale	`<INPUT MAXLENGTH=?>`	En nombre de caractères.
Liste de sélection	`<SELECT> </SELECT>`	
- Nom de la liste	`<SELECT NAME="***"> </SELECT>`	
- Nombre d'options	`<SELECT SIZE=?> </SELECT>`	
- Choix multiples possibles.	`<SELECT MULTIPLE>`	Plusieurs sélections
Option	`<OPTION>`	Liste d'articles à choisir.
- Option par défaut	`<OPTION SELECTED>`	
Taille de la boîte de saisie	`<TEXTAREA ROWS=? COLS=?></TEXTAREA>`	
- Nom de la boîte	`<TEXTAREA NAME="***"> *** </TEXTAREA>`	

Tableau C.10 : Divers.

Nom de la balise	Balise	Notes
Commentaire	`<!-- *** -->`	Texte non affiché par le navigateur.
Prologue	`<!DOCTYPE HTML PUBLIC " -//IETF// DTD HTML 2.0//EN">`	
URL de ce fichier	`<BASE HREF="URL">`	Doit se trouver dans la section d'en-tête.
Relations	`<LINK REV="***" REL="***" HREF="URL">`	Dans la section d'en-tête.
Meta Information	`<META>`	Doit se trouver dans la section d'en-tête.

Autres balises largement utilisées

Les balises des Tableaux C.11 à C.17 sont comprises de presque tous les navigateurs actuels. Pour plus de détails, consulter *The Bare Bones Guide to HTML* à l'URL citée au début de cette annexe.

Tableau C.11 : Définitions structurales : apparence contrôlée par les préférences du navigateur.

Nom de la balise	Balise	Notes
- Alignement de titre	`<H? ALIGN=LEFT|CENTER|RIGHT></H?>`	HTML 3.2.
Division	`<DIV></DIV>`	HTML 3.2.
- Alignement de division	`<DIV ALIGN=LEFT|RIGHT|CENTER| JUSTIFY></DIV>`	HTML 3.2.
Grande police	`<BIG></BIG>`	HTML 3.2.
Petite police	`<SMALL></SMALL>`	HTML 3.2.

Tableau C.12 : Format de présentation : apparence du texte spécifiée par l'auteur.

Nom de la balise	Balise	Notes
Indice	`<SUB></SUB>`	HTML 2.0.
Exposant	`<SUP></SUP>`	HTML 2.0.
Centrer	`<CENTER></CENTER>`	Très utilisé depuis Netscape 1.0 pour le texte et les images[2].

Tableau C.13 : Images.

Nom de la balise	Balise	Notes
Dimensions	`<IMG SRC="URL" WIDTH= "?" HEIGHT= "?">`	HTML 3.2. Largeur et hauteur de l'image sont exprimées en pixels.

---

[2]   L'usage de l'attribut CENTER est déconseillé par la spécification officielle de HTML 4.0. *(N.d.T.)*

Tableau C.14 : Séparateurs.

Nom de la balise	Balise	Notes
Paragraphe	`<P> </P>`	HTML 3.2.
- Alignement de texte	`<P ALIGN=LEFT|CENTER|RIGHT|JUSTIFY> </P>`	HTML 3.2.
- Pas de retour à la ligne	`<P NOWRAP> </P>`	Internet Explorer seulement.

Tableau C.15 : Arrière-plan et couleurs.

Nom de la balise	Balise	Notes
Arrière-plan en mosaïque	`<BODY BACKGROUND="URL">`	HTML 3.2.
Couleur de fond	`<BODY BGCOLOR="#$$$$$$">`	HTML 3.2 (ordre des couleurs : rouge, vert, bleu).
Couleur du texte	`<BODY TEXT="#$$$$$$">`	HTML 3.2 (ordre des couleurs : rouge, vert, bleu).
Couleur des liens	`<BODY LINK="#$$$$$$">`	HTML 3.2 (ordre des couleurs : rouge, vert, bleu).
Liens activés	`<BODY ALINK="#$$$$$$">`	HTML 3.2 (ordre des couleurs : rouge, vert, bleu).
Liens visités	`<BODY VLINK="#$$$$$$">`	HTML 3.2 (ordre des couleurs : rouge, vert, bleu).

Vous pourrez en apprendre davantage à l'URL :

```
<http://www.werbach.com/web/wwwhelp.html
```

Tableau C.16 : Tableaux.

Nom de la balise	Balise	Notes
Définition de tableau	`<TABLE> </TABLE>`	HTML3.2.
- Bordure de tableau	`<TABLE BORDER> </TABLE>`	HTML 3.2. Son absence implique l'absence de bordure.
- Bordure de tableau	`<TABLE BORDER=?> </TABLE>`	HTML 3.2. Sert à définir la largeur de la bordure en pixels.
- Espacement des cellules	`<TABLE CELLSPACING=?>`	HTML 3.2.

Nom de la balise	Balise	Notes
- Ajustement des cellules	`<TABLE CELLPADDING=?>`	HTML 3.2.
- Largeur souhaitée	`<TABLE WIDTH=?>`	HTML 3.2 (en pixels).
- Largeur souhaitée	`<TABLE WIDTH=%>`	HTML 3.2 (en pourcentage de la largeur de la fenêtre).
Ligne de tableau	`<TR> </TR>`	HTML 3.2.
- Alignement	`<TR ALIGN=LEFT|RIGHT| CENTER VALIGN=TOP |MIDDLE|BOTTOM>`	HTML3.2.
Cellule de tableau	`<TD> </TD>`	HTML 3.2. Doit se trouver à l'intérieur d'une ligne.
- Alignement	`<TD ALIGN=LEFT|RIGHT| CENTER VALIGN=TOP| MIDDLE|BOTTOM>`	HTML 3.2.
- Pas de retour à la ligne	`<TD NOWRAP>`	HTML 3.2.
- Expansion de colonne	`<TD COLSPAN=?>`	HTML 3.2.
- Expansion de ligne	`<TD ROWSPAN=?>`	HTML 3.2.
- Largeur souhaitée	`<TD WIDTH=?>`	HTML 3.2 (en pixels).
- Largeur souhaitée	`<TD WIDTH=%>`	HTML 3.2 (en pourcentage de la largeur du tableau).
- Hauteur souhaitée	`<TD HEIGHT=?>`	HTML 3.2 (en pixels).
- Hauteur souhaitée	`<TD HEIGHT=%>`	HTML 3.2 (en pourcentage de la largeur de la fenêtre).
En-tête de tableau	`<TH> </TH>`	HTML 3.2 (identique à DT mais centré et en gras).
- Alignement	`<TH ALIGN=LEFT|RIGHT| CENTER VALIGN=TOP| MIDDLE|BOTTOM>`	HTML 3.2.
- Pas de rupture de ligne	`<TH NOWRAP>`	HTML 3.2
- Expansion de colonne	`<TH COLSPAN=?>`	HTML 3.2
- Expansion de ligne	`<TH ROWSPAN=?>`	HTML 3.2
- Largeur souhaitée	`<TH WIDTH=?>`	HTML 3.2 (en pixels).
- Largeur souhaitée	`<TH WIDTH=%>`	HTML 3.2 (en pourcentage).
- Hauteur souhaitée	`<TH HEIGHT=?>`	HTML 3.2 (en pixels).
- Hauteur souhaitée	`<TH HEIGHT=%>`	HTML 3.2 (en pourcentage de la largeur de la fenêtre).
Titre du tableau	`<CAPTION> </CAPTION>`	HTML 3.2.
- Alignement	`<CAPTION ALIGN=TOP| BOTTOM>`	HTML 3.2 (au-dessus ou au-dessous du tableau).

Tableau C.17 : Divers.

Nom de la balise	Balise	Notes
Script interne	`<SCRIPT> </SCRIPT>`	
Script externe	`<SCRIPT SRC="URL"> </SCRIPT>`	
Type de script	`<SCRIPT TYPE="***"> </SCRIPT>`	
Langage du script	`<SCRIPT LANGUAGE="***"> </SCRIPT>`	
Applet Java	`<APPLET>`	HTML 3.2.
- Nom de l'applet	`<APPLET NAME="***">`	HTML 3.2.
- Texte de remplacement	`<APPLET ALT="***">`	HTML 3.2.
- Emplacement du code de l'applet	`<APPLET CODE="URL">`	HTML 3.2.
- Répertoire de base du code	`<APPLET CODEBASE="URL">`	HTML 3.2.
- Hauteur de la fenêtre de l'applet	`<APPLET HEIGHT=?>`	HTML 3.2 (en pixels).
- Largeur de la fenêtre de l'applet	`<APPLET WIDTH=?>`	HTML 3.2 (en pixels).
- Décalage horizontal	`<APPLET HSPACE=?>`	HTML 3.2 (en pixels).
- Décalage vertical	`<APPLET VSPACE=?>`	HTML 3.2 (en pixels).
- Alignement	`<APPLET ALIGN=[left|right|top| middle|bottom]>`	HTML 3.2.
Paramètres de l'applet	`<PARAM>`	HTML 3.2.
Nom et valeur du paramètre	`<PARAM NAME="nom applet" VALUE="valeur du paramètre">`	HTML 3.2.
Prologue 3.2	`<!DOCTYPE HTML PUBLIC"- //W3C// DTD HTML 3.2 FINAL//EN">`	HTML 3.2.

Balises moins fréquemment utilisées

Certaines balises (voir Tableaux C.18 à C.27) introduites par Netscape ont été adoptées moins rapidement par les autres navigateurs. Actuellement, elles peuvent être utilisées sans problème[3].

---

[3] Faux pour certaines en ce qui concerne Internet Explorer. *(N.d.T.)*

Tableau C.18 : Définitions structurales, contrôle de l'apparence.

Nom de la balise	Balise	Notes
Définition de contenu	`<SPAN> </SPAN>`	HTML 4.0
Citation	`<Q> </Q>`	Courtes citations (HTML 4.0).
- Citation	`<Q CITE="URL"> </Q>`	Pour signaler les nouveautés dans un document HTML. HTML 4.0.
Insertion	`<INS> </INS>`	HTML 4.0.
- Date de la modification	`<INS DATETIME=":::"> </INS>`	HTML 4.0.
Suppression	`<DEL> </DEL>`	HTML 4.0.
- Date de la suppression	`<DEL DATETIME=":::"> </DEL>`	HTML 4.0.
- Commentaires	`<DEL CITE="URL"> </DEL>`	HTML 4.0.
Acronyme	`<ACRONYM> </ACRONYM>`	HTML 4.0.
Abréviation	`<ABBR> </ABBR>`	HTML 4.0.

Tableau C.19 : Format de présentation : apparence du texte spécifiée par l'auteur.

Nom de la balise	Balise	Notes
Clignotement	`<BLINK> </BLINK>`	Netscape Navigator 1.0[4].
Taille de la police	`<FONT SIZE=?> </FONT>`	HTML 3.2 (de 1 à 7, 3 par défaut).
Changement de taille de la police	`<FONT SIZE=+|-?> </FONT>`	HTML 3.2.
Taille de base de la police	`<BASEFONT SIZE=?>`	HTML 3.2 (de 1 à 7, 3 par défaut).
Couleur de la police	`<FONT COLOR="#$$$$$$"> </FONT>`	HTML 3.2.
Souligné	`<U> </U>`	HTML 2.0.
Barré	`<S> </S>`	HTML 2.0.
Choix d'une police	`<FONT FACE="***"> </FONT>`	HTML 4.0.

---

[4] L'utilisation des balises `<BLINK>`, `<FONT>` et `<BASEFONT>` est déconseillée par la spécification officielle de HTML 4.0. *(N.d.T.)*

Tableau C.20 : Liens et images et sons.

Nom de la balise	Balise	Notes
- Fenêtre cible	`<A HREF="URL" TARGET= "***"> </A>`	HTML 4.0.
Action sur un clic	`<A HREF="URL" ONCLICK="***"> </A>`	HTML 4.0
Souris sur un objet	`<A HREF="URL" ONMOUSEOVER="***"> </A>`	HTML 4.0.
Souris hors d'un objet	`<A HREF="URL" ONMOUSEOUT="***"> </A>`	HTML 4.0.
- Alignement	`<IMG SRC="URL" ALIGN=LEFT|RIGHT| TEXTTOP|ABSMIDDLE|BASELINE| ABSBOTTOM>`	Netscape Navigator 1.0.
- Image réactive	`<IMG SRC="URL" USEMAP="URL">`	HTML 3.2.
- Carte de navigation	`<MAP NAME="***"> </MAP>`	HTML 3.2.
- Section	`<AREA SHAPE="RECT" COORDS="#, #,#, " HREF="URL"|NOHREF>`	HTML 3.2.
- Bordure	`<IMG SRC="URL" BORDER=?>`	HTML 3.2 (en pixels).
Espace d'environnement	`<IMG SRC="URL" HSPACE=? VSPACE=?>`	HTML 3.2 (en pixels).
Image à faible résolution	`<IMG SRC="URL" LOWSRC="URL">`	
"Client Pull"	`<META HTTP-EQUIV="Refresh" CONTENT="?; URL=URL">`	HTML 2.0.
Inclusion d'un objet	`<EMBED SRC="URL">`	Navigator 2.0.
- Taille de l'objet	`<EMBED SRC="URL" WIDTH="?" HEIGHT="?">`	Navigator 2.0, Internet Explorer.
Objet	`<OBJECT> </OBJECT>`	HTML 4.0.
Paramètres	`<PARAM>`	HTML 4.0.

Tableau C.21 : Séparateurs.

Nom de la balise	Balise	Notes
- Arrêt entourage image	`<BR CLEAR=LEFT|RIGHT|ALL>`	HTML 3.2.
- Alignement d'un filet	`<HR ALIGN=LEFT|RIGHT|CENTER>`	HTML 3.2.
- Epaisseur d'un filet	`<HR SIZE=? >`	HTML 3.2 (en pixels).
- Longueur d'un filet	`<HR WIDTH=?>`	HTML 3.2 (en pixels).

Nom de la balise	Balise	Notes
- Longueur d'un filet	`<HR WIDTH= %>`	HTML 3.2 (en pourcentage de la largeur de la fenêtre du navigateur).
- Filet sans effet de relief	`<HR NOSHADE>`	HTML 3.2.
Suppression d'alinéa	`<NOBR> </NOBR>`	Netscape Navigator 1.0.
Césure de mots	`<WBR>`	Netscape Navigator 1.0. Emplacement de la césure si elle est nécessaire.

Tableau C.22 : Listes (pouvant être imbriquées).

Nom de la balise	Balise	Notes
- Liste à puces	`<UL TYPE=DISC|CIRCLE|SQUARE> </UL>`	HTML 3.2. Pour toute la liste.
	`<LI TYPE=DISC|CIRCLE|SQUARE>`	HTML 3.2. S'étend aux articles suivants.
- Liste ordonnée	`<OL TYPE=A|a|I|i|1> </OL>`	HTML 3.2. Pour toute la liste.
	`<LI TYPE=A|a|I|i|1>`	HTML 3.2. S'étend aux articles suivants.
- Valeur de départ	`<OL START=?>`	HTML 3.2.
- Comptage	`<OL VALUE=?>`	HTML 3.2. Pour toute la liste.

Tableau C.23 : Arrière-plan et couleurs.

Nom de la balise	Balise	Notes
Lien actif	`<BODY ALINK="#$$$$$$">`	HTML 3.2.

 Pour en savoir davantage, pointez votre navigateur sur l'URL :

```
http://www.werbach.com/web/wwwhelp.html#color
```

Tableau C.24 : Formulaires. Demandent généralement la présence d'un script CGI sur le serveur.

Nom de la balise	Balise	Notes
- Téléchargement de fichier vers le serveur	`<FORM ENCTYPE="multipart/form-data">` `</FORM>`	HTML 4.0.
- Passage à la ligne automatique	`<TEXTAREA WRAP=OFF|VIRTUAL|PHYSICAL>` `</TEXTAREA>`	HTML 2.0.
Bouton	`<BUTTON> </BUTTON>`	HTML 4.0.
- Nom du bouton	`<BUTTON NAME="***"> </BUTTON>`	HTML 4.0.
- Type de bouton	`<BUTTON TYPE"=SUBMIT|RESET|BUTTON>` `</BUTTON>`	HTML 4.0.
- Valeur par défaut	`<BUTTON VALUE"=***"> </BUTTON>`	HTML 4.0.
Etiquette	`<LABEL> </LABEL>`	HTML 4.0.
Etiquette avec nom	`<LABEL FOR="***"> </LABEL>`	HTML 4.0.
Option de groupe	`<OPTGROUP LABEL="***"> </OPTGROUP>`	HTML 4.0.
Groupe d'éléments	`<FIELDSET> </FIELDSET>`	HTML 4.0.
Légende	`<LEGEND> </LEGEND>`	HTML 4.0.
- Alignement	`<LEGEND ALIGN =TOP|BOTTOM|RIGHT|LEFT>` `</LEGEND>`	HTML 4.0.

Tableaux C.25 : Tableaux.

Nom de la balise	Balise	Notes
- Alignement de tableau	`<TABLE ALIGN=LEFT|RIGHT|CENTER>` `</TABLE>`	HTML 4.0.
- Couleur d'un tableau	`<TABLE BGCOLOR="#$$$$$$>< </TABLE>`	HTML 4.0.
- Encadrement d'un tableau	`<TABLE FRAME=VOID|ABOVE|BELOW|HSIDES|` `VSIDES|LHS|RHS|BOX|BORDER> </TABLE>`	HTML 4.0.
- Séparations des cellules d'un tableau	`<TABLE RULES=NONE|GROUPS|ROWS|COLS|` `ALL> </TABLE>`	HTML 4.0.
- Largeur d'une cellule	`<TD WIDTH=?>`	HTML 4.0 (en pixels).
- Couleur d'une cellule	`<TD BGCOLOR="#$$$$$$>`	HTML 4.0.
- Largeur d'une cellule d'en-tête	`<TH WIDTH=?>`	HTML 4.0 (en pixels).
- Couleur d'une cellule d'en-tête	`<TH BGCOLOR="#$$$$$$>`	HTML 4.0.

Nom de la balise	Balise	Notes
Corps d'un tableau	`<TBODY>`	HTML 4.0.
Pied d'un tableau	`<TFOOT> </TFOOT>`	HTML 4.0 (doit être situé après `<THEAD>`).
En-tête d'un tableau	`<THEAD> </THEAD>`	HTML 4.0.
Colonne	`<COL> </COL>`	HTML 4.0.
- Regroupement de colonnes	`<COL SPAN=?> </COL>`	HTML 4.0.
- Largeur de colonnes	`<COL WIDTH=?> </COL>`	HTML 4.0 (en pixels).
- Largeur de colonnes	`<COL WIDTH="%"> </COL>`	HTML 4.0 (en pourcentage).
Groupes de colonnes	`<COLGROUP> </COLGROUP>`	HTML 4.0.
- Regroupement	`<COLGROUP SPAN=?> </COLGROUP>`	HTML 4.0.
- Largeur	`<COLGROUP WIDTH=?> </COLGROUP>`	HTML 4.0 (en pixels).
- Largeur	`<COLGROUP WIDTH="%"> </COLGROUP>`	HTML 4.0 (en pourcentage).

Tableau C.26 : Frames : définition et manipulation de zones d'écran indépendantes.

Nom de la balise	Balise	Notes
Définition des frames	`<FRAMESET> </FRAMESET>`	HTML 4.0. Remplace `<BODY>`.
- Hauteur des lignes	`<FRAMESET ROWS="#, #,#,"> </FRAMESET>`	HTML 4.0 (en pixels ou en pourcentage).
- Hauteur des lignes	`<FRAMESET COLS=*> </FRAMESET>`	HTML 4.0 (taille relative).
- Largeur des colonnes	`<FRAMESET COLS="#, #,#,"> </FRAMESET>`	HTML 4.0 (en pixels ou en pourcentage).
- Largeur des colonnes	`<FRAMESET COLS=*> </FRAMESET>`	HTML 4.0 (taille relative).
Définition d'un cadre	`<FRAME>`	HTML 4.0.
- Document à afficher	`<FRAME SRC="URL">`	HTML 4.0.

Nom de la balise	Balise	Notes
- Nom du cadre	`<FRAME NAME="***|_blank|_self|_parent|_top">`	HTML 4.0.
- Largeur de marge	`<FRAME MARGINWIDTH=?>`	HTML 4.0 (à gauche et à droite).
- Hauteur de marge	`<FRAME MARGINHEIGHT=?>`	HTML 4.0 (en haut et en bas).
- Barre de défilement	`<FRAME SCROLLING=YES|NO|AUTO>`	HTML 4.0.
- Non redimensionnable	`<FRAME NORESIZE>`	HTML 4.0.
- Bordures	`<FRAME FRAMEBORDER="yes|no">`	HTML 4.0.
- Couleur des bordures	`<FRAME BORDERCOLOR="#$$$$$$">`	HTML 4.0.
Frame en ligne	`<IFRAME> </IFRAME>`	HTML 4.0.
- Dimensions	`<IFRAME WIDTH=? HEIGHT=?> </IFRAME>`	HTML 4.0 (en pixels).
- Dimensions	`<IFRAME WIDTH="%" HEIGHT="%"> </IFRAME>`	HTML 4.0 (en pourcentage).
Si frames non reconnus	`<NOFRAMES> </NOFRAMES>`	HTML 4.0. Pour les navigateurs ne reconnaissant pas les frames.

Tableau C.27 : Divers.

Nom de la balise	Balise	Notes
- Invite	`<ISINDEX PROMPT="***">`	HTML 2.0[5].
Nom de la fenêtre de base	`<BASE TARGET="***">`	HTML 2.0. Doit se trouver dans l'en-tête.
Autre contenu	`<NOSCRIPT> </NOSCRIPT>`	HTML 4.0 (si les scripts ne sont pas reconnus).
Direction de l'affichage	`<BDO DIR=LTR|RTL> </BDO>`	HTML 4.0 (pour certains jeux de caractères).

---

[5] L'utilisation de cette balise est déconseillée par la spécification HTML 4.0. *(N.d.T.)*

Annexe D

Quelques ressources pour l'auteur Web

. . . .

Dans cette annexe, nous allons vous indiquer quelques liens vers de nombreuses sources d'informations concernant l'écriture de présentations Web, ainsi que vers des sites sur lesquels on trouve quelques-uns des logiciels les plus populaires du Web.

Ressources générales pour l'auteur Web

La ressource d'informations la plus utile sur le Web est probablement l'excellente FAQ sur le WWW écrite par Thomas Boutell. C'est un excellent point de départ pour le futur auteur Web, ainsi que pour l'amateur de surf sur le Web capable de lire et de comprendre un texte écrit en anglais.

✔ La FAQ de Thomas Boutell : www.boutell.com/faq/.

L'index de Yahoo! contient une superbe collection de liens vers à peu près tout ce qui concerne le Web et qui touche à l'Internet. Voici un lien direct vers la section appropriée :

✔ Ressources Web de Yahoo! : www.yahoo.com/
Computers_and_Internet/Internet/World_Wide_Web/.

Pour des sujets plus pointus et des ressources concernant plus spécialement l'édition sur le Web, allez voir les sites suivants :

✔ ZDNet Devhead : www.zdnet.com/devhead.

✔ La bibliothèque virtuelle de l'auteur Web :
www.starsvdvl.com/.

    ✔ Web Developer Channel : `www.internet.com/htmldev/`
`sections/webdev.html`.

Autres sujets :

    ✔ FAQ de la sécurité sur le World Wide Web : `www.w3.org/`
`Security/Faq`.

    ✔ Les images GIF transparentes et entrelacées : `www.best.com/`
`~adamb/GIFpage.html`.

    ✔ Les GIF 89a animées : `coverage.cnet.com/Content/`
`Features/Techno/Gif89`.

Ressources WEB pour Windows

    ✔ TUCOWS : `tucows.ciril.fr` (miroir français) ou
`www.tucows.com/` (site principal).

    ✔ Stroud's Consummate Winsock Applications :
`cws.internet.com/`.

    ✔ La bibliothèque de logiciels de ZDNet : `www.zdnet.com/`
`downloads/`.

    ✔ Répertoire de logiciels pour WinSock : `www.stardust.com/`
`wsdir/`.

Logiciels pour Windows

    ✔ Netscape Communicator : `home.netscape.com/browsers/`
`index.html`.

    ✔ Internet Explorer : `www.microsoft.com/windows/ie/`
`default.htm`.

    ✔ Macromedia Dreamweaver : `www.macromedia.com/`
`software/dreamweaver/`.

    ✔ InContext Spider : `www.incontext.com/SPinfo.html`.

    ✔ SoftQuad HoTMetaL : `www.hotmetalpro.com/`.

    ✔ Homesite : `www.allaire.com/Products/HomeSite/`.

    ✔ HotDog : `www.sausage.com/`.

    ✔ Logiciel de capture de sites Web : `www.boutell.com/`
`weblater/`.

- ✔ Mapedit (réalisation d'images réactives) : `www.boutell.com/mapedit/`.

- ✔ Live image (réalisation d'images réactives) : `www.mediatec.com/`.

- ✔ Paint Shop Pro (éditeur graphique) : `www.jasc.com/psp.html`.

- ✔ Générateur de fonds de page : `www.sausage.com/reptile/reptile.html`.

- ✔ Choix de couleurs pour vos pages Web : `www.hidaho.com/colorcenter/cc.html`.

- ✔ LView Pro (éditeur graphique) : `www.lview.com/`.

- ✔ Générateur d'images GIF animées : `www.ulead.com/ga/runme.htm`.

- ✔ Collection de modèles de pages : `www.ulead.com/ga/runme.htm`.

- ✔ Différentes références d'éditeurs HTML en provenance du W3C : `www.w3.org/hypertext/WWW/Tools/Filters.html`.

Ressources Web pour Macintosh

- ✔ The ULTIMATE Macintosh : `www.ultimatemac.com`.

- ✔ Page des ressources de StarNine : `dev.starnine.com/index.html`.

- ✔ Répertoire FTP des assistants NCSA pour Macintosh : `ftp://ftp.ncsa.uiuc.edu/Mosaic/Mac/Helpers/`.

- ✔ Macupdate (logiciels et jeux pour Mac) : `www.macupdate.com/`.

- ✔ Info-Mac HyperArchive : `hyperarchive.lcs.mit.edu/HyperArchive.html`.

- ✔ MacTech Magazine : `www.mactech.com/`.

Logiciels Web pour Macintosh

- ✔ Netscape Communicator : `home.netscape.com/browsers/index.html`.

- Microsoft Explorer : `www.microsoft.com/windows/ie/default.htm/`.

- Macromedia Dreamweaver : `www.macromedia.com/software/dreamweaver/`.

- Editeur BBEdit : `web.barebones.com/products/bbedit/litevfull.html`.

- Editeur HotMetal de SoftQuad : `www.hotmetalpro.com/`.

- Editeur HTML Pro pour Macintosh : `www.acc.umu.se/~r2d2/files/mac/html_pro.html`.

- SiteCheck (vérificateur de liens) : `www.pacific-coast.com/St_Pages/PCSPages/Datasheets/SiteCheckdata.html`.

- Wusage (logiciels de statistiques Win/Mac/Unix pour le Web) : `www.boutell.com/wusage/`.

- Mapedit (création d'images réactives Win/Mac/Unix) : `www.boutell.com/mapedit/`.

- JPEGView (logiciel de visualisation d'images) : `ftp://ftp.ncsa.uiuc.edu/Mosaic/Mac/Helpers/jpeg-view-331.hqx`.

- GraphicConverter (conversion de formats d'images) : `www.lemkesoft.de/us_gcabout.html`.

- GIFConverter (conversion de formats d'images) : `www.kamit.com/gifconverter.html`.

- Collection de modèles de pages Web : `www.imagixx.net/~gw/wpsk/index.html`.

- W3.ORG (éditeurs et logiciels de conversion HTML) : `www.w3.org/hypertext/WWW/Tools/Filters.html`.

JavaScript

Ce langage de script est simple et dépourvu de toute insécurité. Il permet de réaliser assez facilement un certain nombre d'effets visuels comme, par exemple, les boutons animés. Microsoft l'appelle JScript.

- Ressources JavaScript de Yahoo! : `dir.yahoo.com/Computers_and_Internet/Programming_Languages/JavaScript/"`.

- ✔ FAQ sur JavaScript : `developer.irt.org/script/faq.htm">`.

- ✔ Ressources JavaScript du magazine IDM : `idm.internet.com/faq/js-faq.shtml`.

- ✔ Bibliothèque JavaScript de ZDNet : `www.zdnet.com/devhead/resources/scriptlibrary/javascript/`.

Groupes de news de Usenet

Quel que soit l'intérêt que vous portiez au Web et à l'Internet, vous êtes certain de trouver d'autres gens qui partagent vos passions sur Usenet. Il existe des centaines de forums. Pour les groupes francophones, cherchez en priorité ceux qui commencent par `fr.comp`.

Index

Achevé d'imprimer par Corlet, Imprimeur, S.A. - 14110 Condé-sur-Noireau
N° d'Imprimeur : 61707 - Dépôt légal : novembre 2002 - *Imprimé en France*

Titre	ISBN	Code
Access 2002 Poche pour les Nuls	2-84427-253-3	65 3297 2
C# Poche pour les Nuls	2-84427-350-5	65 3410 1
C++ Poche pour les Nuls	2-84427-312-2	65 3338 2
Créez des pages Web Poche pour les Nuls (2e éd.)	2-84427-377-7	65 3462 2
Dreamweaver 4 Poche pour les Nuls	2-84427-945-7	65 3197 4
Excel 2000 Poche pour les Nuls	2-84427-964-3	65 3229 5
Excel 2002 Poche Pour les Nuls	2-84427-255-X	65 3299 8
Flash 5 Poche pour les Nuls	2-84427-942-2	65 3202 2
Gravure des CD et DVD Poche pour les Nuls	2-84427-349-1	65 340903
HTML 4 Poche pour les Nuls	2-84427-321-1	65 3363 2
iMac Poche pour les Nuls (3e édition)	2-84427-320-3	65 3362 4
Internet Poche pour les Nuls (2e édition)	2-84427-347-5	65 3407 7
Java 2 Poche pour les Nuls	2-84427-317-3	65 3359 0
JavaScript Poche pour les Nuls	2-84427-335-1	65 3385 5
Linux Poche pour les Nuls	2-84427-313-0	65 3339 2
Mac Poche pour les Nuls (2e édition)	2-84427-319-X	65 3361 6
Mac OS X Poche pour les Nuls	2-84427-264-9	65 3308 7
Office XP Poche pour les Nuls	2-84427-266-5	65 3310 3
PC Poche pour les Nuls (2e édition)	2-84427-345-9	65 3405 1
Photographie numérique Poche pour les Nuls (la)	2-84427-351-3	65 3411 9
Photoshop 6 Poche pour les Nuls	2-84427-254-1	65 3298 0
TCP/IP Poche pour les Nuls	2-84427-367-X	65 3443 2
Réseaux Poche pour les Nuls	2-84427-265-7	65 3309 5
SQL Poche pour les nuls	2-84427-376-9	65 3461 4
Unix Poche pour les Nuls	2-84427-318-1	65 3360 8
VBA Poche pour les Nuls	2-84427-378-5	65 3463 0
Visual Basic .net Poche pour les Nuls	2-84427-336-X	65 3386 3
Visual Basic 6 Poche pour les Nuls	2-84427-256-8	65 3300 4
Windows Me Poche pour les Nuls	2-84427-937-6	65 3199 0
Windows XP Poche pour les Nuls	2-84427-252-5	65 3296 4
Word 2000 Poche pour les Nuls	2-84427-965-1	65 3230 3
Word 2002 Poche Pour les Nuls	2-84427-257-6	65 3301 2